日本とベルギー

―交流の歴史と文化―

編著
岩本和子　中條健志

著
石部尚登　武居一正　山口博史　渡邉優子
北原和夫　ベルナルド・カトリッセ　井内千紗
利根川由奈　大迫知佳子　猪俣紀子　奈良岡聰智
ディミトリ・ヴァンオーヴェルベーク　上西秀明

松籟社

目次

第2部　交流と文化

第3部　交流の「場」

まえがき

コロナ禍の影響が続く2021年12月、〈日本とベルギーの交流史〉のテーマのもとで、オンライン（Zoom）による第3回「ベルギー学」シンポジウムが開催された。2016年に日白交流150周年（1866年のベルギー・日本間の修好通商条約締結から）を記念し「ベルギー学」の構築を掲げて国際シンポジウムを企画したのが始まりで、日本ベルギー学会とベルギー研究会が協力して実行委員会を立ち上げ、駐日ベルギー大使館やベルギー関係諸機関の支援を受けて、東京理科大学を会場とした。次からは上智大学ヨーロッパ研究所を事務局拠点とし、2018年の第2回〈日白交流の“いま”〉を経て、2021年には現在の友好関係に至る歴史をひもとくべく、学術、文化・芸術・外交関係、民間交流などの諸分野の交流史に焦点を当てた。

本書はこの第3回シンポジウムの成果を広く共有すべく、そこでの研究発表を基にして同テーマでの知見を深めようと編まれたものである。ただし、その後すでに別の形で公刊されるなどの諸事情もあって、全発表を掲載するものではなく、また新たに書き下ろされた論文も所収している。心掛けたのは、「ベルギー学」の学際性やベルギーの言語・文化的多層性を考慮したバランスのとれた構成である。従って本書はシンポジウムの報告書ではなく、それと連動する独立した論文集となる。

一方で本書は、ベルギーをフィールドとする人文学・社会科学分野を中心とした先端的・学際的な研究成果を発信する、2013年に始まる一連の「ベルギー学」論文集の第4弾としても位置づけられる。『ベルギーとは何か？——アイデンティティの多層性』(2013)、『ベルギーを〈視る〉——テクスト–視覚–聴覚』(2016)、『ベルギーの「移民」社会と文化——新たな文化的多層性に向けて』(2021) に続き、いずれも松籟社からの出版になる。

本書の内容について簡単に紹介しておきたい。様々な学術・文化分野の日白交流の歴史を振り返り考察するにあたって、日本とベルギーにおける互いの影響やそれによる変化、また互いの国から自国がどう見られているか（日本から見たベルギー、ベルギーから見た日本）といった、双方向的な視点、動的な視点、立体的な視点も意識して論じることを心掛けた。

研究論文については全体を大きく2部に分けている。第1部では「交流の歴史」の諸現象を法律、言語、ベルギーに渡った日本人、在日本のベルギー人、教育、メディアなどの多視点からひもといていく。まず石部論文では、歴史社会言語学的視点から、日本にとって9番目の幕末条約となった1866年の「日白修好通商航海条約」の交渉過程を克明に跡づけつつ、特にベルギーにとっては重要且つ特殊であった言語使用の実態を論じる。条約締結当時は社会言語学的環境の大きな転換期にあった両国にとっての、外交言語フランス語や日本での慣例的「正文」としてのオランダ語の、実際の使用状況との関連を探っていく。

武居論文は、ベルギーで学んだ最初の日本人は誰か？　という関心から出発する。歴史資料や日記資料を通して、最初の日本人とされる周布公平（1865年ベルギー入り）以前にもベルギーを訪れた日本人たち、そしてオランダを経由しベルギーで「土工として働きながら火薬製造を学んだ」エリート日本人に注目する。この澤太郎左衛門の向学心と交流の重要性に新たな光を当てることになる。

山口論文は、関東大震災（2023年でちょうど100年）を神奈川県逗子での避暑滞在中に経験したバッソンピエール駐日ベルギー大使の「回想録」をもとに、その行動を詳細に読み解き、当時のベルギーや日本の時代的背景も踏まえた上で検討する。特別な立場の人間による巨大地震の位置づけ、震災から欧州近代の出来事（第一次大戦でのベルギーへのドイツ侵攻による戦災など）を想起する欧州人の特徴、それによる支援活動への影響などを、「想念のネットワーク」として論じる。フィールドワークによる現在の逗子の姿と100年前の記録の紹介・比較は貴重な資料となるだろう。

渡邉論文は、大正期から昭和初期の日本における新教育運動の中で注目され、いくつかの学校で実践もされた理論・方法の一つとして、ベルギー人の精神医学者であり教育者であったオヴィド・ドクロリーの「ドクロリー・メソッド」を紹介し考察する。その背景や実践状況とともに論者が特に注目するのは、西田幾多郎の思想とも結び付けて理解された、「自己」を学習に取り入れる教育改革だった。つまり「自分自身についての知識」と「自分を取り巻く環境についての知識」の相互作用である。さらにベルクソンの「生命」ないし「生命の弾み」＝「傾向」の思想とも繋げ、哲学・心理学・教育学を横断する深い考察となっている。

中條論文は、2016年の「日白修好150周年」が、日本とベルギーのメディアにおいてどのように捉えられ伝えられたかを検証し比較する。主に新聞の談話分析を通して、両国におけるイメージや文化・経済的側面の重要性の違いなどを具体的に裏付けていく。

第2部「交流と文化」では、日白交流の文化的実践の諸様態を見ていく。岩本論文では文学ジャンルを扱い、現代のベルギー・フランス語作家を代表するアメリー・ノトンの自伝的小説に注目する。外交官で駐日ベルギー大使も務めた父パトリック・ノトンとともに幼年時代と20代初期を日本で過ごした作家の、日本との関係や日本人／ベルギー人としてのアイデンティティをオートフィクションとしてのテクスト中に探る。幼年時代の理想化された日本、日本人男子学生との恋愛や異文化衝突などの描写を通して、歴史や記憶・フィクションの意味も問うことになる。

井内論文は、ベルギー・オランダ語文学の日本における受容・認知の現況と、フランス語文学に対する翻訳出版の圧倒的な少なさについて、その理由や実態を明らかにする。そのために、各時代の「文学概論」における「フラーンデレン文学」の記述に注目し、「ベルギーのフランス語文学」や「オランダの文学」との関係、かつての「蘭学」との切り離された関係などを指摘する。またベルギーにおけるオランダ語そのものの変容や言語政策にも目を向け、社会言語的背景の知識や言語事情の理解、支援組織の必要性などを具体的に提唱する。

利根川論文は、ベルギーの国家的画家ルネ・マグリットの、日本での受容について考察する。特に1960年代の日本の広告デザインに「マグリット的イメージ」が多用された背景を諸作品の造形的比較を通して実証していく。シュルレアリスム、とりわけデペイズマン（異郷化、異化効果）の手法に注目し、ファッション広告における、人物の顔を隠す「匿名性」や人物像の「不安感」といった特徴を、「幻想性」とは別の「マグリット的デペイズマン」という特異な要素と見做す。その影響を日本のグラフィック・デザインが部分的に受けたことを検証し、日本とベルギーがつながった一側面に光を当てることになる。

大迫論文は音楽ジャンルを扱う。1830年のベルギー独立後に活躍した音楽理論家フランソワ＝ジョゼフ・フェティスはブリュッセル王立音楽院初代院長として教育・作曲・書籍出版など、ベルギーの音楽会に多大な貢献をした。その集大成としての遺作『総合音楽史』（1869-76）を主な資料とし、彼の日本音楽に対する言及、特に「トナリテ（調性）」に関する考察について、丁寧に分析していく。フェティスは「トナリテ」が、時代や地域ごとの民族固有の身体的組織や社会組織に培われた聴覚・知性・精神と関係すると考えていたと論者は指摘し、日本音楽に対する西洋同時代人の違和感を楽譜や楽器紹介とともに解明する。フェティスにおける西洋音楽の優位性の意識にも注目を向けることになる。

第1部と第2部の最後にはコラムとして3名の方に執筆をお願いした。北原和夫氏には、1970年代にベルギー政府給費留学生としてブリュッセル自由大学（ULB）のイリヤ・プリゴジン（ノーベル化学賞受賞）の研究室で学ばれた体験、ベルナルド・カトリッセ氏には、ベルギーフランドル交流センター（大阪）そしてアーツフランダース・ジャパン（東京）の館長として長年ベルギーと日本の文化芸術交流に尽くしてこられた、その活動の足跡、そしてフランスのバンド・デシネ（BD）研究の先端を担う猪俣紀子氏には、重要な芸術ジャンルの一つであり、日本での評価も高まりつつあるベルギーのBDの動向を、それぞれ語っていただく。

さらに第3部として、シンポジウムで行ったパネルディスカッション「日本とベルギーの交流の歴史とこれから」の発言内容を掲載する。実際の交流の「場」の記録である。シンポジウム全体を振り返りつつ、交流史や「ベルギー学」をめぐっての自由なやりとりの場としたため、話題の飛躍や話し言葉などもほぼ「そのまま」にさせていただいた。基調講演や研究発表に触れている個所もあるので、参考までにシンポジウムのプログラム概要を紹介しておく。

基調講演

1. 奈良岡聰智（京都大学）「駐日ベルギー大使館の歴史」
2. ディミトリ・ヴァンオーヴェルベーク（東京大学）“A Humble Policy Entrepreneur in a Changing Society: About Sufu Kōhei’s Belgian Roots in Promoting the Rule of Law in Meiji Japan”

研究発表

1. 大迫知佳子（広島文化学園大学）「F. -J. フェティスの著述における日本音楽: フェティス没後150周年に寄せて」
2. 利根川由奈（文教大学）「ルネ・マグリットの日本での受容―デザインとの関係を通して」
3. 澤西祐典（龍谷大学）「芥川龍之介とベルギー」
4. 渡邉優子（文教大学）「昭和初期における東京市富士小学校の教育とドクロリー・メソッドの思想史的交渉」
5. 武居一正（福岡大学）「ベルギーで学んだ最初の日本人は誰か？―いつ、何処で、何を―」
6. 稲岡正記（住友商事株式会社）「西ヨーロッパの十字路、リエージュの伝統産業と日本の安全保障」

パネルディスカッション

「日本とベルギーの交流の歴史とこれから
Histories of Japan-Belgium Relations and Their Future」

これまで同様、今回の論文集出版においても松籟社の木村浩之氏には大変お世話になった。いつもながらの、編集過程のやりとりでの心遣い、内容チェックでの厳しさをもって、我々の遅れがちな作業を支えてくださった。ベルギーと日本の懸け橋として、木村氏、そして松籟社のお仕事も日白交流史の一ページに加えねばならないだろう。

編者の一人として心から感謝いたします。

2023年9月

岩本和子

日本とベルギー

――交流の歴史と文化――

第1部

交流の歴史

第 1 章

1866年の日白修好通商航海条約に関する歴史社会言語学的考察

石部　尚登

1　はじめに

1867年2月［慶応3年1月］[1)]、横浜でイギリス領事館付牧師M・バックワース・ベイリー（M. Buckworth Bailey）が『萬國新聞紙』を創刊した。英米仏の「飛脚船」が持ち込む海外新聞の翻訳記事からなる邦字新聞で[2)]、3月［2月中浣］発行の第二集に以下の記事が掲載された[3)]。

> ベルジアム國
> 此國近頃日本と條約を結たる報告、彼の國に達せしに執政官等皆極めて是を喜ぶ。又贈答は佛語を用ひずして和蘭語を用ゆるを殊の外歓べり。

1）本稿では年月日は西暦で表記する。和暦と併記する場合は西暦［和暦］の順で示す。なお、和暦以外の角括弧内は筆者による補足を示す。

2）浜田彦蔵（ジョセフ・ヒコ Joseph Heco）の『海外新聞』に次ぐ民間の邦字新聞。1869年［明治2年］の第十五集で『萬國新聞』への改題を経て第十七集まで刊行された。国語辞典『言海』の編纂者として有名な大槻文彦が翻訳、編集に携わっていたことでも知られる。

3）明治文化研究会編『幕末明治新聞全集』第二巻（世界文庫、1961年）290頁。本稿では、旧字体や変体仮名等はそのままの引用を原則とし、句読点のみを補っている。

元記事の特定には至っていないが、第二集では英仏の郵船[4]積載の現地1867年1月17日［慶応2年12月12日］発行分までの新聞を用いたとあり、おそらくは前年の1866年8月1日［慶応2年6月21日］に江戸で調印された日白修好通商航海条約（以下、日白条約）のベルギー議会での承認[5]を伝える一報であると推測される。

発刊趣意書によれば、『萬國新聞紙』発刊の目的は、「国内国外を問わず、最新の時事ニューズを提供し、有益で興味があり、啓発的な諸問題について、読者に精通させること」であった[6]。しかし、当時の「読者」のベルギー認識では、とりわけ後半部分の情報がどこまで有益で、またどこまで理解されたのかは定かではない[7]。

確かに、日本にとって9番目の幕末条約として締結された日白条約では、両国間の交渉はオランダ語でおこなわれた[8]。また、その条約文はオランダ語文が唯一の「正文（原）」とされた――「此條約は日本佛蘭西及ひ和蘭語を以て書

4）1867年3月8日［慶応3年2月3日］横浜来港のイギリス郵船ガンジス号（Ganges）、および3月13日［2月8日］来港のフランス郵船（アメリカ船のチャーター便）のスウォナド号（Suwonada［周防灘］）。

5）1866年8月1日に日本とベルギーのあいだで締結された修好通商航海条約、および同年10月4日に両国間で締結された附属約書を承認する法律（*Moniteur belge*［ベルギー官報］（以下、MB）1866年12月29日）が、1866年12月21日［慶応2年11月15日］に下院で（*Annales parlementaires de Belgique: Chambre des représentants*［下院議事録］（以下、APCH）1866-1867, pp. 217-219）、翌22日［16日］には上院（*Annales parlementaires de Belgique: Sénat*［上院議事録］1866-1867, pp. 73-74）で可決された。なお、日白条約の締結については、1866-1867年度会期の議会開会日の1866年11月13日に、国王レオポルド2世が即位後初めてとなる開会演説のなかで言及している（APCH 1866-1867, p. 2）。

6）Black, John Reddie, *Young Japan: Yokohama and Yedo*, vol. II（London: Trubner & Company. 1881）, p. 60.［ねずまさし・小池晴子訳『ヤング・ジャパン2：横浜と江戸』（平凡社、1970年）155頁］。本稿で利用する参考引用文献のうち邦訳書のあるものは、角括弧で括り邦訳書を提示し、双方の該当頁を示す。引用する場合には原則として邦訳書の訳文を利用するが、表現や表記などの統一のために断りなく一部変更している箇所もある。

し、各飜譯は同儀同意なりと雖、和蘭語譯文を以て原と見るへし」(第22条)[9]。現在の観点からすれば、こうした言語選択は、一方では蘭学の伝統や蘭通詞の存在という日本側の事情、他方ではオランダ語を「国語」のひとつとするベルギー側の事情から、ごく「自然な」選択とみることができるかもしれない。

しかしながら、当時の両国の社会言語的状況を勘案するならば、そうした理解だけでは十分とは言えない。現に、日白条約第21条には、「白耳義國のヂプロマチーキ、アゲント[外交官]及ひコンシュライル吏人[領事館員]より日本司人にいたす公事の書通は佛蘭西語を以て書すへし。尤此條約施行の時より五箇年の間は、日本語又は和蘭語の譯書を添へし」[10]とあり、条約締結後の両国の外交言語はフランス語とされ、オランダ語はあくまで「翻訳」、それも5年間限りの経過措置とされた。この第21条をめぐってはベルギー国会で論戦が交わされてもいる[11]。

---

7) 1830年のベルギーのオランダからの独立については、すでに1832年[天保3年]の時点で、同年の『和蘭風説書』(第240号)で、「先年フランス國之内ブラバント申所阿蘭陀配下に致し置候處、國法相背候に付儀絶仕候」として伝えられていた(日蘭学会・法政蘭学研究会編『和蘭風説書集成』下巻(吉川弘文館、1979年)177頁)。また、その言語状況についても、たとえば1851年[嘉永4年]刊行の箕作阮甫による『八紘通誌』第2巻での「土人ノ言語ハ、ヘ子コウウェン[エノー]、ナーメン[ナミュール]、ロイク[リエージュ]、及ブラバンドノ一部ハ、パトイス[パトワ、俚言]ト名ル、佛蘭西訛音ヲ使ヒ、餘ハフラームス語ヲ言フ」(下線は原著における傍線)との記述など、地誌的情報として紹介されてはいた。

8) ベルギー外務省文書館所蔵資料(Archives of the Ministry of Foreign Affairs, Belgium(以下、AMFA))2098、1866年7月12日、横浜、特命全権公使トキントから外務大臣ロジエへの書簡。

9) 外務省条約局編『舊條約彙纂』(以下、『旧条約彙纂』)第1巻第1部(外務省条約局、1930年)320頁。フランス語版は*Documents parlementaires: Chambre des représentants*[下院議会資料](以下、DPCH)1866-1867, n° 12。

10)『旧条約彙纂』第1巻第1部、320頁、DPCH 1866-1867, n° 12。

11) 最終的に可決には至らなかったが、「下院は、日本政府に対し、条約の第21条が規定する利益を放棄し、外交文書に日本の公用語であり、ベルギーの国語のひとつであるオランダ語を使用する用意があると表明するよう要請する」との下院決議の提案までなされた(APCH 1866-1867, p. 219)。

そこで本稿では、日白条約が締結された当時の両国の社会言語的状況をそれぞれ確認したうえで条約交渉の過程を跡づけることで、日本とベルギーの公的関係のはじまりにおける言語使用の実態の一端を明らかにする。

2　先行研究と本研究の位置づけ

国家間の公的交流、外交における言語選択の問題は、「誰が、いつ、誰に、どんなことばを話すのか」[12] という社会言語学の基本的な問いに呼応するもので、その探求はすぐれて（社会）言語学的な意義をもつ。また、19世紀の初期日白交流に焦点を当てるという点で、本研究はことばの問題を過去の特定の時代の歴史社会的な状況と関連づけて理解しようとする「歴史社会言語学」[13] 研究と位置づけられる。

幕末期の外交における言語使用については、一連の通詞（通事）の研究[14] を除けば、長らくほとんど関心が寄せられてこなかった。しかし近年、歴史学からは日英交流史研究者の楠家重敏による「幕末の言語革命」研究[15]、言語学からは日本語学研究者の清水康行による「日本語の近代化」にまつわる研究[16] と、両学問分野から新しい取り組みがなされるようになった。条約作成における通

12）Fishman, Joshua A. ‘Who Speaks What Language to Whom and When?’, *La linguistique*, 1 (2), 1965, pp. 67-88.

13）高田博行・渋谷勝己・家入葉子編『歴史社会言語学入門：社会から読み解くことばの移り変わり』（大修館書店、2015年）。

14）たとえば、片桐一男『阿蘭陀通詞の研究』（吉川弘文館、1985年）、片桐一男『江戸時代の通訳官：阿蘭陀通詞の語学と実務』（吉川弘文館、2016年）。

15）楠家重敏「日英修好通商条約第21条をめぐって」『英学史研究』45、2012年、45-56頁、楠家重敏『幕末の言語革命』（晃洋書房、2017年）、寺本敬子・塩田明子・楠家重敏「修好通商条約の新視角：「言語」と「条約文」の再検討」『跡見学園女子大学人文学フォーラム』17、2019、38-57頁など。

16）清水康行「誰が言語を司るのか：幕末外交における正文と通訳をめぐって」『文学』12（3）、2011年、108-122頁、清水康行『黒船来航　日本語が動く』（岩波書店、2013年）、清水康行「『日米和親条約』諸言語版の本文をめぐって：和文版の位置付け、蘭文版と蘭文和解版との間」『国文目白』56、2017年、1-30頁など。

訳や翻訳の問題を扱ったブレンダン・ル・ルーや野村啓介の研究も挙げられる[17)]。ただし、これらの研究で考察の対象に据えられているのは主として安政5カ国条約の締結国（米英仏蘭露）、特に前三国との条約交渉における言語使用である。

列強5カ国への記述の偏りは幕末開国史研究の伝統でもあった。福岡万里子は述べる。「従来の幕末外交史研究では、ペリー来航から5ヵ国条約に至る過程について豊富な研究が行われる一方、それ以後の、いわば残りの条約交渉過程については、ほぼ等閑に付されてきた」[18)]。こうした問題意識を基に、現在、5カ国以降の条約締結国との関係に関心を向ける取り組みが進められている[19)]。そうした新しい幕末外交史研究は、マルチアーカイヴァルな史料調査と多国間関係のなかで幕末日本の対外交流を理解しようとする研究アプローチを特徴とする。

次に、初期日白交流史については、最初の体系的な研究としてチュオン・ブー・ラムの研究[20)]が挙げられる。ただし、そこで用いられている史料はもっ

17）ル・ルー，ブレンダン「「安政五ヶ国条約」を問うて：開港条約の再検討へ」大石学編『一九世紀の政権交代と社会変動：社会・外交・国家』（東京堂出版、2009年）225-279頁、野村啓介「フランス第二帝制下の対日外交政策：日仏修好通商条約の締結をめぐって」『国際文化研究科論集』23、2015年、19-32頁、野村啓介「日仏修好通商条約正文（仏・蘭・和）に関する比較的考察：ナポレオン3世下フランス対日外交の基礎研究」『ヨーロッパ研究』11、2016年、31-75頁。

18）福岡万里子「五ヵ国条約後における幕府条約外交の形成」『日本歴史』741、2010年、54頁。

19）たとえば、福岡「五ヵ国条約後における幕府条約外交の形成」、鈴木祥「幕末の新規通商条約問題」『明治維新史研究』13、2016年、1-18頁、塚越俊志「日白修好通商条約の締結過程とその意義」『京浜歴科研年報』23、2011年、28-40頁、塚越俊志「日伊修好通商条約締結過程とその意義について」『東海史学』45、2011年、7-20頁、塚越俊志「幕末の条約について」『弘前大学国史研究』141、2016年、58-70頁。

20）Truong-Buu-Lâm, *Les débuts des relations entre la Belgique et le Japon (1846-1866)*, (Mémoire de licence, Université catholique de Louvain, 1955).

ぱらベルギー側の外交文書に限定される。日本側の研究としては、日白交流史研究の基本書とも言える『日本・ベルギー関係史』[21]がある。両国の史料を基に多岐にわたる事項が概説されているが、著者の磯見自身が「あとがき」で振り返っているように、「ベルギー側の史料は大部分が手つかずのまま残」り、またそもそも本書では「明治時代に重点が置かれている」[22]。

より近年においては、2016年の日白修好150周年を記念して刊行された論文集[23]に収められたディルク・デ・ライヴェル（Dirk De Ruyver）の論考「日本とベルギーのあいだの最初の条約（1866年）」[24]がある。両国の史料のみならず、関連する米英仏等の公文書も用いて条約締結に至るまでの過程が詳細に跡づけられており、資料的価値も高い。また、他の条約との関係から日白条約の意義を論じる塚越俊志の研究も挙げられる[25]。これらの研究を適宜参考にしながら、本稿ではマルチアーカイヴァルな手法を用いて、初期日白交流における言語使用に焦点を絞って論じる。

3　当時のベルギーの社会言語的状況

3.1　単一言語国家としての出発と言語運動の政治化

ベルギーはオランダ語とフランス語、そしてドイツ語の3つの公用語を有する多言語国家である[26]。しかし、制度的には独立当初からそうであったわけではない[27]。

1830年［文政13年］にオランダから独立を果たしたベルギーは、翌1831年2

21）磯見辰典・黒沢文貴・櫻井良樹『日本・ベルギー関係史』（白水社、1989年）。

22）同上、389頁。

23）Vande Walle, Willy F. (ed.) *Japan & Belgium: An itinerary of mutual inspiration*, (Tielt: Lannoo, 2016).

24）De Ruyver, Dirk 'The First Treaty Between Belgium and Japan (1866)', in Willy F. Vande Walle (ed.) (2016), pp. 21-111.

25）塚越俊志「日白修好通商条約の締結過程とその意義」『京浜歴科研年報』23、2011年、28-40頁。

月7日［天保元年12月25日］制定の憲法をもって、（個人の）「言語使用の自由」（第23条）[28] を認めながらも、国家運営に関する重要な領域（ドメイン）ではフランス語に特権的な地位を付与する単一言語政策を採用した[29]。

それでは、制度的にフランス語優位の社会にあって、一般の人々はいかなることばを話していたのか。日白条約が締結された1866年、ベルギーでは第3回国勢調査が実施されている[30]。調査には使用言語——「話している国語 langues nationales parlées / gesproken landtalen」——に関する項目も含まれてい

26）厳密に言えば、近年、「手話」にも公的な地位が与えられており、これもベルギーの公用語である。また、現行の——過去も含めて——憲法や連邦法には、公用語や国語を明示的に規定する条項は存在しない。憲法にあるのは4つの「言語圏」（オランダ語圏、フランス語圏、首都ブリュッセル二言語併用圏、ドイツ語圏）に関する規定（第4条）、および憲法条文の言語に関する規定（第189条「憲法の法文は、フランス語、オランダ語およびドイツ語で作成される」（武居一正「ベルギー国憲法」、畑博行・小森田秋夫編『世界の憲法集　第5版』（有信堂高文社、2018年）515頁））のみである。

27）現在のベルギーのドイツ語圏——連邦構成体のひとつとしてのドイツ語（話者）共同体——は、第一次世界大戦の講和条約のヴェルサイユ条約によりベルギーへ割譲された領域である。ただし、1830年の独立時より（1839年まではルクセンブルク大公国の版図も含まれていた）、国内にはドイツ語、あるいはゲルマン語系の諸変種を話す人々は存在していた（石部尚登「ベルギーの「国内少数者」としてのドイツ語話者——その歴史的領域と現在の公的領域について」『*Sprachwissenschaft Kyoto*』10、2011年、13-36頁）。

28）「ベルギー国内で用いられている言語の使用は任意である。言語の使用は、公権力の活動および訴訟についてのみ、しかも法律によらなければ規律されることができない」（武居「ベルギー国憲法」、515頁）。本条項はその後の数次にわたる憲法改正を経てなお維持され、現行憲法の第30条に同一の文言で残されている。

29）一例を挙げると、1831年9月19日の「法律の裁可および公布に関する法律」の第2条は次のようにある。「法律は成立後ただちに官報に掲載される。そのさいフラーンデレン語［オランダ語］またはドイツ語が話される自治体のために、それらの言語の翻訳が付される。ただし、フランス語の法文が唯一の正文である」（*Bulletin officiel des lois et arrêtés royaux de la Belgique* 1931: 660）。国内におけるフランス語以外の言語の存在は確かに認識されていた。

た[31]。内務大臣の名で1870年に刊行された公式報告書によると、ベルギー全体でフランス語を話すと回答した住民は、複言語話者を含めても49.2パーセントで、住民の過半がフランス語を話すことができない状況にあった[32]。状況はフラーンデレン地域でより顕著で、フランス語を話せる住民は1割に満たなかった（9.06パーセント）[33]。

フランス語を事実上の唯一の公用語とする単一言語国家として出発したベルギーにおいて、独立から30年以上が経過してなお、半数以上の国民がフランス語を話さない。国家の言語制度と一般大衆の言語使用との乖離がオランダ語話者側の抵抗運動を生じさせることは必然であった。1860年代は、そうしたオランダ語の公的承認を求める運動、フラーンデレン運動[34]がさらなる高ま

30）19世紀半ばという相対的に早い時期から、ベルギーでは国勢調査を利用した公的な言語調査が実施されてきた。1846年の第1回国勢調査以降、言語に関する質問項目が設けられなかった1856年の第2回国勢調査をはさみ、言語対立の激化を理由としてそれ以降は言語調査が廃止されることになる1947年の第10回国勢調査まで定期的に実施されてきた。Ministre de l'intérieur, *Statistique de la Belgique: Population: Recensement général*（以下、RECENSEMENT）1846, 1866, 1880, 1890, 1900, 1910, 1920, 1947、また、石部尚登『ベルギーの言語政策　方言と公用語』（大阪大学出版会、2011年）210-220頁を参照。

31）「フランス語かワロン語（Français ou wallon / Fransch of waalsch）」、「オランダ語かフラーンデレン語（Néerlandais ou flamand / Nederduitsch of vlaamsch）」、「ドイツ語かルクセンブルク語（Allemand ou luxembourgeois / Duitsch of luxemburgsch）」という近縁の言語変種（方言）を包含する3つの選択肢のなかから回答（複数回答可）する形式が用いられた。なお、原語は便宜的にフランス語／オランダ語の順で提示している。

32）RECENSEMENT 1866.

33）その後、複言語話者の数は時代とともに増加を続けたが、フランス語、オランダ語、ドイツ語をそれぞれ第一言語とする話者の比率はほとんど変化していない。たとえば、最後の言語調査となった1947年の国勢調査では、「もっとも頻繁に用いる言語」としてそれぞれの言語を回答した比率は43.94%、55.10%、0.97%であった（RECENSEMENT 1947）。

34）Clough, Shepard B. *A History of the Flemish Movement in Belgium: A study in nationalism*, (New York: Richard R. Smith, 1930).

りをみせ、運動が政治化する時期と特徴づけることができる。

具体的には、1862年にアントウェルペンでミーティング党が結党され、翌1863年には同党選出の下院議員ヤン・デラート（Jan Delaet）が国会で初となるオランダ語による宣誓――「私は憲法を遵守することを宣誓します Ik zweer de Grondwet na te leven」――をおこなっている[35]。運動の高まりや政治化の背景には、当時、立て続けに生じていた司法スキャンダル、つまりオランダ語の不平等な社会的地位や制度に起因する冤罪事件があった。

また、1864年には隣国オランダ王国との共通オランダ語正書法である「デ・フリース＝テ・ヴィンケル正書法」が王令[36]をもって公的に承認されている。両国の共同編集による『オランダ語辞典 *Woordenboek der Nederlandsche Tael*』の第一巻も同年に刊行されている[37]。現在に続くベルギーとオランダの言語的協働が明確な形を取りはじめたのもこの時期であった。

3.2　ベルギー外交と言語

オランダ語の公的承認を求める声が高まる一方で、フランス語を事実上の唯一の公用語とする国家制度はいまだ堅固に維持されていた。そうしたなかでことさら強固にフランス語優位の構造が維持されていた領域（ドメイン）のひとつが外交界である。

1831年から1913年までのベルギー外交官の約70％は貴族出身者で占められていた[38]。国内の言語境界線が地理的でなく社会（階層）的なものであった当時[39]、彼らの家庭の言語は――ワロン人かフラーンデレン人かを問わず――フ

35）Apch, 1863-1864, p. 5.

36）Mb, 1864年11月22日。

37）編纂作業自体はすでに1851年から開始されていた。1998年に最終的な完成をみたが、全43巻、約40万語の見出し語からなる辞典は「世界最大の辞典」とも称される（Nederlandse Taalunie, ‘Wat is het grootste woordenboek ter wereld?’, *Taalpeil*, Sept. 2005, p. 8.）。

38）Delcorde, Raoul, *Les diplomates belges*, (Wavre: Mardaga, 2010), p. 105.

39）石部『ベルギーの言語政策』9-10頁。

ランス語であった。そして、彼らはほぼ例外なくフランス語で教育を受けていた。それにくわえ、国際的にも——少なくとも1919年のパリ講和会議までは——フランス語が「唯一の外交の言語」[40]や「外交の公式用語」[41]と目されていた。このような時代背景があって、「ベルギーの外交界は［国内の］言語的要求の声に意識を向けることがほとんどなかった」[42]。

外交界にみられるこうした言語観は制度の面からも裏づけられる。外交官の任用でオランダ語の知識は長らく不問とされてきた。任用試験科目としてのオランダ語（口頭と筆記）の導入はようやく1924年に実現した[43]。外交官の任用制度を定めるのが政治であることを考えれば[44]、外交界だけでなく政界も含め[45]、フランス語のみをベルギー国／人の言語とみることが「常識」であった。

当然、こうした言語観のもとでなされるベルギー外交はフランス語の選択や使用を前提としたものとなる。独立から日白条約に至るまで、ベルギーは数多

40）Delcorde, Raoul, *Les mots de la diplomatie*, Nouvelle édition, (Paris: L'Harmattan, 2015), p. 7.

41）Nicolson, Harold, *Diplomacy*, 3rd ed., (London: Oxford University Press, 1963), p. 225.［斎藤眞・深谷満雄訳『外交』（東京大学出版会、1968年）216頁］。

42）Delcorde, *Les diplomates belges*, p. 123.

43）*ibid.* p. 116。なお、希望者がオランダ語で試験を受験できるようになるのはさらに遅れて1939年のことであった（p. 123）。

44）たとえば、1898年3月31日、当時の外務大臣でリエージュ選出のポール・ドゥ・ファヴロ（Paul de Favereau）が下院で次のように答弁している。「私はフラーンデレン語［オランダ語］の知識を外交官試験の試験科目とすることはしませんでした。というのも、なんら実用性のないフラーンデレン語の知識をワロン人に要求することが純理論的な［言語的］平等に資するとは考えられないためです」（APCH 1897-1898, p. 997）。

45）政界もまたフランス語優位が強固に維持された領域のひとつである。1899-1900年会期でさえ、下院の議論の97.39%はフランス語でなされ、オランダによる議論は2.61%に過ぎず、上院にいたってはすべての議論がフランス語でなされていた（Doms, Philippe 'L'emploi des langues dans les Chambres législatives en Belgique', *Res Publica*, 7, 1965, pp. 133-135、なお当論文には計算上の誤りがあるためここでは筆者による修正値を示している）。

くの国家と条約を締結していた[46]。しかし、言語に関する規定を備える条約はそのごく一部、日白条約と同様に条約名に「修好」の語を含むものに限られる。逆に言えば、すでに修好、善隣の関係にあった近隣のヨーロッパ諸国との条約には言語に関する規定はみられない。それらの国々とは、外交や条約の言語はフランス語であるという言語観が共有されていたのであり、それをあえて条約内で規定する必要性はなかった。

また、日白条約以前に締結された中南米諸国を中心とする23カ国[47]とのあいだで結ばれた「修好(通商航海)条約」をみても、言語に関する規定をもつ条約は5つに過ぎない。さらに、そのうちの4つは、たとえば1857年7月31日のペルシアとの条約における「本条約はフランス語版とペルシア語版が作成される」のように、末文に条約が作成された言語が列挙されているだけである[48]。

唯一それらとは異なり、より詳細な言語規定をもつ条約が、日白条約の9カ月前の1865年11月2日［慶応元年9月14日］に、北京で締結された白清修好通商航海条約である。それまで規定されることのなかった条約発効後の外交文書での使用言語が新たに規定されている(第8条)[49]。

---

46) Désiré de baron Garcia de la Vega, *Recueil des traités et conventions concernant le royaume de Belgique*, tome I-VII, (l'Académie royale, 1850-1870)(以下、Recueil)を参照。

47) アメリカ、アルゼンチン、イタリア、ウルグアイ、エル・サルバドル、グアテマラ、コスタ・リカ、清、チュニジア、チリ、トルコ、ニカラグア、ハイチ、サンドイッチ諸島［ハワイ］、ブラジル、ベネズエラ、ペルー、ペルシア、ボリビア、ホンジュラス、メキシコ、モロッコ、リベリア。

48) Dpch 1857-1858, n° 52。それ以外の条約は、1858年2月8日のベネズエラ(仏語・西語)、1860年2月25日のペルー(仏語・西語)、1862年1月4日のモロッコ(仏語・アラビア語)との各修好通商航海条約。

49) フランス語文からの翻訳、および強調は筆者(Dpch 1865-1866, n° 36)。漢語文は「大比利時国大臣並領事官等員所有行知大清国大臣官員等公文各件、倶用法字書写、仍漢文訳録、暫為配送。中国官員有公文照会比国官員亦用漢字書写。倘日後有弁論之処、各以本国文字為正。此次議定条約漢法文字、詳細較対以期無訛、亦依此例」(閻立『清末中国の対日政策と日本語認識：朝貢と条約のはざまで』(東方書店、2009年)159頁より)。

ベルギーの外交官および領事館員から清当局への外交文書はフランス語で書かれ、漢語訳が添えられる。清当局からベルギーの外交官および領事館員への外交文書は漢語で書かれる。フランス語文と漢語文で与えるべき解釈に齟齬が生じる場合は、ベルギーと清の両当局は各々がみずからの言語の文章を正しい文とみることができる。

この規則は本条約にも適用されるものとし、本条約の漢語訳はフランス語の原文に相違なきものとなるよう細心の注意を払って作成された。

白清条約は、清が1858年［安政5年］に露米英仏とのあいだで締結を余儀なくされていた一連の天津条約に倣うもので、内容的には片務的な「不平等条約」である。しかし、こと言語面に関しては、双方ともに自らの言語で外交文書を発するという双務的な規定となっている。ただし、後段の条約文の言語に関する規定では、フランス語が「原文 texte original」、漢語が「（翻）訳 traduction」と使い分けられており、フランス語文が事実上の「正文」であると読むこともできる[50)]。

ベルギーを代表して交渉に臨んでいた特命全権使節オーギュスト・トキント・デ・ローデンベーク（Auguste t'Kint de Roodenbeek、以下、トキント）は、1865年9月7日［慶応元年7月18日］付の外務大臣シャルル・ロジエ（Charles Rogier）宛の公信で、清との交渉方針を次のように伝えている[51)]。条約交渉では1863年［文久3年］にデンマークと清のあいだで締結されていた丁清条約に可能な限り倣うことにするが、条約文に関する条項はデンマーク語と漢語の双方を正文としているという点で「不十分」である。そこで「漢語文とのあいだで解釈に齟齬が生じる場合には、フランス語文を条約の原文として扱う、すな

50）ただし、漢語版の条文ではこうした「原文」と「翻訳」の区別はなされておらず（前注参照）、清側にフランス語版を「正文」とする意図や意識があったのかは疑わしい。

51）AMFA 2704 III、1865年9月7日、北京、トキントからロジエへの書簡。

わちフランス語文を正文とする」ことを清側に認めさせるよう努めるというものであった。

トキントにとって、当時の言語状況からしても、ベルギー（あるいは白清条約）の言語はフランス語でしかありえず、そこにオランダ語が介在する余地はなかった。しかし一方で、結果として、これまでベルギーが締結してきた一連の条約における慣例を破る形で、より広範で詳細な言語規定がはじめて導入されたことも事実である。先行する諸国の条約が参照されたという現実は確かにあるが[52]、それでも日本との交渉に先立ち、極東の国々との外交交渉における言語選択の難しさや重要性への気づきもあったものと思われる[53]。

さて、こうした清での経験を経て、トキントは日本との交渉へ向かうことになる。条約の調印を終え上海に戻ったトキントは、朝廷が幕府の条約に勅許を与えたとの情報を得る[54]。彼はそれを日本との条約交渉に「都合のよい情勢」と判断し、外務大臣の返答や命令を待つことなく、即座の日本行きを決意する[55]。1865年12月12日［慶応元年10月25日］、トキントは上海を後にした。

4　当時の日本の社会言語的状況

それでは次に日本の状況をみていこう。当時の日本ではベルギーのような言語調査は実施されておらず、一般の人々の言語使用の詳細を知ることはできない。当時の言語状況については、ときに「言語不通の列島」[56]と称されることさえあるように、とりわけ話し言葉においては地域的変異のおおきい多様なこ

52）*ibid.*

53）清との交渉において「商人領事」問題と「条約言語」問題の二つがおおきな壁となっていることをトキント自身も認識していた（AMFA 2704 III, 1865年10月1日、北京、トキントからロジエへの書簡）。

54）1865年11月22日［慶応元年10月5日］、孝明天皇から将軍に宛て条約を許容する勅書が降された。

55）AMFA 2098、1865年12月8日、上海、トキントからロジエへの書簡。

56）岡本雅享「言語不通の列島から単一言語発言への軌跡」『福岡県立大学人間社会学部紀要』17（2）、2009年、11-31頁。

とばが話されていた[57]。日本の国家の言語としての「国語」が問題となるのは、明治を迎えてからであった。

本節では、特に日本語以外の言語に対する意識とその使用の側面に焦点を絞り、日白条約締結当時の日本の社会言語的状況を確認する。

4.1 ペリー以前

江戸期を通していわゆる「鎖国」体制を堅持してきた日本であるが、「四（つの）口」、すなわち長崎、対馬、蝦夷（松前）、琉球（薩摩）を通して国外とのつながりは維持していた。当然ながら、そこで必要となるオランダ語や漢語、朝鮮語、アイヌ語といった日本語以外の言語を操る通詞（通事）も存在していた。ただし、西洋との折衝では、長い蘭学の影響もあり、オランダ語が特権的な地位にあった。以下で再びみることになるが、ペリー来航後に西洋諸国との外交交渉が本格化すると、早々に漢語（漢文）が対外交渉の場から姿を消したことからもそれは明らかである。

しかしながら、ペリー来航以前に、すでにオランダ語以外の言語の存在や重要性は認識されていた。1853年7月8日［嘉永6年6月3日］、アメリカ東インド艦隊司令長官ペリー率いる「黒船」艦隊が浦賀沖に投錨した。そこへ番船で乗り付けた日本人の一人、蘭通詞の堀達之助が旗艦サスケハナ号（Susquehanna）に向けて、「まことにみごとな英語で『私はオランダ語を話すことができる I can speak Dutch[58]』」と叫んだことが知られている[59]。しかし実際には、日本側がその異国船と最初に接触をはかろうとした言語は英語でもオランダ語でもな

57）また、アイヌ語は活力を保ち、琉球における言語状況も現在とはおおきく異なるものであったことは疑いない。なお、琉球は条約締結主体として西洋諸国と条約を結んでいる。条約作成言語について言えば、1854年7月11日［咸豊4年・嘉永7年6月17日］の琉米修好条約では英語と漢語、1855年11月24日［咸豊5年・安政2年10月15日］の琉仏修好条約ではフランス語と漢語、さらに時代をくだり1859年7月6日［咸豊9年・安政6年6月7日］の琉蘭修好条約ではオランダ語と漢語でそれぞれ条約が作成されている（『旧条約彙纂』第3巻）。

くフランス語であった。最初に軍艦に向けて掲げられた書付には、フランス語で「艦隊は撤退すべし、危険を冒してここに停泊すべきではない」との命令が記されていた[60]。ペリー来航の時点で、フランス語が国際的な外交言語であることが明らかに認識されていた。

こうしたフランス語認識の源流を特定することは難しいが、少なくともペリー来航の半世紀前までさかのぼることができる。18世紀末にロシア帝国の東方拡張がシベリアに達して以降、日本をはじめとする東アジアへの接近が試みられることになった。1792年［寛政4年］のロシア最初の遣日使節アダム・ラクスマン（Адам Лаксман）の来航に続き、1804年［文化元年］にはニコライ・レザーノフ（Николáй Резáнов）が、ラクスマンに公布されていた入港許可証（信牌）の写しを携え、通商を求めて長崎へ来港した。しかし、交渉は不首尾に終わり、それを不服として1806年［文化3年］と1807年［文化4年］にレザーノフの部下たちが樺太や択捉島を襲撃するという事件を起こした（文化露寇、フヴォストフ事件）。そのさい、彼らが残していった書面はフランス語文であったとされる[61]。

また、1808年10月4日［文化5年8月15日］のイギリス海軍のフリゲート艦

58）ただし、同じく艦上にいた漢語通訳のサミュエル・ウィリアムズ（Samuel Williams）の『ペリー日本遠征随行記』では、堀の言葉は「I talk Dutch」であったと記録されている（Williams, Samuel Wells, *A Journal or the Perry Expedition to Japan (1853-1854)*, (Tokyo: Maruya, 1910), p. 48.［洞富雄訳『ペリー日本遠征随行記』（雄松堂書店、1970年）90頁］

59）Hawks, L. Francis, *Narrative of the Expedition of an American Squadron to the China Seas and Japan: Performed in the years 1852, 1853, and 1854*, (Washington: Beverley Tucker, 1856), p. 234.［宮崎壽子監訳『ペリー提督日本遠征記　上』（角川文庫、2014年）551頁］）

60）Hawks, *Narrative of the Expedition of an American Squadron,* p. 234［宮崎監訳『ペリー提督日本遠征記』550頁］。

61）杉本つとむ『長崎通詞ものがたり：ことばと文化の翻訳者』（創拓社、1990年）186-187頁。

フェートン号（Phaeton）がオランダ国旗[62]を掲げて長崎港へ闖入した事件では、日本側へ手交された書簡は英語で書かれ、オランダ語訳が付されていた。こうして異国船の来航が立て続けに生じることで、ロシア語、フランス語、英語と、オランダ語以外の言語に接する機会もおのずと増加した。

当然、幕府も手をこまねいていたわけではなく、蘭通詞を中心にそれらの言語の学習を命じている[63]。また、1855年［安政2年］には蛮書和解御用掛を拡充して洋学所を開設（翌1856年［安政3年］に蕃書調所、1862年［文久2年］に洋書調所、さらに1863年［文久3年］には開成所と改称）し、オランダ語に留まらない西洋言語の翻訳、洋学研究機関の整備もおこなっている。

ペリーとの条約締結後の状況を少し先取りすれば、1855年［安政2年］ごろの話として、後に幕末オランダ留学生となる赤松則良が、「父は［……］是からの者は洋語を学ばねば十分御上の御用に立たぬと云って、私に英語を学ばせやうとしたが、其頃は未だ英語を教へる所は江戸には無いので、先ず和蘭語を学ぶことにし」たと述懐している[64]。あるいは、1859年［安政6年］に開港後の横浜を訪れた福沢諭吉は、「今まで数年の間、死物狂いになってオランダの書を読むことを勉強した、その勉強したものが、今は何にもならない」ことを知り、「それから以来は一切万事英語と覚悟を極め」たと語っている[65]。

福沢の味わったそうした「苦い落胆」[66]が如実に物語るように、19世紀中葉は、とりわけ選良層において、オランダ語以外の言語に対する意識がおおきく変化していた時期であった。19世紀を迎え、こと言語に関しては、すでに日本は「もう完全に鎖国政策がくずれて」きていた[67]。こうした言語意識の変化

62）なお、当時はオランダという国は存在せず、ローデウェイク1世（Lodewijk I、ルイ・ボナパルト Louis Bonaparte）を国王とするフランス帝国衛星国のホラント王国であった。

63）宮永孝『日本洋学史：葡・羅・蘭・英・独・仏・露語の受容』（三修社、2004年）。

64）赤松則良『赤松則良半生談：幕末オランダ留学の記録』（平凡社、1977年）。

65）福沢諭吉、富田正文校訂『新訂　福翁自伝』（岩波書店、1978年）。

66）Auslin, Michael R., *Negotiating with Imperialism: The unequal treaties and the culture of Japanese diplomacy*, (Cambridge: Harvard University Press, 2004).

と相前後するように、あるいは相互に影響を及ぼし合うように、日本は西洋諸国との条約交渉を経験していく。

4.2　外交交渉と条約締結の経験の蓄積

1854年3月31日［嘉永7年3月3日］の日米和親条約（神奈川条約）を嚆矢として、1854年から1856年にかけての一連の和親条約、1857年の追加条約を経て1858年の「安政5カ国条約（米・蘭・露・英・仏）」（修好通商条約）、そして1860年以降の「新規」修好通商条約[68]と、日本は短期間のうちに矢継ぎばやに多くの幕末条約を締結した。江戸末期の15年間に日本と条約締結国となった国は11カ国にのぼる。それらの国々との条約や協定の言語に関する規定をまとめたのが次頁より掲載の表1である。

表からは、条約の締結が繰り返されていく過程で、言語規定の範囲が広がり、また規定自体も体系化、定型化されていくのがみて取れる。最初の対外条約である日米和親条約は日本語、英語、オランダ語、漢語（漢文）の4言語で作成されたが（「作成言語」）、そのこと自体は条約内に明記されなかった――「正文のない条約」[69]。それが追加条約の頃より条約内で明記されるようになり（「条約言語」）、さらに条約の「正文言語」や条約締結後に両国間で交換される外交文書で用いる「外交言語」も規定されるようになっていく。

条約の交渉と締結の経験を積み重ねていくことで、条約内の言語規定のみならず、言語使用に関してもいくつかの重大な変化が生じた。清水康行の指摘に従えば、まずは長らく公的な文章語として君臨してきた漢語（漢文）が早々に

67）杉本『長崎通詞ものがたり』89頁。

68）ここでは安政の5カ国条約以降の条約という意味で「新規」としている。日白条約はここに含まれる。他には1860年8月3日［万延元年6月17日］の日葡条約、1861年1月24日［万延元年12月14日］の日普条約、1864年2月6日［文久3年12月29日］の日瑞条約、日白条約を挟んで1866年8月25日［慶応2年7月16日］の日伊条約、そして幕末最後の修好通商条約となった1867年1月2月［慶応2年12月7日］の日丁条約がある（『旧条約彙纂』第1巻第1部および第1巻第2部を参照）。

69）加藤祐三『開国史話』（神奈川新聞社、2008年）316-317頁。

表1　幕末条約における言語規定

締結日時	条約名	作成言語	条約言語	正文言語	外交言語	経過規定
1854年3月31日［嘉永7年3月3日］	日米和親条約	日・英・蘭・漢	——	——	——	——
1854年6月17日［嘉永7年5月22日］	日米和親条約付録（下田追加条約）	日・英・蘭	日・英・蘭	——	——	——
	第7条　向後両國政府において公顕の告示に、蘭語譯司居合わさる時の外は、漢文譯書を取用ふる事なし					
	末文　右條約附録、エケレス語日本語に取認め、名判致し、是を蘭語に翻譯して、其書面合衆國と日本全權双方取替すもの也					
1854年10月14日［嘉永7年8月23日］	日英約定（日英和親条約）	日・英	——	——	——	——
1855年2月7日［安政元年12月21日］	日露和親条約	日・露・蘭・漢	——	——	——	——
1855年10月18日［安政2年9月8日］	日英約定副章	日・英	——	——	（英）	——
	都て公之掛合は、追て日本人英語熟達之上は、英吉利語にて可致候事					
1855年11月9日［安政2年9月30日］	日蘭和親仮条約	日・蘭	——	——	——	——
1856年1月30日［安政2年12月23日］	日蘭和親条約	日・蘭	——	——	——	——
1857年6月17日［安政4年5月26日］	日米追加条約（下田協約）	日・英・蘭	——	蘭	——	——
	第8条　下田奉行はイギリス語を知らす合衆國エキセルレンシー（敬称）コンシュル、ゼネラール（官命）は日本語を知らす故に眞義は條々の蘭譯文を用ふ可し					
1857年10月16日［安政4年8月29日］	日蘭追加条約	日・蘭	——	——	——	——
1857年10月24日［安政4年9月7日］	日露追加条約	日・露・蘭・漢	日・露・蘭・漢	——	——	——
	第28条　此假條約書は魯西亞日本和蘭支那語を以て相記し					
1858年7月29日［安政5年6月19日］	日米修好通商条約	日・英・蘭	日・英・蘭	蘭	——	——
	第14条　日本語英語蘭語にて本書寫共に四通を書し其譯文は何れも同義なりと雖蘭語譯文を以て證據と爲すへし					
1858年8月18日［安政5年7月10日］	日蘭修好通商航海条約	日・蘭	——	——	——	——

1858年8月19日［安政5年7月11日］	日露修好通商条約	日・露・蘭	——	（蘭）	——	——
	末文　此假條約書は日本語魯西亞語に認め雙方の全權各本國の文に調印し和蘭譯文は雙方通詞名を記し是を添て取替すもの也					
	［露文版と蘭文版でのみ］オランダ語翻訳が本条約の説明のために用いられる					
1858年8月26日［安政5年7月18日］	日英修好通商条約	日・英・蘭	日・英・蘭	蘭	英	日/英（5年間）
	第21条　此条約は日本英吉利及和蘭語にて書し各同義同意にして和蘭文を元と見るへし					
	都て貎利太尼亞のヂプロマチーキアゲント及コンシュライルアゲントより日本司人にいたす公事の書通は向後英語にて書すへし尤此條約調判の月日より五箇年の間は日本或は和蘭の譯書を添へし					
1858年10月9日［安政5年9月3日］	日仏修好通商条約	日・蘭・仏	日・蘭・仏	蘭	仏	日（5年間）
	第21条　佛蘭西ミニストル並にコンシユルより日本高官へ書面にて懸合ふ事あらは佛蘭西語を以てすへし日本にて速に解する爲に五年間は都て日本語並に佛蘭西語にて認むへし					
	第22条　此條約は佛蘭西にては佛蘭西語を用ひ日本仮片假名を添へ日本にても和文を用ひ片假名を添へし其文意は何れも同様なれ共猶兩國にて通する和蘭語の譯文を雙方より添たり若條約に解し難き事あらは其蘭文を以て證とすへし此文は露西亞英吉利亞墨利加條約に添たる和蘭陀語訳文と同義なり					
1860年8月3日［万延元年6月17日］	日葡修好通商条約	日・葡・蘭	日・葡・蘭	蘭	英	日/蘭（3年間）
	第21条　此條約は日本葡萄呀及ひ和蘭語にて書し各翻譯は同義同意にして和蘭語翻譯を元と見るへし					
	都て葡萄呀のヂプロマチーキ、アゲント及コンシュライル、アゲントより日本司人にいたす公事の書通は向後英語にて書すへし尤此條約調判の月日より三箇年の間は日本或は和蘭の譯書を添へし					
1861年1月24日［万延元年12月14日］	日普修好通商条約	日・独・蘭	日・独・蘭	蘭	独	日/蘭（5年間）
	第21条　孛漏生国のヂプロマチーキ、アゲント及ひコンシュライル吏人より日本司人にいたす公事の書通は獨逸語を以て書すへし尤此條約施行の時より五箇年の間は日本語又は和蘭語の譯書を添ゆへし					
	第22条　此條約は日本獨逸及ひ和蘭語を以て書し各翻譯は同義同意なりと雖和蘭語訳文を以て原と見るへし					
1864年1月28日［文久3年12月20日］	日米通商約定	日・英・蘭	——	蘭	——	——
	第4条　此約書は英語日本語蘭語にて書し其訳文はいつれも同義なりといへとも蘭語訳文を以て證となすへし					

1864年2月6日［文久3年12月29日］	日瑞修好通商条約	日・仏・蘭	日・仏・蘭	蘭	仏	日/蘭（5年間）
	第18条　瑞西國のヂプロマチーキ、アゲント及ひコンシュライル吏人より日本役人にいたす公事の書通は佛蘭西語を以て書すへし尤此條約施行の時より五箇年の間は日本語又は和蘭語の譯書を添へし					
	第19条　此條約は日本、佛蘭西、和蘭語、を以て書し各飜譯は同儀同意なりと雖和蘭語を以て原と見るへし					
1864年10月22日［元治元年9月22日］	下関事件取極書	日・英・蘭	日・英・蘭	英	——	——
	第4条　各國と日本の全権此取極書を英文蘭文及ひ和文に綴り各五通宛書記し調印せり右の内英文を原文とすへし					
1866年6月25日［慶応2年5月13日］	改税約書（江戸協約）	日・英・蘭・仏	日・英・蘭・仏	——	——	——
	末文　雙方全權各其國語を以て之を記せり					
1866年8月1日［慶応2年6月21日］	日白修好通商航海条約	日・蘭・仏	日・蘭・仏	蘭	仏	日/蘭（5年間）
	第21条　白耳義國のヂプロマチーキ、アゲント及ひコンシュライル吏人より日本司人にいたす公事の書通は佛蘭西語を以て書すへし尤此條約施行の時より五箇年の間は日本語又は和蘭語の譯書を添へし					
	第22条　此條約は日本佛蘭西及ひ和蘭語を以て書し各飜譯は同儀同意なりと雖和蘭語譯文を以て原と見るへし					
1866年8月25日［慶応2年7月16日］	日伊修好通商条約	日・伊・仏	日・伊・仏	仏	伊・仏	日/蘭（5年間）
	第21条　伊太利國のヂプロマチーキアゲント及コンシュライル吏人より日本司人にいたす公事の書通は佛蘭西語伊太利語を以て書すへし尤此條約施行の時より五箇年の間は和蘭語或は日本語の譯文を添ゆへし					
	第22条　此條約は都合七通にして日本語伊太利語各二通及ひ佛蘭西語三通を添たり其文は固より同義同意なりと雖佛蘭西語を以て原と見るへし					
1866年10月4日［慶応2年8月26日］	附属約書（日白）	日・仏	日・仏	——	——	——
	第11条　江戸に於いて双方全権各其国語を以てこれを記せり					
1867年1月12日［慶応2年12月7日］	丁修好通商航海条約	日・蘭	日・蘭	蘭	仏	日/蘭（5年間）
	第21条　丁抹のヂプロマチーキ、アゲント及ひコンシュライル吏人より日本司人にいたす公事の書通は佛蘭西語を以て書すへし尤此條約施行の時より五箇年の間は和蘭語或は日本語の訳文を添ゆへし					
	第22条　此條約は都合四通にして日本語二通和蘭語二通に認むへし其文は固より同義同意なりと雖和蘭語を以て原と見るへし					

伊:イタリア語、英:英語、蘭:オランダ語、漢:漢語（漢文）、独:ドイツ語、日:日本語、仏:フランス語、葡:ポルトガル語、露:ロシア語

出典　『旧条約彙纂』第1巻第1部および第2部を基に筆者作成

外交交渉の場から退場することになった[70]。また、条約文や外交文書の作成が繰り返されることで——それは同時に翻訳への意識の高まりを意味した——、日本語の文体が次第に「候文」から「べし文」へ移行した。いわば「日本語［の］近代化」[71]と言えよう。そして、もうひとつの重大な変化が、とりわけ安政の5カ国条約以降に現れてくる「当事国言語への志向」の高まりである[72]。

そのような「志向」がもっとも顕著にみられるのが、1858年8月26日［安政5年7月18日］の日英修好通商条約と同年10月9日［9月3日］の日仏修好通商条約における「外交言語」に関する規定である。いずれも第21条が該当する[73]。

日英修好通商条約　第21条
都て貌利太尼亞のヂプロマチーキアゲント及コンシュライルアゲントより日本司人にいたす公事の書通は向後英語にて書すへし。尤此條約調判の月日より五箇年の間は日本或は和蘭の譯書を添へし。

日仏修好通商条約　第21条
佛蘭西ミニストル並にコンシユルより日本高官へ書面にて懸合ふ事あらは、佛蘭西語を以てすへし。日本にて速に解する爲に、五年間は都て日本語並に佛蘭西語にて認むへし。

双方よく似た文言で、内容面での違いは、日英条約では英語に沿える訳文が日本語かオランダ語であるのに対し、日仏条約では日本語のみとされていること

70）この変化について、清水は「日本の文章史上の一大画期として評価すべき「事件」である」と評している（清水『黒船来航』86頁）。1854年6月17日（嘉永7年5月22日）に締結された日米和親条約付録の第7条で、「向後兩國政府において公顯の告示に、蘭語譯司居合さる時の外は、漢文譯書を取用ふる事なし」と規定された（『旧条約彙纂』第1巻第1部、6頁）。

71）清水『黒船来航』202頁。

72）同書131-143頁。

73）それぞれ『旧条約彙纂』第1巻第2部、8-24頁、および第1巻第1部、813-830頁。

である。

こうした条約締結後の「外交言語」の規定は、1855年10月18日［安政2年9月8日］の日英和親条約副章にその萌芽を認めることができる。その「都て公之掛合は、追て日本人英語熟達之上は、英吉利語にて可致候事」との規定が、日英修好通商条約において具体化したのである[74]。また、1858年6月26日［安政5年5月16日］の英清天津条約と同27日［17日］の仏清天津条約――先述の白清修好通商航海条約にも引き継がれた双務的な言語規定の源――からの影響も指摘される[75]。

両条約の詳細な交渉過程についてはここでは措くが[76]、こうした「外交言語」の規定に対する日本側の反応をいくつか確認しておこう。まずは、1858年［安政5年］のイギリスの対日遠征に、司令官エルギン伯トマス・ブルース（Thomas

---

74）イギリス東インド艦隊司令長官ジェームズ・スターリング（James Stirling）が提出した日英約定副章草稿に、「都て公の掛合は暎語にていたし候事」と記述があった（東京大学史料編纂所編纂『大日本古文書　幕末外国関係文書』（東京大学出版会、1972年）168頁）。1週間後におこなわれた長崎奉行荒尾石見守（成允）との対談で、スターリングは「蘭語は至て狭く、暎語は世界中通用いたし候間、可相成は暎語に致度、日本語計とも存候得共、日本語は暎國にて不通候間、暎語に致度候」と外交言語を英語とすることをあらためて主張した（同書168頁）。結果として、英語に通暁する人材の不足を理由にそれは実現せず、副章にはこうした時限の定めのないある種理念的な規定が置かれることとなった。

75）楠家「日英修好通商条約第21条をめぐって」24頁。

76）Oliphant, Laurence, *Narrative of the Earl of Elgin's Mission to China and Japan in the Years 1857, '58, '59*, vol II, (W. Blackwood and Sons, 1859).［岡田章雄訳『エルギン卿遣日使節録』（雄松堂書店、1968年）］、Cordier, Henri, 'Le premier traité de la France avec le Japon', *T'oung Pao*, (Brill, 1912), 13 (1), pp. 205-290、de Moges, Alfred (marquis) 'Voyage en Chine et au Japon', *Le tour du monde: nouveau journal des voyages*, (1860), 11, pp. 161-176.［市川慎一訳「日仏修好通商条約　全権団随行員の日本観」、市川慎一・榊原直文編訳『フランス人の幕末維新』（有隣堂、1996年）6-55頁］、楠家「日英修好通商条約第21条をめぐって」、楠家『幕末の言語革命』、寺本ほか「修好通商条約の新視角」、有利浩一郎「日仏修好通商条約、その内容とフランス側文献から見た交渉経過（1-10・最終回）：日仏外交・通商交渉の草創期」『ファイナンス』（財務省、2018-2019年）54（3）-（12）などを参照。

Bruce, Earl of Elgin）の秘書として随行したローレンス・オリファント（Laurence Oliphant）の次のような回想である。条約交渉で議論が今後の外交言語に差しかかったさいに、日本側委員の一人が「左様、貴下がたは、英語を公用語とした方がよろしい。貴下がたが、日本語で公文書を書くことができるようになるまでにはどれほど長い期間がかかるかわからない。ところが私たちに5年の歳月を与えるならば、私たちは貴下がたと英語で文通する能力を十分身につけるだろう」と述べたという[77]。

また、フランス外交団の随行員であったド・モージュ侯爵（Marquis de Alfred Moges）は、日仏条約の調印日の出来事として、「これから5年のうちに、日本の通詞にフランス語を習得するように命じた条約の条項に言及すると、永井［玄蕃守（尚志）］はメルメ［・カション（Eugène-Emmanuel Mermet de Cachon）］氏に微笑しながら、フランス語はヨーロッパで一番普及している言語で、育ちのよい人たちはみんなフランス語を話せることを誇りに感じているのをよく承知していると愛想よくいった」と記している[78]。

さらに、日仏条約の第4回交渉がおこなわれた1858年10月1日［安政5年8月25日］には、正文規定をめぐり議論が紛糾するなかで、日本側委員の一人が「この問題に関する特別条項［正文規定］を欠いた条約は完全な条約ではない」とまで言い放ったとされる[79]。

いずれの逸話も日本人の自らの言語能力への強い自負が感じられるが、同時に先に述べた「当事国言語への志向」の現れともみることができる。この時期、

77）Oliphant, *Narrative of the Earl of Elgin's Mission*, p. 177.［岡田訳『エルギン卿遣日使節録』161頁］。なお、1858年8月31日［安政5年7月23日］付のエルギン伯から外務大臣マームズベリー伯ジェームズ・ハリス（James Harris, Earl of Malmesbury）宛の書簡第200号から、この「5年」という経過規定期間——日仏条約にも同じ期間が指定されている——は日本側からの提案であったことが分かる（岡田訳『エルギン卿遣日使節録』277頁）。

78）de Moges, 'Voyage en Chine et au Japon', p. 167.［市川・榊原編訳『フランス人の幕末維新』27頁］。

79）Cordier, 'Le premier traité de la France avec le Japon', p. 261.

とりわけ日英、日仏の両条約の第21条を契機として、オランダ語を補助的な媒介言語に留め置き、外交の基本方針はあくまで日本語と相手国言語でなすべきであるという方向へ言語意識の変化が確かに生じていたのである[80]。

5　日白修好通商航海条約と言語

以上のような両国が独自の社会言語的状況を背景として、日白条約の交渉がおこなわれ、署名と批准を経て、日本とベルギーの外交関係がはじまることになる。本節では、そのような当時の両国の社会言語的状況を踏まえ、日白条約の交渉過程と条約締結後の動きを言語的に跡づける。

5.1　外交官トキント・デ・ローデンベーク

清との条約締結後、フランス郵船デュプレックス号（Dupleix）で日本へ向かったトキントは、1865年12月16日［慶応元年10年29日］、横浜の地に降り立った[81]。実際に日白条約交渉の過程に立ち入る前に、まずは「歴戦の外交官」[82]とも称されるベルギー側の全権使節トキントの人物像を言語面を中心に簡単に確認しておこう。

トキントは1816年11月22日［文化13年10月4日］にアントウェルペンに生まれている[83]。時代はネーデルラント連合王国の時代、そこで彼は「素晴らし

80）ただし、そうした言語意識と実際の言語使用はまた別の話である。オランダ語以外の言語の能力を有する人材の育成は遅々として進まなかった。日英条約と日仏条約で定められたオランダ語訳添付の経過規定期間が過ぎても、いまだ少しのあいだオランダ語訳の助けを借りなければ幕府の外交は立ちゆかないというのが現実であった（楠家重敏「日英修好通商条約第21条をめぐって」51頁）。それは期限をはるかに超えた1866年［慶応2年］の日白条約にも同様の経過規定が置かれていることからも明らかである。

81）トキントが上海を発つ直前の1865年12月10日［慶応元年10月23日］にレオポルド1世が逝去し、横浜到着翌日の12月17日［10年30日］にレオポルド2世が即位している。

82）Delcorde, *Les diplomates belges*, p. 37.

い教育を受けた」とされる[84]。時代背景や出身階級、外交官という職業、さらには後に彼が記す公信類を勘案すると、トキントの第一言語はフランス語であったと考えて間違いない。ただし、現在はベルギーのオランダ語圏に属する「アントウェルペンで生まれ育ったこともあり、少なくともオランダ語の受動的な知識は有していたと考えられる」[85]。

彼がオランダ語の知識を有していたことを示すひとつの逸話がある。来日直後の1865年12月27日[慶応元年11月10日]、トキントが一時寄宿していた横浜のオランダ総領事公邸を外国奉行(誰であるのかは未特定)が訪問した。そこでトキントは「流暢にオランダ語を話す通詞を介して」外国奉行と対談したが、この日の出来事に関して、オランダ語が「再び身近に感じられるようになりました」と外務大臣宛ての報告書に書いている[86]。

外交官の経歴の大半を中米で築いてきたトキントは[87]、1864年12月14日[元治元年11年16日]に、レオポルド1世により日本使節の特命全権公使およ

83) Delcorde, *Les diplomates belges*, pp. 191-192、Duchesne, Albert, 'T'KINT (Auguste-Pierre-Joseph)', *Biographie Belge d'outre-mer*, (Académie royale des sciences d'outre-mer, 1968), tome VI, pp. 1017-1021.

84) Fabri, Jos, 'Auguste T'Kint (1816-1878), Commissaire spécial de la Compagnie belge de colonisation', *Bulletin des séances*, (Académie royale des sciences d'outre-mer, 1964), 10 (6), pp. 1357-1391.

85) De Ruyver, 'The First Treaty Between Belgium and Japan (1866)', p. 51.

86) AMFA 2098、1866年1月12日、横浜、トキントからロジエへの書簡。

87) トキントは極東の清と日本でベルギーとの国交を開くという輝かしい成果をおさめたが、彼の経歴としてはそれに先立つ中米における活動の方がより知られている(Fabri, 'Auguste T'Kint'、Duchesne, 'T'KINT')。彼はエル・サルバドル(1858年2月15日)、ホンジュラス(3月27日)、ニカラグア(5月8日)、コスタ・リカ(8月31日)、そしてメキシコ(1861年7月20日)の各国と修好通商航海条約を締結している(RECUEIL tome III, IV)。1859年11月には在メキシコ代理公使、12月には特命全権公使に任命されている。また、レオポルド1世の庇護下でなされたベルギーによるグアテマラのサント・トマスの植民活動にも深く関与していたとされる。

び総領事に任命されている[88]。1865年1月31日［慶応元年1月5日］、清への出発を前にブリュッセルに滞在していたトキントは、日本との条約交渉に関して外務大臣から訓令を受け取った[89]。そこには「貴君が時宜を得たと判断し、通商条約の締結に都合のよい情勢であると思うときに」上海から日本へ赴き交渉を開始せよとの命とともに、国王の全権信任状、そして日普条約と日瑞条約、さらに1864年6月20日［元治元年5月17日］に池田遣仏使節がフランスで締結していたパリ約定の写しが添えられていた。

5.2 日白条約交渉における言語使用

以上のような経緯でベルギーの代表として日本に赴いたトキントは、軍艦や艦隊、あるいは民間の大使節団を従えて来日していたそれまでの条約締結国の外交官とは対照的に、身の回りの世話をする執事兼秘書を一人従えるだけで、それも定期運航を開始したばかりのフランス郵船を利用しての来日であった[90]。横浜に上陸したトキントは、先述のように、オランダ総領事のディルク・デ・グラーフ・ファン・ポルスブルック（Dirk de Graeff van Polsbroek、以下、ファン・ポルスブルック）を頼り、横浜のオランダ総領事館に仮寓する。

到着5日後の1865年12月21日［慶応元年11月4日］、トキントは江戸の外国奉行に書簡を送り、ベルギー全権使節としての自身の横浜来着を通知した。そ

88）清との関係では、1864年11月1日付けで在清総領事に任命されていた（MB 1864年12月31日）。なお、トキント自身は極東への派遣に消極的であったとされ、任命直前の10月15日には国王へ再考を促す書簡を送っている（De Ruyver, ‘The First Treaty Between Belgium and Japan (1866)’, p. 44）。

89）AMFA 2098、1865年1月31日、ロジエからトキントへの書簡。

90）トキント自身が外交公信以外に見聞記や報告書などの記録を残していないことにくわえ（日記類も発見されていない）、こうした随行員と二人での来日であったことも、初期日白交流研究の史料の少なさにつながっていると考えられる。安政条約の列強5カ国はもとより、日白条約前後に条約を結んだ「新規」条約国としてのプロイセンやスイス、イタリアと比較しても、残念ながら、日白条約に関する記録は限定的であると言わざるを得ない。

こには外国掛老中への挨拶のための近いうちの江戸出府の希望もしたためられていた[91]。

この日本とベルギーのあいだで取り交わされた最初の公的文書はフランス語で書かれていた。原文の「ベルギー国王陛下 Sa Majesté Le Roi des Belges」が、日本語訳では「セー子マエーステイト白耳義國王」と表現されている。その経緯は不明であるが、明らかにオランダ語（Zijne Majesteit de Koning der Belgen）を介した重訳とみて間違いないと思われる。いずれにしても、トキントは対日交渉におけるベルギー側の言語としてフランス語を選択したのであり、それは同時に日本に対してフランス語による交渉を暗黙のうちに迫るものでもあった。

ベルギー全権使節の来着を受けて、12月27日［11月10日］に外国奉行が表敬のためにファン・ポルスブルック邸のトキントを訪問したことは先に述べた。翌28日［11日］には、神奈川外国奉行の早川能登守（久丈）が通詞と従者を従えてトキントを訪問している。外務大臣宛公信によれば、「通常、通訳は3人で、1人が話し、残りの2人はその内容をすべて書き留める」[92]。また、「対談は英語かオランダ語でおこなわれる」が、トキントは「日本人が好むオランダ語を選択した」と報告している[93]。

横浜におけるこの2つの対談は、言うなれば「挨拶」や「顔合せ」程度のもので、公式な会談や交渉ではない雑談に近い性格のものであったと推測される。そうした状況では、日本の通詞も（すでに）英語対応が可能であったこと、またトキントもそのオランダ語は——単に受動的な能力にとどまらず——雑談に応じることができる程度の能力を有していたことが分かる。

1865年の大晦日［慶応元年11月14日］には、来日直後の外国掛老中宛書簡

91）AMFA 2098、1865年12月21日、トキントから外国掛老中への書簡、維新史学会編『幕末維新外交史料集成』（以下、『集成』）（財政経済学会、1943年）第5巻、140頁、「外國奉行ヘノ諭達」。

92）AMFA 2098、1866年1月12日、横浜、トキントからロジエへの書簡。

93）*ibid.*

で予告していた通り、トキントは江戸参府を果たした。ファン・ポルスブルックが同道したが、彼はさらにトキントの軍艦での江戸入りをオランダ軍艦ザウトマン号（Zoutman）のヤコブ・ファン・デル・メールス（Jacob Van der Meersch）艦長に依頼し、江戸ではオランダ公使館の長応寺を滞在先として提供もしている。そもそもこのトキントと老中の初会談を仲立ちしたのがファン・ポルスブルックであった[94]。

横浜へ戻ったトキントは、1866年1月8日［慶応元年11月22日］、ファン・ポルスブルックの厚意と支援に対して謝状を贈呈している[95]。「親愛なる同僚へ Mon cher collègue」ではじまる書簡は、これもまたフランス語で記されていた[96]。確かに、ファン・ポルスブルックは「良い教育を受け英語とフランス語が達者であった」[97]。それでも、アムステルダム生まれのオランダ総領事に対してフランス語を用いるという点に、外交言語はフランス語であるとするトキントの言語観が強く現れていると言えるだろう。

1月10日［11月24日］には、外国事務取扱老中、松平周防守（康英）の屋敷において、日本とベルギーの初めての公式会談がおこなわれた。トキントはここで信任状の訳文を提出している[98]。その後、2月25日［慶応2年1月11日］には、外国奉行の菊池伊予守（隆吉）、同星野備中守（千之）、目付の大久保筑

94）*ibid.*

95）日白条約の交渉期間を通して、ファン・ポルスブルックの協力は続いたようである。日白条約の締結を外務大臣に報告する公信のなかで、トキントはファン・ポルスブルックへのレオポルド勲章の叙勲を進言している（AMFA 2098、1866年8月7日、横浜、トキントからロジエへの書簡）。

96）AMFA 2098、1866年1月8日、横浜、トキントからファン・ポルスブルックへの書簡。

97）Moeshart, Herman J., *Journaal van Jonkheer Dirk de Graeff van Polsbroek, 1857-1870: belevenissen van een Nederlands diplomaat in het negentiende eeuwse Japan*, (Assen: Van Gorcum, 1987)［生熊文訳『ポルスブルック日本報告（1857-1870）：オランダ領事の見た幕末事情』（雄松堂出版、1995年）3頁］

98）AMFA 2098、1866年1月12日、横浜、トキントからロジエへの書簡、『集成』第5巻、143-144頁、「使節への委任状」。

後守（忠恒）の3人がベルギーとの条約交渉における全権に任命され[99]、2月28日［1月14日］にその旨がトキントに通達された[100]。

3月に入ると両全権が横浜に会して予備交渉がおこなわれた。3月14日［2月1日］付の外務大臣宛公信で、トキントは「日本ですでに施行されている他の条約と同一の基盤の条約を締結することにおおきな支障はないように思われます」と交渉の成りゆきを楽観的に語っている[101]。しかし実際には交渉は停滞した。本格的な条約交渉の開始は7月2日［5月20日］まで待たなければならなかった[102]。

その後、7月12日［6月1日］の会談で、最終的にすべての条項に関して両全権委員のあいだで合意に達した[103]。このとき「此方に而和文貳通、蘭文貳通取仕立候に付、其方に而者佛文貳通、蘭文貳通取仕相成候様いたし度」[104]と条約の言語についても決定されている[105]。しかし、それ以外に言語の問題に関して議論された形跡はない。言語規定の第21条と第22条もただ前例が踏襲さ

99）『集成』第5巻、146頁、「菊池伊豫守等ノ委任狀」。なお、このうち菊池伊予守と星野備中守（当時の役職は目付）は1864年のスイスとの日瑞条約の交渉を日本側全権として経験している。

100）『集成』第5巻、146頁、「菊池伊豫守等ニ全權委任ヲ命ゼシ旨ヲ報スル閣老ノ返翰」。

101）AMFA 2098、1866年3月14日、横浜、トキントからロジエへの書簡。

102）こうした遅滞のひとつにして最大の理由は、この時期に日本が英仏米蘭の4カ国を相手として交渉を同時進行でおこなっていた改税約書（江戸協約）にあると考えられる。対ベルギー交渉の日本側全権の菊池伊予守と星野備中守は二つの交渉を掛けもちしていた。1866年6月25日［慶応2年5月13日］に改税約書が締結されるや否や、ベルギーとの条約交渉が再開されていることからも、おそらくそれは間違いないだろう。トキントもそうした日本側の事情をよく理解していたようで、約書締結後の6月27日［5月15日］に外務大臣宛公信で報告している（AMFA 2098、横浜、トキントからロジエへの書簡）。

103）AMFA 2098、1866年7月12日、横浜、トキントからロジエへの書簡、『集成』第5巻、153頁、「外國奉行ト使節ノ對話書」。

104）『集成』第5巻、153頁、「外國奉行ト使節ノ對話書」。

105）AMFA 2098、1866年8月7日、横浜、トキントからロジエへの書簡。

れた[106]。なお、前述の通り、条約の「交渉はオランダ語でおこなわれた」[107]。

8月1日［6月21日］、日本側全権3人と前日に江戸入りしていたトキントが署名をおこない、日白修好通商条約は締結された。

横浜への来着を通知する老中宛書簡から条約の締結までをあらためて言語的に振り返ってみると、トキントの姿勢は一貫していた。彼はベルギーを代表してフランス語での外交を志向した。オランダ語で交渉がなされ、オランダ語で条約が作成され、そしてオランダ語が「正文」とはされたが、本人の言を借りれば、それは条約交渉の停滞を回避するために「日本における慣例に従った」[108]までのことであった。

5.3 日白条約のその後

さて、そうした「日本における慣例」であるが、それ自体が日白条約締結の直後に揺らぐことになる。

日白条約の直後の1866年8月25日［慶応2年7月16日］、イタリアとのあいだで日伊修好通商条約が締結された[109]。来日から条約締結まで約9カ月を要したベルギーとは対照的に、イタリアは来日から2カ月足らずで10番目の幕末条約締結国となっている[110]。

日伊条約は言語規定において幕末条約の画期をなすものとなった。その第

106）幕府側はベルギーとの条約交渉を「孛漏生之振合以」［プロイセンと同様に］おこなうことを基本方針としていた（『集成』第5巻、145-146頁、「外國奉行ヘノ命令書」）。その背景には両都（江戸・大阪）両港（新潟・兵庫）問題（開市開港延期問題）があり、それに関する条項を削除した条約が1861年のプロイセンとの日普条約であるというのがその理由であった。

107）AMFA 2098、1866年7月12日、横浜、トキントからロジエへの書簡。

108）AMFA 2098、1866年8月7日、横浜、トキントからロジエへの書簡。

109）『旧条約彙纂』第1巻第2部、291-305頁。

110）Arminjon, Vittorio F., *Il Giappone e il viaggio della corvetta Magenta nel 1866: Coll'aggiunta dei trattati del Giappone e della China e relative tariffe*, (Genova: Sordo-muti, 1869).［大久保昭男訳『イタリア使節の幕末見聞記』（講談社、2000年）］、また塚越「日伊修好通商条約締結過程とその意義について」。

22条には、「此條約は都合七通にして日本語伊太利語各二通及ひ佛蘭西語三通を添たり。其文は固より同義同意なりと雖、佛蘭西語を以て原と見るへし」とある[111]。すなわち、日伊条約は日伊仏の3言語で作成され、フランス語が正文（「原」）とされた。

イタリア側全権のヴィットリオ・アルミニョン（Vittorio F. Arminjon）の回想によれば、当初は「日本における慣例」に従い、条約は日伊蘭の3言語で作成されることに決まっていた。「しかし後に、オランダ語はイタリアではあまり知られていないので、これをフランス語に変え、条文の価値や意味について疑義の生じた場合にはフランス語の条文を唯一の典拠とすることが決定された」という[112]。こうして、ここにはじめてオランダ語の介在しない条約が登場することになった。日白条約の締結からわずか24日後のことであった。

また、日伊条約では、本体たる通商修好条約と同時に、6月25日［5月13日］に英仏米蘭4カ国とのあいだで取り交わされていた改税約書（江戸協約）が「附屬約書 / Convenzione addizionale / Convention additionnelle」として同時に調印された[113]。それを受けて、トキントはベルギーにも同様の取り扱いがなされることを求めて再び行動を起こした。早速9月15日［8月7日］には、この件に関して星野備中守と対談の場を設け、29日［21日］にはトキントが、菊池伊予守と星野備中守の両外国奉行へ、自らが用意したフランス語の附属約書草案を2案提出している[114]。草案（第2号案）がそのまま受け入れられ、10月4日［8月

111）『旧条約彙纂』第1巻第2部、304頁。

112） Arminjon, *Il Giappone e il viaggio della corvetta Magenta nel 1866*, p. 311.［大久保訳『イタリア使節の幕末見聞記』175-176頁］。日本側全権の外国奉行の柴田日向守（剛中）と朝比奈甲斐守（昌広）が連名で、老中井上河内守（正岑）に、「今般、伊太里國御條約爲御取替相成候に付而者、彼方おゐて蘭文出來候者は無之差支候間、御條約書佛文を以て證といたし度旨申立候」と申稟していることからも（『集成』第5巻、317頁、「柴田朝比奈兩者ノ申稟」）、このオランダ語からフランス語への変更はイタリア側からの申し出であったことが分かる。

113）『旧条約彙纂』第1巻第2部、317-324頁。

114）『集成』第5巻、164-165頁、「新約書佛文寫幷其前文ノ草案トヲ送致セル使節ノ來翰」および「約書前文草案」。

26日］には調印に至った[115]。

この附属約書で言語的に重要なのは、末文に「雙方全權各其國語を以てこれを記せり」[116]とあることである。また、約書自体も日本語とフランス語で作成された[117]。要するに、フランス語が、あるいはフランス語のみが、ベルギー国の「国語」であると位置づけられたということである[118]。日伊条約によって「日本における慣例」が崩れたことで、一貫して外交言語としてのフランス語を用いて活動してきたトキントのもうひとつの言語観、つまりフランス語（のみ）がベルギーの言語であるという言語観が前景化され、新たな両国間の協定に反映されたのである[119]。

6　おわりに

日白条約が締結された1866年当時、ベルギーでは独立以来のフランス語優位の社会制度が維持されながらも、オランダ語の公的承認を求める運動が高まりをみせていた。他方、日本では18世紀末の異国船の来航、あるいはより直接的に、日米和親条約以降に繰り返される条約交渉の経験の結果、オランダ語（と漢文）の特権的な地位は失われ、言語的な「開国」が達成されつつあった。

115）本約書には日白条約交渉で日本側全権の一人であった目付大久保筑後守の署名がみえず、交渉に参加していなかったようである。

116）この規定は日英仏蘭語の4言語で作成された元々の改税約書（江戸協約）の規定、「雙方全權各其國語を以て之を記せり（Done at Yedo in the English, French, Dutch, and Japanese languages / Fait à Yédo, en Français, Anglais, Hollandais et Japonais）」（『旧条約彙纂』第1巻第1部、57頁）を引き継ぐものである。

117）『旧条約彙纂』第1巻第1部、335-341頁。

118）ただし、フランス語文は « Fait à Yédo en double expédition et en Françias et japonais »「江戸においてフランス語と日本語で二部ずつ作成された」であり、「国語」に相当する語は存在しない。

119）イタリアとの附屬約書にはこうした言語規定が存在せず、日本語、イタリア語、フランス語の3言語で作成されていることから、日白間の附属約書の言語規定が単なる前例踏襲ではなく、トキント（草案起草者）の意図的な働きかけがあったものと判断される。

日本とベルギーの公的交流の幕が開いたこの時代、両国はともに社会言語的環境のおおきな転換期に置かれていた。

そうしたなかで、ベルギー全権使節のトキントは一貫してフランス語をもって条約交渉に臨んだ。自身も知るオランダ語も表向き利用されたが、それはあくまで「日本における慣例」に従うものであったに過ぎない。その結果が、条約の「正文言語」としてオランダ語、以後両国間の外交で用いられる「外交言語」としてのフランス語と、両言語を立てて折衷案とするような「ベルギー流の妥協 compromis à la belge / Belgisch compromis」とも言える言語選択であった。

第 2 章

ベルギーで学んだ最初の日本人は誰か？
—いつ、何処で、何を—

武居　一正

はじめに

第2回『「ベルギー学」シンポジウム』（2018年）の開会挨拶で、当時のヴェルゲイレン（Vergeylen）公使が、最初の留学生として周布公平[1]の名前を挙げられ、その後、坂場三男元ベルギー大使が、「おそらく、1865年7月にロンドンを経てベルギーに来た薩摩藩派遣の使節団の事例が記録に残っている最初の日本人のベルギー訪問ではないか」[2]と書いておられるのを知った（因みに、この使節団には五代友厚などが含まれていた[3]）。

これらに触発されて、第3回のシンポジウムのテーマ「日本とベルギーの交流史」に因んで、最初にベルギーを訪れたのは誰なのか、最初に学んだのは誰か、について筆者なりに調べてみようと思い立ったのである。

周知のようにベルギーの独立は1830年で、薩摩の五代らがベルギーに来たのは1865年と確認できる。では、独立から五代らの訪問までの約30年の間に

1）最初の留学生としての周布公平の名前は、当時ヴァンオーベルヴェーク教授（KUL）から聞いた覚えがあった。調べてみると、長州藩の周布政之助の息子で、筆者同様山口県出身者なので、記憶に残ったのだと思う。

2）坂場三男『新・遣欧使節回覧実記～日本大使のベルギー奔走記～』、幻冬舎、2018年7月、213頁。なお、本稿の日付は特に断らない限り西暦を用いている。

3）宮本又次『五代友厚伝』、有斐閣、1980年、46頁以下。

ベルギーを訪れた日本人は他にいなかったのだろうか。当時はまだ鎖国の時代で、欧州に来ることのできた者はとても限られていたが、ひょっとすると、滞欧中にベルギーを訪れる機会があったかも知れない。

そこで先ず思い至ったのが、「長州五傑(ファイブ)」(伊藤俊輔、井上聞多ら、1863年5月から)だが、彼らは英国から出てはいなかった。

他には幕府からの海外使節団があった。幕末に5回送り出されている[4)]。先ず、1860年遣米使節団(勝海舟ら、咸臨丸)だが、米国なので考慮外。次に、1862年遣欧使節団は、開港延期交渉で仏、英、蘭、普、露、葡を訪れたのみだった[5)]。1863年遣仏使節団は、横浜鎖港の交渉に仏を訪れただけだった。1866年遣露使節団もあったが、訪問先が違う。1867年遣仏使節団(徳川昭武、パリ万博参加など)は、ベルギーも訪れているが、五代らの後だった。

では、他にはいなかったのだろうか。

---

4) 尾佐竹猛著吉良芳恵校注『幕末遣外使節物語、夷狄の国へ』、岩波文庫、2016年、343頁。

5) 学友石部尚登氏の教示によると、宮永孝『文久二年のヨーロッパ報告』208頁−209頁、新潮新書、1989年および同『幕末遣欧使節団』290頁−291頁、講談社学術文庫、2006年に、竹内下野守遣欧使節団一行が、1862年(文久二年)に、ベルリンからパリへ移動する際に(8/28-29)ベルギーを汽車で通過した記述がある。

確かに、プロシアのアーヘンを経て、29日午前10時過ぎにベルギーのベルビエに到着し、駅で食事を摂ってはいるが、ここにはフランスから迎えの者が来ており、同地で入国手続きを取らずに汽車を乗り換えて出発していること(つまり、フランス直行の予定であった)、またフランスの国境駅ジュモンでは入国審査及び荷物改めを受けていることからして、ベルビエでは単なる「通過旅客」として過ごしたものと判断される。

従って、1862年のベルビエ駅での食事及びベルギー通過(東から西へ約7時間強掛かった)は、ベルギー「訪問」と見做すことはできないと考える。但し、勿論のことだが、彼らが車窓からベルギーの風景(炭鉱、高炉、ブドウ畑、河川等)を眺めた最初の日本人と認定はできる(「尾縄欧行漫録巻之五」日本史籍協会編『遣外使節日記纂輯二』、東京大学出版会、1987年、491頁−493頁、福沢諭吉『西航記』福沢諭吉全集第19巻、岩波書店、1962年、51頁−52頁)。

1　幕府オランダ留学生

そこで思い出したのが榎本武揚[6]以下16名の幕府オランダ留学生、正式には「和蘭行御軍艦方」である。

図1：幕府和蘭留学生

彼らは幕府がオランダに注文した洋式軍艦「開陽丸」[7]を日本に回航する役目を担っており、各々は造船の立ち合いや海軍諸術の獲得、国際法や医学の学習などの任務を与えられていた。

1862年11月2日長崎出港、1867年4月30日横浜到着だから、実に5年近くもベルギーの隣国オランダで学んでいたのである。この間にベルギーを訪れた者がいたのではないだろうか。中には筆まめな人もいて、日記や紀行、手紙など

---

6) 当時の名前は、榎本釜次郎（1836年10月5日－1908年10月26日）、留学時（1863年）27歳。後、幕府軍艦頭、箱館戦争において蝦夷共和国総裁、降伏・入牢後、逓信、農務、外務大臣などを歴任。

7) オランダのドルトレヒトの造船所で建造された。排水量2590t、全長72.80m、備砲25門。1866年12月1日日本への回航開始、1868年11月15日北海道江差で座礁沈没。脇哲『軍艦開陽丸物語』、新人物往来社、1990年参照。

を書いている可能性があり、そこから手掛かりを摑めるのではないかと当たりを付けた。

そうして見付けた本が、日蘭学会編大久保利謙編著『幕末和蘭留学関係資料集成』正・続2巻、雄松堂書店（正・1982年、続・1984年）であった。幕府派遣留学生赤松大三郎（則良）[8]のものを中心にオランダ留学関係の資料が全て集められている。「正」に赤松大三郎「航海日記」（210頁－324頁）、「留学日記」（325頁－468頁）、「年譜」（469頁－475頁）が、「続」に「和蘭滞在懐中日記」（25頁－196頁）があり、赤松範一著『赤松則良半生談、幕末オランダ留学の記録』（平凡社、1977年）と併せ読んでみると、赤松だけでなく他の人々の動静なども含め様々な事が分かった[9]。

1.1 例えば、留学生の語学能力について

15歳で蘭方医坪井信良の蘭学塾でオランダ語を学び始め[10]、17歳で蕃書調所の句読教授出役を命じられオランダ語を教えた[11]赤松は、自らの語学力については「大抵の用にも差支えない」が、「発音が正しくないから之を匡正練習することが必要」と先生に言われたとし、その他の者については「内田[12]・伊東[13]も書物は読めるやうになってゐたが、会話は下手であった。其次は榎本・

8) 赤松大三郎（則良、1841年12月13日－1920年9月23日）。御家人（御徒士）の次男。父の実家を継ぎ赤松姓を名乗った。留学時22歳。後、海軍中将。男爵。「日本造船の父」と呼ばれた。

9) 大久保編著以外に、宮永孝『幕末オランダ留学生の研究』日本経済評論社、1990年、同『幕府オランダ留学生』東書選書73、1982年も参考にした。

10)「赤松則良半生談」、13頁－16頁。

11) ibid., 17頁－21頁。

12) 内田恒次郎（正雄、1839年1月5日－1876年2月1日）。1500石の旗本の婿養子であり、留学生の中で最も身分が高かった。昌平黌の甲科及第という当時有数の英俊。留学時25歳。後、大学南校で教え、世界地理書『輿地誌略』執筆。この人については、「続」所収、あられやの主人（赤松則良）「内田恒次郎小伝」（661頁-666頁）がある。内田は赤松にオランダ語を習った。

沢・林[14]で多少の素養はあったが、田口[15]は船中で少し学んだだけで…甚だ怪しかったと覚ゑる。」[16]と評している。それで、語学力向上のために分散して住むことになり[17]、先ずは教師を雇って語学の学習から始めたのである。

赤松の評価は厳しいが、彼だけでなく、榎本や沢も、長崎の海軍伝習所でオランダ海軍士官から幕府海軍創設のための講義や実習を受けたので[18]、オランダ語を聞いて理解する力は、出発前の段階で、それなりにあったのではないかと思われる。

1.2 ベルギーを最初に訪れたのは誰か

赤松「留学日記」および「半生談」によると、1864年2月26日[19]金曜日夕刻、ハーグにいる榎本が赤松の滞在するドルトレヒトまで訪ねてきて、デンマーク戦争（第2次シュレースヴィヒ=ホルスタイン戦争）の観戦に誘った。榎本はハーグでプロシア公使とデンマーク公使から紹介状を貰っていたが、オーストリア公使はベルギー公使併任でブリュッセル駐在であったので、紹介状を貰うために翌27日土曜日アントウェルペン[20]経由でブリュッセルに行ったのである[21]。それから、プロシアへ入りプロシア・オーストリア連合軍側から観戦

13）伊東方成（1832年12月15日－1898年5月2日）。佐賀藩侍医伊東玄朴の婿養子。長崎養生所でオランダ人軍医ポンペに学ぶ。留学時31歳。後、明治天皇侍医。
14）林研海（1844年7月30日－1882年8月30日）。奥医師。留学時19歳。後、陸軍軍医総監。
15）田口俊平（1818年5月10日－1867年12月13日）。老中久世広周家臣。幕府講武所、軍艦操練所勤務。留学時45歳。測量術を学ぶ。後、海軍操練所御用掛。
16）ibid., 162頁。
17）loc.cit.
18）伝習内容などについては「正」の「総説」8頁－15頁を参照されたい。
19）「日記」403頁－404頁。「日記」と「半生談」では、日付が1日ずれているのだが、本人による「日記」の方を優先した。
20）汽車の乗り継ぎに時間があったので、市内のカテドラルなどを見学している。loc.cit.
21）「半生談」177頁－178頁。

し、続いてハンブルグからコペンハーゲン経由でデンマーク軍側から観戦し、この時塹壕に入るなどしている[22]。幕府海軍の榎本、赤松の2人が恐らく日本人で初めて近代陸上戦を体験したことになるのであろう。

さて、以上の事実からすると、赤松と榎本の2人が、最初にベルギーを訪れた日本人ということになる。アントウェルペンとブリュッセルに立ち寄っている。その日は、1864年2月27日土曜日であった。五代らよりも1年以上前にベルギーを訪問していたことになる。

因みに、「続」所収の澤太郎左衛門「幕府軍艦記事」によると、澤は1865年3月19日にブリュッセルに行き、その後リエージュなどベルギーを8日間訪問している[23]。また、「正」所収の西周助[24]「和蘭紀行」によると、西と津田[25]は他の者より先に帰国することになり、その途中ブリュッセルで下車し(1865年12月2日)、「此白耳義ノ都府ニテ高塔ニ登リ府内ヲ一覧セシコトアリ」と記している[26]。恐らくグラン・プラスの市庁舎の塔から眺めたのであろう。

よって、最初にベルギーを訪れたのは榎本と赤松(1864年2月27日)、2番目が澤(1865年3月19日)、3番目が五代ら(1865年7月24日)、4番目が西と津田(1865年12月2日)と特定できた[27]。

---

22) ibid., 178頁－183頁。

23) 澤「幕府軍艦記事　三」、299頁－308頁。

24) 西周(1829年3月7日－1897年1月31日)。津和野藩士。蕃書調所教授手伝並。留学時35歳。ライデン大で哲学、国際法などを学ぶ。後、啓蒙家、貴族院議員、男爵。

25) 津田真一郎(真道)(1829年7月25日－1903年9月3日)。津山藩士。蕃書調所教授手伝並。留学時35歳。ライデン大学で西と共に法学などを学ぶ。後、衆議院議員、貴族院議員、男爵。

26) 西「和蘭紀行、三　和蘭より帰路紀行」、497頁。

27) 筆者は、第3回ベルギー学シンポジウムにおいて、1865年3月19日にブリュッセルを訪れた澤太郎左衛門が最初のベルギー訪問者だろうと述べたが、それは間違いであった。ここに訂正してお詫びする。

2　ベルギーで最初に学んだ者は誰か

幕府派遣留学生はそれぞれ学習する対象が定められていた。海軍班の取締内田は海軍諸術、榎本は機関学、赤松は造船学、田口は測量術、澤は砲術であった[28)]。既に触れたようにオランダ語習熟のため各自離れて暮らすことになり、澤太郎左衛門はハーグのスポイ通りの小銃火薬等の販売店「ベフト」方の2階に下宿した（1863年7月20日）。

2.1　澤の学習の様子

それから学習を開始した。「又内田、榎本、自分、田口四人ハ和蘭海軍大尉ナル『ヂノー』ト云者ニ附キ、船具運用砲術ノ学科ヲ伝習ス」また「自分ハ海軍省軍務局長海軍大佐『フレメリー』及其局員ニ附大砲小銃并ニ火薬等ノ事ヲ質問ス」[29)]とある。その後、「（1864年）七月十日（和暦）、海軍大尉『ヂノー』氏ヨリ受ケ居リシ大砲、小銃製造論、車臺得失論、此日ニ於テ終業、来ル十五日ヨリ火薬及火工製作ノ授業トナル旨同人ゟ申聞ル」[30)]とか「十一月十一日（和暦）、此日『ベフト』方ニテ銃筒筋入機械取附ニツキ、教師『ヂノー』氏モ見物ニ来ル、此機械ハ『ベルヂュム』製ニテ最モ巧ミノ装置ナリ」との記載があり、精力的に学んでいる様子が分かる。

その後、前述のように澤はベルギーを訪れるのであるが（1865年3月19日～26日）、これは下宿先の銃砲店の主人の案内により、ブリュッセル、リエージュ、ナミュール、ウイ[31)]の地で、小銃製作所、火薬製造所、鉱山や製鉄所を

---

28)「正」総説、30頁。

29) 澤「幕府軍艦記事　二」277頁。

30) 澤「幕府軍艦記事　二」293頁－294頁。

31) 原文には「ヒューエー」とあるが、この町は「ロイク（Luik）」と「ナーメン（Namen）」の中央にあると記されているので（澤「幕府軍艦記事　三」、305頁）、澤の発音のなまり具合からするとオランダ語でHoei、フランス語でHuyの町を指しているのだろうと思われる。因みに、Huyの発音は、houyであり、「ウイ」とした。なお、IPA（国際音声字母記号）によると、Huyを発音記号で表した場合、[wi]＝「ウイ」となる。

見学するためであった[32]。ウイの火薬製造所では、非常に細かなところまで観察しており（例・木炭の炭化法や焼化度を見る測定器、火薬乾燥のための暖室設置など）、種々の質問をして熱心に学んだ様子がうかがわれる[33]。

澤の書いたものを読み進めると、更に興味深い事実が分かった。

2.2 澤の新たな任務

「澤太郎左衛門オランダ滞在日記」[34]によると、澤は火薬製造機械購入の任務を新たに受け、これに奔走した。

1865年10月21日土曜、パリにいる御軍艦操練所頭取肥田濱五郎より、柴田日向守（柴田剛中、外国奉行）がパリへ来るので、火薬製造機械買上について相談があるから、図面を持って来て説明するようにとの連絡が届いた。澤は29日日曜にパリに赴き、30日月曜に柴田と面会した。この時に機械購入の命を受け、日本での据付、製造に支障のないように心得よとの指図と共に、購入資金として先ず12,000ドルを受け取った。

11月1日水曜、澤はパリからドルトレヒトまで戻り、翌2日木曜、同地で開陽丸の進水式に列席した。

3日金曜、澤は、オランダ海軍大尉ヂノー（砲術などの先生）を訪ね、フランス、オランダ、プロシア、英国の火薬製造所の得失について質問したところ、ヂノーは難しい質問だとし、デルフトの陸軍火工所長「バルハンシェス」を訪ねて問い合わせるように助言した。

9日木曜、ハーグからデルフトへ行き、火工所で面会を申し込むが、陸軍省の許可証がなければ、工場に入れることはできないと門衛に断られた。そこでヂノー氏の添状を出すと、暫くして午後5時過ぎにバルハンシェス宅へ来るようにと伝えられた。5時半に同氏宅を訪問し、質問したところ、「当時最も軽便にして、数量を調整する火薬器械は、白耳義国『ウェッテレン』なる『コー

32）ibid., 299頁－307頁。
33）ibid., 305頁－306頁。
34）「正」、160頁－165頁。

プアル』製造機に超ゆるものなし、和蘭陸軍用の火薬は、時として我が製造所『モイデン』に於て、間に合ざる時は『ウェッテレン』より求むることあり、此火薬の初速は常に四百『メートル』に至るなり、然し此の工場を見ること甚だ難し、恐くは仏国海陸軍士官の同所出張の者に頼むより外なしと云」[35]との有益な情報を得た。

14日火曜、澤は、オランダ海軍大臣カッテンディケ[36]を訪ね、ウェッテレンの火薬製造所の見学希望を伝えたところ、在ベルギーのオランダ公使より頼めば見学が叶うだろうと紹介状を貰った。

16日木曜、ブリュッセルへ行き、オランダ公使を訪ね、海軍大臣の書面を見せて、ウェッテレンの火薬製造所見学を依頼すると、ベルギー陸軍大臣宛願書を出してくれた。

17日金曜、オランダ公使より書面が届き、内容はウェッテレン火薬製造所は工事中のため頼みに応じられないとの断りであった。澤は、読了後、礼を言いにオランダ公使を訪ねた。

澤は、有力な伝手を頼ってみたが、残念なことに八方塞がりで火薬製造所の見学は叶いそうになかった。

2.3 ひょんなことから

下宿先のベフト氏の伯母で「ミミ夫人」と呼ばれる老婆がブリュッセルに住んでおり、同地に行ったら訪ねて、用があれば頼むようにと、澤はベフト氏から添状を貰っていた。

18日土曜、途方に暮れた澤が訪ねてみたら、このミミ夫人はフラマン語を話しオランダ語が分かるので、これまでの経緯を語り失望していると伝えると、ウェッテレン火薬製造所の機械を製造する「ヘルヴィリヨン」氏と懇意なので、見学の件を聞いてみてあげようとの返事であった。思いもかけないこと

35) ibid., 162頁。

36) カッテンディケ海軍大臣は、大尉の頃1857年から長崎海軍伝習所で教師をしており、澤ら伝習生を教えた。彼らは師弟の間柄であった。

に、澤は、どんなに費用などが掛かろうと一度見ることができれば満足だと伝え、丁寧に御願いをして辞去した。

20日月曜に、返事を聞きにミミ夫人宅を訪ねると、「ヘルヴィリヨン」氏の返事として、ウェッテレン火薬製造所では、土工を多く使っているので、その人足に雇われれば十分に見ることができる。そのつもりがあれば証人を立てて本人を連れて来れば、直ぐに取り計らうとのことであった。願ってもない話なのだが、(幕府派遣留学生の身分などから) 即答ができないので、その日の夜オランダに帰った。

21日火曜、下宿のベフト氏にヘルヴィリヨン氏の話をすると直ぐに証人になると請け負ってくれた。そこで留学生取締の内田を訪ね事情を話し土工になりたいと伝えたら、表向き承認する訳にはいかないが、任務のためなので内々に雇われて見学するのであれば邪魔はしない。但し、問題が生じても一切関知しないとのことであった。

何とかなりそうだった。思えば、砲術専攻の澤が、小銃火薬等の販売店ベフト方に下宿したことからの正に奇縁であった。ベフト氏の伯母のミミ夫人に会えなかったら、任務遂行は覚束なかったであろう。

2.4 澤、土工となる

11月23日木曜、朝8時10分の汽車でハーグを出て、夕方6時にブリュッセルのホテルに到着。夜8時にミミ夫人を訪ね、ベフト氏の証書を出し、ヘルヴィリヨン氏に頼んでくれるように依頼した。

25日土曜、朝10時にミミ夫人がヘルヴィリヨン氏宅に連れて行ってくれ面会をしたところ、27日月曜にヘント行きの汽車に乗りウェッテルンまで同伴すると伝えられた。この時に、火薬所では、工夫の衣類を着すべきこと、食事は「スウアルテ、ブロード」三斤「スペッキ」四分の一斤の支給、日給として三拾「サンチウム」の支給があると説明を受けた。

こうして、澤は、11月28日からウェッテルンにある「コーバル」火薬製造所に工夫として入り、翌1866年2月5日まで70日間働きながら火薬製造法を学んだ[37)]。要するに、今で言う「技能実習生」として働いたのである。

図2-3：ウェッテレン火薬製造所

因みに、ヘルヴィリヨン氏は、製鉄機械師で、ウェッテレン火薬製造所の仕事は皆引き受けており、工夫達とも懇意であり、多くは彼の口利きで就職した者であった[38]。

恐らく、澤の熱心な仕事ぶりや質問などから職工長「コロムホート」の気付

37）以上の記述は、澤「オランダ滞在日記」、160頁－164頁に基づく。

38）ibid., 165頁。

くところとなった。澤は、「幕府の時、萩野流の砲術を学び、更に江川担庵の教えを受けた。長崎伝習を命じられ、海軍に関わる諸術、主として海上砲術を修業した」[39]から元々砲術に詳しく、オランダで火薬についても学んでいた。最初のベルギー訪問時の火薬製造所見学でも鋭い観察をしており、コロムホートは、ヘルヴィリヨンから澤について説明を受けていたかも知れないが、澤が単なる工夫ではないと実際に接して直ぐに気付いたのであろう。だから、彼らは特に親しくなった。澤は、コロムホートから炭化竈、硫黄蒸留竈及び水壓器等の図面を借り、乾燥室の温度並びに壓磨器の分量を教えて貰うことができたのである[40]。

その後、澤は、ミミ夫人と相談して、注文しなければならない火薬製造機械製造はヘルヴィリヨン氏に頼み、炭化竈などはデルフトの陸軍火工所長バルハンシェスに紹介して貰った「ハルトフ」氏に依頼した。これらの機械の試運転の立会は留学を延長した赤松に頼み、日本への送付はバルハンシェスらに頼んだ[41]。

このようにして、澤はその任務、砲術及び黒色火薬の製法の学習、火薬製造機械の注文、を果たした。

以上見てきたところからして、澤太郎左衛門が、ベルギーで働きながら学んだ最初の日本人だと認定できる[42]。

39）霜禮次郎『開陽丸艦長澤太郎左衛門の生涯』、新人物往来社、2012年4月、22頁によれば、澤の息子鑑之丞が『海軍七十年史談』においてこのように書いているそうである。

40）澤「オランダ滞在日記」、165頁。

41）loc.cit.

42）澤は、周布公平のように高等教育機関で学んだ訳ではないが、ベルギーでの学びという点では最初の日本人と認定して良いと思われる。従って、澤太郎左衛門こそが私達ベルギー留学生の先達ということになる。

3　澤太郎左衛門とは

澤家は、奥火の番[43]で80俵高の御家人であった。太郎左衛門は、1835年6月4日生まれで、「続」所収「澤太郎左衛門年譜」(669頁－672頁) および丸毛利恒「故澤太郎左衛門氏の略歴」(673頁－678頁) によると、長崎海軍伝習所でオランダ海軍士官から海軍軍術を学び、御軍艦操練所教授方出役に任命され、同所で海上砲術の手掌となった幕府海軍の海上砲術の専門家である。記録からは、いつ何処で蘭学を学んだかは分からないが、彼の日記などからすれば、オランダ留学をしていた頃にはオランダ人と意思疎通のできる程度の語学力に達していたと思われる。帰国後、軍艦役、次いで軍艦頭並、軍艦頭 (艦長) となった。因みに、鳥羽伏見の敗戦後、徳川慶喜が大阪を脱出した時の開陽丸の軍艦頭並 (副艦長) であった。軍艦奉行榎本が上陸していたので、艦隊の指揮を委任されていた澤が江戸まで慶喜らを連れ帰った。箱館戦争には開陽丸軍艦頭として参加。蝦夷共和国開拓奉行となった。降伏・入牢後、海軍兵学校に出仕し、1898年逝去。享年65歳。

図4：澤太郎左衛門

幕府海軍の将来を担うエリートでありながら、その任務遂行のために土工として働き学ぶことをいとわない澤の人柄および真摯な任務への姿勢、そして向学心には賞賛すべきものがあると思われる。

43) 奥火の番とは、江戸城内御広敷内と外を巡回して、大奥の火の番をする職務である。

4　エピローグ

澤の輸入した火薬製造器（壓磨器の壓輪）は、東京都板橋区指定記念物として、板橋にある「加賀西公園」内に保存・展示されている。丸い壓輪は大理石製で、これがぐるぐる回り、その重さにより原料の粒子を細かくする仕組みである。

板橋教育委員会の説明によると、明治9年8月火薬製造所でこの壓磨機壓輪を用いて黒色火薬の製造が開始され、明治27年の無煙火薬製造開始まで用いられたとのことである。大正11年3月、記念碑とされた。

図5：壓磨機

第 3 章

ベルギー大使の記録にみる関東大震災
——時代と現地の状況をふまえた再読の試み——

山口　博史

1　はじめに

今年（2023年）は関東大震災から数えて100年の年にあたる。関東大震災に関してはこれまで多くの研究がなされてきた。関東大震災に関する研究は、日本各地の地震災害への備えという面で、少なからず意義のあることといえる。そして、近い将来に南海トラフを震源とする地震が生じることが想定されており、日本各地で生じる被害はかなり大きくなる可能性がある。

これまでの地震災害研究の知見蓄積により、各地の地震への備えが行なわれ続けている。これを一層進めるためには幅広く災害に関する資料を集め、内容を整序していくことが大切といえる。本稿は、関東大震災の被害について、避暑で現在の神奈川県逗子に滞在していたベルギー人外交官の記録の内容に関する分析を行なう。特に関東大震災における土砂災害と津波災害に関するひとつの事例を紹介し、また関東大震災の意味付けについてのこの時代の欧州出身者に特徴的な記憶の想起とその関連付け（「想念のネットワーク」[1]ともいうべきもの）があることをみていきたい。

本稿で用いる資料はかつてベルギー大使（任期1921～1939年）であったアルベール・ド・バッソンピエール（以下バッソンピエール）の「Dix-huit ans d'Ambassade au Japon」（Bassompierre 1945 = 2016）である（以降、「回想録[2]」と表示）。

回想録の邦訳最後に収められている「学術文庫版　訳者あとがき」（磯見2016: 326-327）でも文庫化の経緯として述べられているが、2011年3月の東日本大震災の後、バッソンピエールが記録した関東大震災の被害の模様が注目されている（磯見 2016: 326）。訳書の再発を機に、この記録を地域の災害の記録として読み直そうという試みが始まっているのである[3)]。地震防災を考えていくうえでたいへん意義のある試みであるといえよう。そして、この資料について、ベルギーに関する研究をふまえて再読してみることの意義は今日いっそう大きくなっている。

1）M.アルヴァックスは、距離があっても特定の記憶の想起が集団的な記憶の枠組みによってなされることを述べた（Halbwachs [1950] 1997: 66）。ベルギー人という集団の成員であるバッソンピエールは、日本の震災の状況を目にし、自身の属する集団に強く結びついた記憶想起を行ない、ベルギーに関する様々な記憶と意識上での一定の関連付けを行なっている。帰属意識をもつ集団の大多数がいる空間とは別の場所で類似する事態を目にしたときに生じるこの現象について、本稿では試みにこの語（「想念のネットワーク」）を用いたい。現前のできごとや対処についての意味づけが、直接かかわりのない過去とつながる想念のネットワークによって影響を受ける。なお仮説的な記述に留まるが、移動が限られた時代には、想念のネットワークにみられる「国民」ひとりひとりの間のちがいは、相対的には限定的なものだったのではなかろうか。移動が常態化し、流動性の高まる時代においては、想念のネットワークは文字通り多様化、複雑化するであろう。バッソンピエールの事例は、想念のネットワークの空間的時間的な複雑化をかなり初期の段階で表したものといえまいか。

2）ヘント大学の図書館目録（2021年7月6日アクセス, https://lib.ugent.be/catalog/rug01:000015796）によると原書は1943年の発行であるが、翻訳は1945年版をもとにしているようである（磯見 2016（1972）: 322）。筆者が入手した原書データは1943年版であるため、細かな部分で異同がありうることに留意されたい。また、以下では回想録について、（原書ページ、訳書ページ）の形で記録の参照箇所を示す。原書および訳書にのみある記述については該当部分のみのページ表示とする。

3）逗子市立図書館『関東大震災と逗子』（https://www.library.city.zushi.lg.jp/images/upload/tantei004-2102.pdf（2021年5月5日取得））、タウンニュース逗子・葉山版2018年3月23日『津波の避難ルートを追体験』（https://www.townnews.co.jp/0503/2018/03/23/425072.html、2021年3月21日取得）など。

ただし、著者のバッソンピエールが記していることについて、その日本語訳もある現在では、公表されている著作に関する論文という形態で再読を試みることは屋上屋を架すものではないかという指摘がありうる。また、堅田智子は関東大震災に関する本書の内容を書評で概説している（堅田 2017: 191-193）。

筆者は、本書が和訳・書評されていることの意義は十分に認めつつ、並行して、ベルギーの事情、および現地の状況をふまえたさらに一歩深い解釈の可能性を本稿では示したい。とりわけ、外交官、ないしは欧州出身者という属性の人物が持つ特有の想念のネットワークが震災の意味付けに与える影響について探ってみたいと考えている。

具体的には、関東大震災という巨大災害を「回想録」の記述ではいかに位置づけているか、ということである。またバッソンピエールの記録から欧州人が震災と欧州近代のできごとをどのように結びつけ、それが震災やその後の支援活動の意味付けに関していかなる影響をおよぼしているかを明らかにすることである。

この記録に残された情報の意義を見きわめるには、その情報の送り手や送り手を取り巻く社会的背景（より踏み込んでいえばベルギーの事情）をふまえることが少なからず意味をもつ。同じ資料を用いるのであっても、その資料から引き出せる含意は、いかなる文脈のもとでどのような補助線を引くかにより、異なってくるのである。

なお、「回想録」はひとりの外交官によって書かれたものである。訳者の磯見はこの記録について次のように述べている。

> ……日本の外交、経済、政治その他あらゆる分野における体系的理解分析を求めることは、著者自身がプロローグで告白しているように、その性格上、過度の要求というべきである。そのためには大使のメモワールはあまりに私的で、楽天的で、あえていえば常識的に過ぎる。
>
> （磯見 2016: 323）

これは、「回想録」が日本に関する一般的な知見を述べたものとして読むことを戒めるものである。筆者もこの観点に同意するが、それが上に述べられているように「私的」（磯見2016: 323）であることは、この記録を関東大震災の記録として読むことに関する意義を損なわないものとみている。この論点について、東日本大震災の実情について、東北大学の人びとに聞き取りを行なった高倉は次のように述べている。

> 部分的な真実であったとしても、いやむしろ部分的な真実しか提示しえない点にこそ、意義がある。
>
> （高倉 2012: 27）

高倉が述べるのは、災害など、多くの人が経験したできごとについての個人的な記録の意義についてである。個人の主観に発する語りの記録は、それを一般化できるものではない。しかしながら、その語りの記録は、その語り手が置かれていた状況、また災害を起こした社会構造を濃密に反映しているといえる。過去の記録について適切に補助線を引いていくことによって、一個人の記録をもとに、その背景となる社会構造にまでさかのぼっていくことができると考えられよう。個人の人生は、それが断片的なものであったとしてもその時代のかけら、ないし歴史のかけらをいくばくかは有している。個人の人生に関する記録に見られるそれらのかけらから、大きな時代の動きや社会のありかたを照らし出し、そこにみられる特徴を見いだしていくことが事例研究の大きな意味合いであろう。

バッソンピエールは関東大震災が発生した当時、日本に駐在する外交官という特別な立場にあった。その意味で、バッソンピエールの経験を、関東大震災を経験した多くの人々の経験として一般化することは適切ではない。同時に、上記の磯見、高倉らの見解に従えば、この特別な経験が、その特別さゆえに、一般化不可能で無意味なものであるとして顧慮しないという見方はいくぶん偏狭なものと言えよう。駐日本大使という立場から震災という自然現象を見たとき、それはバッソンピエールの目にどのように映り、周囲の環境を含めて、どのように記録されているであろうか。また、欧州出身の外交官であるバッソンピエールは、震災に際して、自身の経験したことを何と関連付け、特有の想念のネットワークを構成しているのか。またその想念のネットワークにより、震災やその後の支援にはいかなる意味付けが付されているか。これら諸点を明らかにすることは現在でも意義のあるポイントであろう。震災という大きな出来事を感得するそのありかたに、ベルギー出身者であることや彼の立場は具体的にどのように影響しているか、ここから一定程度明らかにできるのである。

ここで、災害をどのように感得するかは、その人の置かれた立場により大きく異なると考えられる（山口 2016: 186-187）。そして、バッソンピエールであったからこそ感得することのできた震災の実情というものがありうる。ある立場の人によって感得された災害のありかたの検討は、事例からその事例を取り巻く社会的背景への遡行的検討を行なうことによる研究上の意義を持ちうるのである。本稿では想念のネットワークへの着目を手がかりにその具体的実例を明らかにしたい。

2　ベルギー大使の記録がカバーする時代

個人の経験から社会構造への遡行的検討の手がかりとするため、バッソンピエールの日本滞在前後（冒頭にて既述、任期1921～1939年）の世界情勢について簡単に触れておきたい。教科書的な文脈からすれば、この時代は第一次世界大戦後の国際連盟成立（1920年）から軍縮（ワシントン軍縮会議（1922年）、ジュネーヴ軍縮会議（1927年）、ロンドン軍縮会議（1930年））、日本国内では大正デモクラシーと普選法（1925年）という流れから始まっている。その後、要人に対するテロ事件の続発、張作霖爆殺事件（1928年）、満州事変（1931年）、5.15事件（1932年）、日本の国際連盟脱退（1933年）、2.26事件（1936年）、盧溝橋事件からの日中戦争（1937年～）、ナチス・ドイツのポーランド侵攻（1939年）、同じくナチス・ドイツのオランダ、ベルギー侵攻（1940年）という動きがバッソンピエールの日本滞在時の後半以降に相次いで起こっていることに気づかされるだろう。言うなれば、バッソンピエールの滞日前期に見られた前者の文脈が、次第に後者の流れに飲み込まれていった時代だといえよう。また1922年にはソビエト連邦の成立をみている。

そして1923年、フランスとベルギーは、ヴェルサイユ条約での賠償金支払いが渋滞したことを理由に西部ドイツのルール地方の占領に踏み切っている。フランスとベルギーによるこの行動は、ドイツでのハイパーインフレの原因の一つとなり、欧州の緊張感を高めた。また同年11月にはナチ党によるクーデター未遂事件（「ミュンヘン一揆」）が起こっている。

関東大震災は1923年にこうした文脈の中で生じた。震災の翌日に山本権兵衛内閣が成立している。そして、地震後、多くの朝鮮人、中国人、日本人に対する虐殺事件があったことは新書などでも広く（藤野 2020: 139-204）知られているところである。

3　関東大震災の記述

3.1　関東大震災の概略

関東大震災について、一般にもその被害の概要は知られている。また、多くの研究、報告がこれまでになされてもいる。ここでそのすべてを振り返ることはできないが、加納らによる概略的記述（加納他 2021: 165-173）をもとに、その全体像をふり返っておこう。

関東大震災は1923年9月1日に発生した。マグニチュードは7.9であり、この震災による犠牲者は神奈川県、東京府、千葉県などを中心に10万人を超えている（加納他 2021: 166-167）。明治以降最悪の災害の一つといってよいだろう。この際、9月1日の本震に引き続いて、多数の余震が記録されている（加納他 2021: 171）。

広く知られているように、犠牲者の死因はその多くが火災による焼死である（加納他 2021: 169）。東京、横浜での大火災、また横須賀からの石油の流出による海上火災など、大規模な火災の記録がたいへん多いこと（加納他 2021: 169-170）がこの地震災害の特徴と言えよう。

火災と並び、津波も地震の後に沿岸に押し寄せたことが知られる。本稿では神奈川県の逗子での被害に関する記述が中心になるが、逗子に近い鎌倉では津波の高さは最大で7～8mにおよんだとされる（加納他 2021: 172-173）。震源域に近い地域では土砂災害が生じたほか、広範囲で液状化による被害が見られたことも念頭に置いておくべきであろう（加納他 2021: 173）。

逗子は震源に近く、その被害は全焼4戸、全壊988戸、流失90戸、半壊887戸、崩壊30戸と甚大であった（逗子市立図書館 2019）。復旧について、その一つの目安となる学校では、授業再開までに1か月を要した。再開当初は校庭での授業も一部行なわざるをえないありさまであった（逗子市 1997: 697）。このことからも、逗子の被害の大きさをうかがうことができる。

3.2　当時の逗子

ここで、国土地理院提供の1921年版、旧1万地形図[4]、および訳書84ページに示されている[5]当時の逗子の地図にもとづき、現在の逗子の状況[6]と当時の状況の異同について確認しておきたい。

現在と当時を比べた際、確認できるもっとも大きな違いは、現在海岸沿いを走る国道134号が当時は建設されていなかったことである。（後述の）田越川にかかる国道134号の橋（現、渚橋）もこの時点では存在していない。国道134号がなかった当時も現在も海岸から100m弱の距離にある集落を通る形で道がつけられているものの、発災時にバッソンピエールらがいた海浜（原書68-69、訳書88-89）からこの道まではやや距離がある。

バッソンピエールらの避暑滞在地（訳書84）は、発災時にバッソンピエールがいた場所からは後にみるように川の対岸にあたる。そのため、当時付けられていた道をたどり、橋（後述）を渡って海浜を往来しようとすると相当の迂回をせねばならない。そのせいもあってか、発災直後にバッソンピエールは海浜から避暑滞在地までの既存の道を通らず、直接川を押し渡っている（後述、原書70-71、訳書91-92）。記録に示されたバッソンピエールの行動には、こうし

4）国土地理院のウェブサイト（https://mapps.gsi.go.jp/maplibSearch.do?specificationId=1670683、2021年9月16日アクセス）による。国土地理院ウェブサイトから旧版の地図をたどることができる。

5）原書ではこの地図は示されていない。

6）国土地理院ウェブサイト（https://maps.gsi.go.jp/#15/35.286773/139.572265/&base=std&ls=std&disp=1&vs=c1j0h0k0l0u0t0z0r0s0m0f1、2021年9月29日アクセス）

た地域的背景があったことに留意しておきたい。

しかしながら、国道134号と現在の渚橋がないことを除けば、回想録で取り上げられる範囲については、地図を比較する限り発災前と現代とでは地形に顕著な違いは見られない。そのため、現在のこの地域の状況を実際に確認することで、バッソンピエールの記録について、よりリアリティのある形で解釈を行なうことにつながるのである。

3.3　現在の状況

それでは、この記録の舞台となった地域の現在の状況（2019年7月時点）はどうであろうか。

図1は田越川である。干潮にあたる時間のため、川底が見えている。写真の撮影場所は国道134号にかかる渚橋（先に述べたように、バッソンピエールらの被災時には国道および橋はなかった）である。撮影場所の背後には相模湾が広がっている。この川はバッソンピエールが発災後津波の襲来前に危険を冒し

図1　田越川（渚橋より筆者撮影）

て渡った川（後述、原書70-71、訳書91-92）であるとみられる。潮位にもよるが、津波を知らない状態で水泳に熟達していれば、「泳いで渡れる」という判断をしたとしても不思議ではない程度の水深や流れの速さである。

図1の撮影場所である渚橋を背後にして海を撮影したものが次の図2である。雨模様のため海岸に人出は少ない。後の節で記録をもとに詳述するが、バッソンピエールらはこの近辺で被災したものと思われる。

田越川の川岸からバッソンピエールらが宿泊滞在した方面（訳書84）の写真が図3である。

図3右端に映っている橋が図1の撮影場所の渚橋である。なお、本文のバッソンピエール自身の視線の動きに関する記述によれば（後述、原書70、訳書90）、この奥の丘近辺で大きな土砂崩れがあったとみられる。実際、この近辺は現在の逗子市ハザードマップ（逗子市 2018）でも急傾斜地として土砂災害の警戒区域に指定されている。

図2　逗子の海岸（渚橋を背に筆者撮影）

図3　田越川よりバッソンピエール滞在地方面を望む（筆者撮影）

図4　現在の富士見橋（筆者撮影）

図5　標高の表示（筆者撮影）

図4がこの後の節でふれる富士見橋である。バッソンピエールはこの橋が津波で破壊されたことを記している（原書71、訳書93）。逗子は徳冨蘆花ゆかりの場所であり、現在では蘆花記念公園が整備されている。公園はこの橋から南側の住宅街の背後にある山手に広がっている。この近辺が前述の急傾斜地に該当する。

公園内や公園を取り巻く道路を歩くとすぐに気づくことだが、あちらこちらに標高を示すパネル（場所によっては津波への警告）が掲げられている（図5）。津波ハザードマップ（逗子市 2016）に基づき市行政が設置したものであろう。この背景には津波の経験があることはいうまでもないだろう。なお、津波の経験や情報がない人の場合、海岸での強い揺れと潮位の急激な変化を結びつけて考えるのが容易ではないことは想像に難くない。その意味で、これら標高表示と津波への警戒の呼びかけは、そこに人々が普段からどの程度注意を払っているかということがもう一つのポイントであるにせよ、関東大震災時点から防災対策が大きく発展した部分であろう。なお、これらハザードマップは、東日本大震災後のものであるため、その知見も加味されているものといえる。海浜一帯は逗子市の津波ハザードマップでは、津波による浸水が想定されるエリアに該当している（逗子市 2016）。

4　バッソンピエールの記録にみる関東大震災

それでは「回想録」の記述[7)]について順を追って具体的にみてみよう。なお、章末に回想録にもとづいて発災少し前から9月8日までの出来事を整理しておく。また、バッソンピエールは震災を「地面が揺れた」という一点においてとらえているわけではない。そこにかかわる人が震災からどのような影響を受けたかについて、時間の経過を念頭に置きながら記述を行なっている。バッソンピエールは震災を自然科学的な現象に圧縮してしまうのではなく、社会的なインパクトを考慮しながら記述しているといえるのである。

4.1　地震の「前兆」現象から発災まで

まず述べられているのは、地震の前兆ともいうべき諸現象である。当然のことながら、現代であっても、地震の襲来を事前に正確に予知することはほぼ不可能である。震災をふり返っての記述とみてよいであろう。古くから地震の前には前兆があるという言い伝え（日本であればナマズが暴れる、等）はあり、それを意識した記述であろうか。バッソンピエールがとりあげているのは精進湖[8)]の水位が低下したこと（原書66、訳書81）、井戸の水が枯れたこと（原書67、訳書86）、見慣れぬ魚が海にいたこと（原書68、訳書87）などである。これらの現象について現在のところ因果関係を確認するすべはない。湖の水位に関してはイタリアにおいても同様の言い伝えがあるという記述がみられる（原書66、訳書81）。地震の前兆に関する言説に日本とイタリアで共通する事例がある可能性を示すものといえよう。

1923年9月1日の発災時、バッソンピエールは自分の子どもとフランス大使

7）なお、この記録の多くの部分（原書65-84、訳書81-116）は再収録であることを著者本人が断っている（原書65、訳書80）。

ポール・クローデルの子ども[9]とともに過ごしていた。当日は昼近くなってから避暑滞在先の家を出て、その子らが川(図1の田越川であろう)を泳いで渡り、逗子の海浜(前掲図2)のほうへ海水浴および(筆者注、後述の台風の影響か)海に波があったこともありサーフィン[10]を楽しみに行っている。バッソンピエールもその後を追っている(原書68-69、訳書88-89)。この後、子どもらと海水浴中に地震に遭遇したのである。

屋内にとどまらず海岸に行ったことについてバッソンピエールは幸運であった旨を述べる(原書68、訳書88)。バッソンピエールが滞在していた家屋は、強い揺れにもかかわらず、地震の後もおおむね原形を保っていたが、屋内は揺れによって荒れており(原書74、訳書97)、家具等で負傷する危険性があったためのコメントであろう。

4.2 発災と津波の来襲

上述のように、発災時にバッソンピエールらは海水浴中であった。地震が起

---

8) 富士五湖の一つである。富士五湖とは精進湖のほか、山中湖、河口湖、西湖、本栖湖を指す。特に西湖、精進湖、本栖湖の三湖は、それ以前にあった湖が富士の溶岩流で埋め立てられて残存した部分であるといわれている。そのため、地下の溶岩を介して三湖の水位は連動しているとされている(竹内・切石・今村 1995: 32; 35)。この点も念頭に置いて当時の新聞の記事探索を試みたが、本稿脱稿までにはバッソンピエールの記述を裏付ける記事を見つけることはできなかった。バッソンピエールが書き残した情報の実際の内容はどのようなものであったのか。その解明について、今後の研究課題のひとつとしたい。

9) P.クローデルの外交書簡にもこれは記録されている(Claudel 1995=2018: 225)。

10) バッソンピエールは、ハワイからもたらされたスポーツで「surfboards」を用いると記している(原書68)。欧州で出版された書籍中での書きぶりということからすれば、同地でもなお知られていなかったものであろうか。日本でサーフィンがいつ始まったのかについては諸説ある。1920年代にサーフィンを(広義の)湘南の海岸で行なう人々がいたということには留意しておいてよいだろう(1920年代に「板を使った波乗りが流行」(石井恒男・日本大百科全書編集部 2020)したともいう)。なお、当時のサーフィンがいかなるものであったのかはさらなる検討を要する。

こった時の模様をバッソンピエールはあたかもめまいが生じたかのように（原書69、訳書89）表現している。これは強い地震の際、海中にいた様子と感覚の記述であり、その内容は目を見張るものがある。バッソンピエールによれば潮流によって沖合に引きずり込まれるような感覚があったとのことである（原書69-70、訳書89-90）。大きな地震の際に海中にいた人からの証言は貴重であり、これがいかなる状況であったのか、今後さらに解明の必要があろう。

この後、時をおかずに津波が襲来した。結果的にことなきを得たが、このときにバッソンピエールは子どもらを安全と思われる場所に留めおいて、妻を探しに出かけている。先述のとおり、バッソンピエールは津波襲来の直前に川（前掲図1）を泳いで渡っている（原書70-71、訳書91-92）。これはきわめてリスクの高い行動であったといえる。とはいえ時代的な限界もあり、また地震の際の津波の危険性認識についての災害文化が希薄な向きにとっては、とっさにとった行動としては無理もないものともみられよう。この行動がどれほどリスキーなものであったかは、関東大震災時の津波襲来時刻との関係で別に検討が必要なものである。

なお、バッソンピエールはここでは現在世界的に用いられている「tsunami」ではなく、時代性もあってか「raz de marée」（原書71）の語を用いている[11)]。「raz de marée」は、速い潮流を指す言葉で直接津波を指す言葉ではない。しかし、その記述内容や中央防災会議の記録（中央防災会議 2006a: 5）からも津波とみてよいだろう。

そして、バッソンピエールの記述によれば津波は発災から10分程度で襲来したとみられる（原書70、訳書91-92）。これは加納らの見解（加納他 2021: 172）とも一致し、バッソンピエールの記録の確かさを裏打ちするものとなっている。

前節（3.3　現在の状況）でもふれたように、海中にあって（津波の前の）引き潮から逃れようとしている際、バッソンピエールはかなりの規模の崖崩れを

11）欧州で津波が知られていないということは考えづらい。よく知られている例としては1755年、リスボンを襲った地震と津波がある。それを表す概念として「津波」という言葉がなかったものと考えられる。

目撃している（原書69-70、訳書90）。東京、横浜の火災災害、また上記の津波災害があまりにも大規模であったため一般に話題にされることは少ないが、先に確認したように関東大震災では土砂災害は大きな被害をもたらしている（加納他 2021: 173）。中央防災会議の資料では火災や津波とともに土砂災害が多地点で生じたことが述べられている（中央防災会議 2006a: 1）。関東大震災がもたらした土砂災害の被害は、「明治以降で関東地震の死者数に匹敵する地震を見つけられないほど、大きな人的被害をもたらしている」（中央防災会議 2006a: 4）のである。これらのほかにも鎌倉での土砂災害や逗子での土砂災害（あるいはそれをうかがわせる[12]記述）について述べられている（原書77、訳書104）。

バッソンピエールが目にした崖崩れは、この地震にともなう土砂災害の一部をなすものであろう。バッソンピエールは土砂崩れによってけがをした人（原書70、訳書91）の存在、バッソンピエールの妻が土砂崩れに巻き込まれた女性を救助していたこと（原書73、訳書95）、土砂崩れによる道路の途絶（原書74、訳書97）等について書き残している。また土砂崩れを目撃した後、視線を右に移して自身の滞在先が健在であることを認めた旨の記述を行なっている（原書70、訳書90）。この記述によれば、土砂崩れはバッソンピエールの立ち位置から見て、滞在先の左側で起きたといえよう。つまり、崩壊が生じたのは、バッソンピエールの滞在先から東側（図1、田越川河口の左岸）ということになる。この土砂崩れがあったと考えられる一帯（先に掲げた図3の写真）について、もう一度確認されたい。

こうした被害がなぜ生じたのかについては推測の域を出ないけれども、中央防災会議報告書は関東大震災で生じた土砂災害の原因のひとつを前夜にかなりの降雨があったことに求めている（中央防災会議 2006c: 50）。前夜九州に上陸し、日本海側を通過した台風（中央防災会議 2006a: 1）の影響であろうか。これを裏付けるように、バッソンピエールは発災前日の様子について、雨が降り風も強かったこと、（上記台風の余波か）地震の当日も逗子では風が強く、海

12）ほとんどすべての家が谷底に崩れ落ちていた旨の記述がある（原書77、訳書104）。

に白波が立っていたことを述べている（原書68、訳書88）。また台風通過と直接の関係はないとはいえ（台風の多い季節であることは確か）バッソンピエールは台風との関係で語られることの多い農家の厄日（いわゆる立春から数えての「210日」）についても、後に聞いた話として記録中でふれていることにも留意したい[13)]（原書69、訳書88-89）。

1日のうちに津波に遭遇したり崖崩れを目撃したりしていたところ、絶え間ない余震があったことをバッソンピエールは記している（原書74、訳書98）。関東大震災の余震は1000回以上におよんだ（加納他 2020: 171）が、本震から数分間の間に立て続けに起こった大きな余震もあった（中央防災会議 2006b: 47-49）。バッソンピエールは海中ないし砂浜にいた時間が長かったためか、この直後の余震（5分以内に3回）について、はっきりと記してはいないものの、海から脱出して滞在地対岸の旅館にたどり着いた時も振動（les secousses）が続いていたことを述べている（原書70、訳書91）。こうした経験をふまえてか、バッソンピエールらは安全であるとされた竹林にその夜は退避し、そこで蚊帳等を張って一夜を過ごした（原書72、74、訳書94、98）。滞在地屋内が地震で荒れ果てていたためもあろう（原書74、訳書97）。なお、前後関係から、この竹林は田越川の左岸（バッソンピエールらが海水浴をしていた側ではなく滞在地の側）にあったものだろう。

気温の高い時期の野外での就寝ではあったが夜中も余震が絶え間なく起こり、また慣れない環境でもあり、十分に休めたとは言えない状況であったことが記録からは読み取れる（原書74、訳書98）。雨がぱらつくこともあったが、夜の時間は月明かりがあったことも記されている。バッソンピエールは東京や横浜の惨状と対比させて月の光の穏やかさを表現している（原書74、訳書98）。

4.3　発災後の経過

地震と津波による被害のため、公共交通機関はしばらく不通であった。また

13）なお、バッソンピエールは210日のことを一般的な「不吉な」（«néfaste»）日であるものと理解していたようである（原書69、訳書88-89）。

神奈川県や山梨県方面の水力発電所[14]に被害が出たほか、送電網にも損害を受け、広範囲で停電していた（中央防災会議 2006a: 10-13）。バッソンピエールらも、大使館やベルギー本国との連絡に難儀した様子がうかがえる。震災当日にバッソンピエールは大使館に使者を出し、使者は徒歩で東京に向かっている。使者が東京に到着したのは翌日（9月2日）の夕方で、そこから軽井沢まで行く欧州人に連絡を託し（9月3日）、翌日軽井沢から神戸に電文が打たれた（9月4日）。その電文を受けて神戸からブリュッセルへの打電がなされた（9月5日）（原書73、訳書96-97）。この移動や連絡の困難は容易に解消しなかった。バッソンピエールらは9月6日の朝に自転車で横須賀に向けて出発し、横須賀に到着後、タグボート（remorqueur）で横須賀に隣接する田浦から東京の芝浦に渡っている（原書80-81、訳書110-111）。

東京に向かう前に、バッソンピエールは現地でも日本人の間で流言が広まっていたことを記録している。バッソンピエールはこの流言について、子どものひとりが鵜呑みにしていたものの、まったく取り合わなかったようである（原書75-76、訳書101）。同時にここで確認しておくべきことは、バッソンピエールが根拠のない風聞・デマとそれに煽りたてられた人々による朝鮮人、中国人、日本人の虐殺があったことを記録していること（原書75-76、訳書101-102）であろう。また、バッソンピエールはこのとき自身の経験に基づき欧州大戦時のドイツ侵攻のことを想起している[15]。この時期は戦間期であり、ドイツ

14）桂川発電所等（中央防災会議 2006a: 10）である。なお、1920年代は関東周辺一帯で大規模な水力電源開発が行なわれた時期にあたる（山口 2020: 43-44）。

15）G-H.デュモンはこの時期のブリュッセル市長（アドルフ・マックス）が、ブリュッセルへのドイツ軍侵攻に際して住民にパニックを起こさぬように述べたことを記す。ただ、恐怖にかられた住民による脱出行動により大きな混乱が生じたようである（Dumont 2005: 368-369）。またバッソンピエール自身は、外務事務次官としてドイツ侵攻の直前（1914年8月1日）に駐ベルギードイツ大使を訪ね、ドイツがベルギーを攻撃する意思があるのか否かについて確認を行なっている。なお、このときバッソンピエールに告げられた内容はドイツ軍侵攻の心配はないというものであった（松尾 2014: 91）。歴史的事実としては、この内容は直後に覆されている。

のベルギーへの侵攻から10年も経過していないことに留意したい。

フランス大使（P.クローデル）が、9月3日にバッソンピエールとともに避暑に来ていた子どもの安否を懸念して逗子まで徒歩（途中までは自動車[16]）でやってきたことも回想録には記されている（原書78、訳書105）。バッソンピエールはP.クローデルからフランス大使館とベルギー大使館の状況を聞き取り、記録している（実際には、P.クローデルが東京を出発した後、状況は変わっていたことに留意）（原書78-79、訳書105-106）。

P.クローデルらはひと晩をそこで過ごした後、翌4日午後に逗子を一度は出発した。P.クローデルは子どもをフランスの救援船アンドレ・ルボン号[17]に居留させたうえで、自分は仕事のために東京に戻るつもりであった。ただしあまりの暑さと助けの船が来るという情報に接して、P.クローデルらはひとまず逗子まで引き返してきている（原書79、訳書108）[18]。

その後、日本の外務省から使者が来て、バッソンピエールらを含む各国外交官の安否を確認していった。この際、使者は日本の駆逐艦が横須賀から東京の間を結ぶという情報をバッソンピエールらにもたらしている。P.クローデルらは、この船を利用することに決めている（原書79、訳書108-109）。この外務省からの知らせが東京に届いたものであろうか、その後の新聞にはP.クローデルやバッソンピエールの妻などの消息が報道されている[19]。

先に確認したように、P.クローデルらの出発の後バッソンピエールらは自転車で逗子を出てタグボートに乗って東京に行っている。出発前にベルギー大使館が焼け残ったことを知ったバッソンピエールは、善後策を講じるため東京に

16）P.クローデル自身は川崎までは自動車でたどり着くことができた旨を書き残している（Claudel 1995=2018:226）。

17）アンドレ・ルボン号とその乗員の救援活動の一端については、P.クローデルの記録を参照せよ（Claudel 1995=2018:228-234）。

18）前後のP.クローデルの動静については、P.クローデルによる記録（Claudel 1995=2018:223-246）を参照せよ。

19）大阪朝日新聞朝刊、2面、1923年9月7日付「湘南の大公使安否」（2021年7月6日取得）。

向かうことを決め、海軍士官の派出所が置かれていた近くの駅に行き、東京に向かう船の情報を集めている。その際、バッソンピエールは横須賀まで送る旨の申し出を受けているが、断ったようである（原書80、訳書109）。後に自転車で出発し、東京でも自転車に乗って移動している（足をガラスでケガしている（原書72、訳書95）ためもあろう）ので、士官らの申し出を断ったのは簡便な移動手段を確保したかったためもあるだろうか。

船で東京湾を渡り、芝浦に着いたバッソンピエールらは焼け跡を自転車で通過している。その際、バッソンピエールの視点から、住民の冷静さと親切さを記録している（原書81、訳書112）。その後、果物や白湯をとりつつ、外観的にはほぼ無傷のベルギー大使館にたどり着き、館員らの生存を喜び、不幸にして他界した人々を悼む様子を描く（原書81-82、訳書112-113）。その日は大使館の廊下で休み（原書82、訳書113）、翌日（9月7日）、バッソンピエールは外務省に出かけて、犠牲者への追悼と大使館への援助、警護の礼を述べている（原書82、訳書113-114）。

また外務省訪問の後、東京視察に向かっている。荒れ果てた町をみて、第1次世界大戦でドイツ軍の侵攻による戦火（Dumont 1997:512）に遭ったルーヴェンやデンデルモンデ[20]を具体的に想起（原書83、訳書114）しているのは欧州出身者に特徴的な「想念のネットワーク」が明確に見てとれるものであろう。

鉄道の回復が遅れたため（中央防災会議 2006a: 14）、バッソンピエールの家族は10月まで逗子に滞在した。バッソンピエール自身は鉄道を使えない間は逗子と東京の間を何度か船で往復している（原書83、訳書115）。余震はその後も続いた。バッソンピエール自身は東京の生活がある程度平静を取り戻したのは震災から2年たってのことであった旨を書き残している（原書84、訳書

20）ベルギーの都市名に言及するとき、その読みを現地語で表示するか、原書で用いられている言語（この場合はフランス語）で表示するかについて、一考せざるをえない。ここでは、もとの表記であるフランス語読み（ルーヴァン、テルモンド）ではなく、現地語でもあり現在用いられているオランダ語に近いカタカナをあてることにした。

115)。

バッソンピエールの記録から、時間の経過により被害や困難の内容が変わっていくこと、またバッソンピエールの恵まれた立場や職務上の理由により、日本側から見た震災記録の観点とはやや異なる状況の具体例（海軍士官が逗子から横須賀まで送る旨の申し出を行なっていたり、職務上海外との連絡を常に意識せざるをえなかったり、外交官同士の関係（後述）があったり、当時は珍しかったサーフィンのため海中にいたり、など）に気づかされるだろう。

4.4 被害に対する救援

バッソンピエールをとりまく周囲の関係についても述べておきたい。逗子を含め、周辺地域のライフラインは震災によって甚大な被害を受けた（中央防災会議 2006a: 10-15）。特に逗子は、「窮乏の著しい」（中央防災会議 2008: 154）場所であったことが知られている。逗子には9月4日に米が届けられている（中央防災会議 2008: 154）。そうしたなかでバッソンピエールも交通が絶たれたことから物資・食料の確保問題を感じていた。そして、周囲の人々の支援（卵、鶏、缶詰（ないし瓶詰））に感謝の意を示している（原書76、訳書102）。また大使館に対して関係の省、皇室から、米、小麦粉、ワイン、種々の缶詰（ないし瓶詰）などが届けられたことに対する感謝を外務次官に述べたことがつづられている（原書82、訳書114）。

そして、震災の被害とともに、公館の責任者という立場もあり、ベルギーからの日本に対する義援金・救援物資が届けられたことについてもふれている（原書84-85、訳書117）。これについては日本でも報道[21]がなされている。その報道によれば、ベルギーが戦災を受けたときの日本からの好意に対して、と述べられている。先にバッソンピエールが震災とベルギーの戦災を結びつけて（「想念のネットワーク」）記述を行なっていたことをみた。この時代、関東大

21）東京朝日新聞、朝刊、3面、1923年11月7日付「白国の大きな友情」（2021年7月6日取得）。

震災の災害と欧州大戦の戦災を結びつける考え方は、要人[22]の欧州訪問に伴う報道姿勢とともに、日本にもあるていど逆流していたものであろう。先にみたように、バッソンピエールは戦災だけではなくドイツ侵攻時のブリュッセルの恐慌についても想起していることには留意しておきたい。

4.5 外交官同士の交流

最後に外交官同士の交流がいかなるものであったかについてみておこう。関東大震災の記述にあたって登場するのはフランス、イタリア、ドイツ、ブラジルの4つの国ぐにからの外交官である。ここで、ベルギーの隣国であるドイツとフランスの各大使との関係のありかたについて述べてみよう。

ドイツ大使（W.ゾルフ）との関係については、個人的には友好関係にあったことが述べられているものの（原書41-42、訳書48-49）、震災時の関係はかならずしも具体的に書かれているわけではない（震災に関する記述では2か所に登場（原書79、80、訳書108、110））。W.ゾルフとはバッソンピエールが6日に自転車で逗子を出発し、横須賀経由で東京に向かった際、実際に会ってもいる。そこでW.ゾルフが暑さで参っていた様子が書かれているが、記述はそれのみであり、両者の間でどのようなやりとりがあったのかはっきり書かれていない（原書80、訳書110）。

これに対し、先にも見たようにフランス大使（P.クローデル）との交流に関する記述はけた違いに多い。これはバッソンピエールの避暑滞在先の家にP.クローデルの子ども（M.クローデル）がバッソンピエールの子らとともに滞在していたこと、またP.クローデルがしばしば避暑滞在地とした日光（よく知られているように、中禅寺湖畔には各国の外交官の別荘が構えられていた。詳しくは伊藤他（2002）を参照せよ）にバッソンピエールの子どもが滞在するなど、公私にわたる交流があったためでもあろう。もちろん、P.クローデルが自分の

22）例えば、大戦後に近衛文麿や裕仁親王（当時）がルーヴェンを訪れ、その破壊のありさまを嘆いている（小川 2009: 330）。

子どもを探しに逗子を訪問したこともある。

こうした記述に当時のベルギーとフランス、ドイツの関係がどれほど反映していたかを解明することが今後大切になる。周知のように、1923年のルール占領により、ドイツとベルギー、フランスの関係は緊張のもとにあったからである。なお、フランス大使P.クローデルとドイツ大使W.ゾルフは友好関係にあったとされている（Zahl 1974 = 2011: 45）。ヨーロッパ情勢の影響が日本にいる大使らの関係にいかなる影響を与えていたのか、具体的な史料に基づいた研究を今後進めていくことには大きな意義があるものとみられる。

5　結び

ここまで災害に関する基本的な視角を確認し、そのうえでかつてのベルギー大使であるバッソンピエールの関東大震災被災記録を読み直す試みを行なってきた。その際、現代の災害研究の知見を取り入れながら、「回想録」の記述がこの巨大災害のどこに位置付けられるのか、を検討してきた。

そのなかで、関東大震災では火災被害の陰に隠れがちな津波災害と土砂災害の模様についてバッソンピエールが記録していることをみた。津波災害と土砂災害について、関東地方で生じる地震に関していま一度対応を考慮すべきことをこの「回想録」は示唆しているといえるだろう[23)]。

またベルギー近代史の渦中にあったバッソンピエールの立場を念頭に置いて、その記述から当時の欧州情勢との関わりのある部分をピックアップした。そこにはドイツ侵攻時の記憶と発災後の諸々の状況を結びつける欧州出身者に独特の「想念のネットワーク」ともいうべき解釈のありようが見られることを指摘した。回想録中のはっきりとした「想念のネットワーク」としては、ドイツ軍侵攻前のブリュッセルの恐慌状態と震災後のデマの関連付け、焼け跡となった東京と戦災を受けたベルギーの都市に関する記憶の関連付けがあることをみた。戦間期のこの時期、日本に居住していた人であれば、戦災は日常からはなお遠いものであった。この時期の東京の焼け跡を戦争による破壊と結び付け

23）他地域での地震災害においても同様であることは言うまでもないことである。

ることは、欧州の戦災にふれた人物特有のものといえる。

またバッソンピエールははっきり述べてはいないけれども、同時期の欧州情勢がドイツ大使との関係にどのような影響をおよぼしていたのか、という新たな研究課題も見いだすことができた。もちろん、外交官同士であるため、本国間の関係が極端な形で影響するということは考えにくい。同時に、当時のベルギー・フランスとドイツの関係がバッソンピエールとW.ゾルフの間の個人的関係にどのように影響していたのかについて、特に日本での両者の具体的な交流状況について実証的に研究を進める価値はあるものとみられる。

加えて大使というポジションにある人物に対して、日本社会がどのように対応していたかの具体例を明らかにするようにした。回想録の記述によるならば、バッソンピエールが特権的な立場にあったことは明白である（たとえば外務省の使者がバッソンピエールらのもとを訪れて、外交官らの消息が新聞に掲載されるということからもそれは明らかである）。また物資が豊かとはいえなかった逗子でいちはやく生活必需品を確保できたことなどはその立場の反映であることがうかがえる。バッソンピエールはどの程度恵まれた状況にあったのか、この立場が周囲の人にどのように受け止められていたのか、逗子近傍でのこの点に関する資料の発掘に留意していきたい。そして、ここから逆説的に示唆されるのは、そうしたポジションになかった多くの人々の置かれた状況である[24]。

その他、バッソンピエールらが発災前にサーフィンを行なっていたことが記録されている。現在のこの地域では決して珍しくはない文化のひとつといえようが、この当時それが一般にどの程度普及していたのか、また太平洋地域発祥のこの習慣がどのように日本に滞在している欧州人に知られ、広まるにいたったのか、関心は尽きないところである。

24）この点について関東大震災時の朝鮮人虐殺に関する資料（例として姜徳相らによる資料集（姜徳相・琴秉洞 1963））と対比したうえで、回想録を読みこんでいくことで、この手記の意味合いはさらに大きいものになるであろう。

文献（アルファベット順）

Bassompierre, Albert de, 1945, *Dix-huit ans d'ambassade au Japon*, Bruxelles : Libris（磯見辰典（訳）, 2016,『ベルギー大使の見た戦前日本：バッソンピエール回想録』講談社）.

中央防災会議, 2006a,「第1章　被害の全体像」『災害教訓の継承に関する専門調査会報告書　1923　関東大震災　第一編　発災とメカニズム』中央防災会議（2021年7月4日取得, http://www.bousai.go.jp/kyoiku/kyokun/kyoukunnokeishou/rep/1923_kanto_daishinsai/pdf/1923--kantoDAISHINSAI-1_04_chap1.pdf）.

中央防災会議, 2006b,「第2章　地震の発生機構」『災害教訓の継承に関する専門調査会報告書　1923　関東大震災　第一編　発災とメカニズム』中央防災会議（2021年7月5日取得, http://www.bousai.go.jp/kyoiku/kyokun/kyoukunnokeishou/rep/1923_kanto_daishinsai/pdf/1923--kantoDAISHINSAI-1_05_chap2.pdf）.

中央防災会議, 2006c,「第3章　地変と津波」『災害教訓の継承に関する専門調査会報告書　1923　関東大震災　第一編　発災とメカニズム』中央防災会議（2021年7月4日取得, http://www.bousai.go.jp/kyoiku/kyokun/kyoukunnokeishou/rep/1923_kanto_daishinsai/pdf/1923--kantoDAISHINSAI-1_06_chap3.pdf）.

中央防災会議, 2008,「第3章第2節　横浜・神奈川での救援・救済対応」『災害教訓の継承に関する専門調査会報告書　1923　関東大震災第二編　救援と救済』中央防災会議（2021年7月6日取得, http://www.bousai.go.jp/kyoiku/kyokun/kyoukunnokeishou/rep/1923_kanto_daishinsai_2/pdf/13_chap3-2.pdf）.

Claudel, Paul, 1995, *Correspondance diplomatique: Tokyo 1921-1927*, Paris : Edition Gallimard（奈良道子（訳）, 2018,『孤独な帝国：日本の1920年代』草思社文庫）.

Dumont, Georges-Henri, 1997, *Histoire de la Belgique*, Bruxelles: Le Cri édition.

Dumont, Georges-Henri, 2005, *Histoire de Bruxelles*, Bruxelles: Le Cri édition.

藤野裕子, 2020,『民衆暴力：一揆・暴動・虐殺の日本近代』中央公論新社.

Halbwachs, Maurice, [1950] 1997, *La mémoire collective*, Paris: Albin Michel.

石井恒男・日本大百科全書編集部, 2020,「サーフィン」『日本大百科全書（ニッポニカ）』（2021年5月3日取得, https://japanknowledge.com/lib/display/?lid=1001000101140（JapanKnowledge Lib））.

磯見辰典, 2016（1972）,「訳者あとがき」『ベルギー大使の見た戦前日本：バッソンピエール回想録』講談社, 322-325.

磯見辰典, 2016,「学術文庫版　訳者あとがき」『ベルギー大使の見た戦前日本：バッソンピエール回想録』講談社, 326-327.

伊藤教子・初田亨, 2002,「日光・中禅寺湖畔における外国人別荘地の形成」『日本建築学会計画系論文集』67（558）: 271-277（2021年5月5日取得, DOI https://doi.

org/10.3130/aija.67.271_3).
加納靖之・杉森玲子・榎原雅治・佐竹健治, 2021,『歴史のなかの地震・噴火：過去が示す未来』東京大学出版会.
堅田智子, 2017,「書評　アルベール・バッソンピエール著、磯見辰典訳『ベルギー大使の見た戦前日本：バッソンピエール回想録』(講談社、2016年)」『上智史學』62:189-195（2021年11月15日取得, https://digital-archives.sophia.ac.jp/repository/view/repository/20181212012).
姜徳相・琴秉洞（編), 1963,『現代史資料（6）　関東大震災と朝鮮人』みすず書房.
松尾秀哉, 2014,『物語　ベルギーの歴史：ヨーロッパの十字路』中央公論新社.
小川秀樹, 2009,「ルーヴェン」, 小川秀樹（編)『ベルギーを知るための52章』明石書店, 327-334.
高倉浩樹, 2012,「『とうしんろく』の経験：個人的・主観的な体験と記憶の価値」, 東北大学震災体験記録プロジェクト（編)『聞き書き震災体験：東北大学90人が語る3・11』, 22-27.
竹内邦良・切石史子・今村英之, 1995,「富士五湖の水位変動機構」『水工学論文集』39: 31-36.（2021年9月29日取得, DOI: https://doi.org/10.2208/prohe.39.31）
山口博史, 2016,「2014年2月豪雪と住民の被害経験：都留市民への量的調査の結果から」『都留文科大学研究紀要』86: 175-190.
山口博史, 2020,「水力発電所と技術の伝播：『ピーヤ』から始まる時空の旅」都留文科大学（編)『大学的富士山ガイド』昭和堂, 37-47.
Zahl, Karl, 1974, “Wilhelm Solf: 1920-1928”, Herausgegeben von Hans Schwalbe und Heinrich Seemann, *Deutsche Botschafter in Japan 1860-1973, Deutsche Gesellschaft für Natur-und Völkerkunde Ostasiens: Mitteilungen*, 57: 83-92（上村直己（訳), 2011,「駐日ドイツ大使ヴィルヘルム・ゾルフ」『熊本学園大学論集『総合科学』』18（1): 43-61).
逗子市, 1997,『逗子市史　通史編　古代・中世・近世・近現代編』逗子市.
逗子市, 2016,『津波ハザードマップ2（逗子地区)』逗子市（2021年7月6日取得, https://www.city.zushi.kanagawa.jp/global-image/units/115866/1-20191225144544.pdf).
逗子市, 2018,『逗子市土砂災害等ハザードマップ』逗子市（2021年7月6日取得, https://www.city.zushi.kanagawa.jp/global-image/units/160609/1-20180401153818.pdf).
逗子市立図書館, 2019,「関東大震災と逗子」『図書館探偵リファレンス事例No.4』.（2021年5月5日取得, https://www.library.city.zushi.lg.jp/images/upload/tantei004-2102.pdf).

付録　8/31～9/8までの状況（原書68-83、訳書88-114）

日付（年数略）	周囲の状況	バッソンピエール関係事項
8/31～9/1	風雨が強かった（台風の影響?）	
9/1（土曜日）	朝のうち、天気はあまり回復せず。海には白波。	子どもらが滞在地の前の海にサーフィンに行く。後、バッソンピエールも合流する。
	11時58分発災。	海中で被災。沖に引きずられるような感覚。土砂崩れを目撃する。
	余震が続く。	数分後、海中から離脱、子どもらを安全と思われる場所に留め、滞在地である別荘に様子を見に移動する（渡河）。
		妻と会う。妻は崖崩れで負傷した女性を救助していた。
	発災後10分程度で津波が襲来。	子どもを救うため妻が津波の中に飛びこもうとするのを押しとどめる。妻は背後の山に避難する。バッソンピエールは津波がいったんおさまるのを待ち、子どもらのいる場所に急ぐ。子どもらと再合流し、妻が退避した小高い竹林に避難する。
	午後2時過ぎ	避難地の竹林において、ありあわせのもので軽食をすませる。ガラス等の上を裸足で走ったため、けがをしていたことが述べられる。
	午後	使用人に手紙を持たせ、東京に送り出す。使用人は翌日夕方東京着。軽井沢、神戸経由でブリュッセルにバッソンピエールらは無事の打電。
	午後4時半	別荘方面を調査。土砂崩れがひどく、家のなかは振動で荒れている。横浜方面に火災の煙を見る。

	日没。国立天文台「こよみの計算データベース」(https://eco.mtk.nao.ac.jp/cgi-bin/koyomi/koyomiy.cgi, 2021年7月9日取得)によれば同日の横浜の日没は18時11分である。	日没後、煙が炎で赤く染まっているのを見る。
	夜 余震が続く 若干の降水がある。	竹林に蚊帳を張り野営する。
9/2（日曜日）	早朝	起床
	朝、アメリカ人が横浜から来る。	横浜の模様、会場の石油火災から難を逃れた船が救援にあたっていることを聞く。
	朝、日本人の間で新たな地震・津波襲来のうわさが広がる。	バッソンピエールは新たな地震・津波のうわさには取り合っていない。
	午前9時ころ	通訳あての手紙(足にケガをしていて動きが取りづらいため、情報が欲しい旨)を書く。
	正午頃、余震がやや少なくなる。	避難地の竹林内で昼食をとる。
	東京からの避難者が通りかかる。避難者が朝鮮人の暴動というデマをもたらす。	バッソンピエールは第一次世界大戦当時のブリュッセルのようす(ドイツ侵攻のため恐慌状態)を想起するが、デマには取り合っていない。
		近所の日本人から生活必需品を購入する。その親切さを記録にとどめている。
	夕方近く、横須賀の火災拡大と弾薬庫への引火・爆発に関するうわさが流れる。	バッソンピエールはこのうわさには取り合っていない。
	夕方～夜間	余震がおさまってきたので、別荘の食堂で夕食をとる。 玄関近くの広間で休む。 夜間はバッソンピエールも含め、交代で警戒に当たる。
9/3（月曜日）	使用人が東京へ出発	使用人にメッセージを託す。

	シャイエ夫人（仏大使館書記官夫人）が鎌倉から徒歩で来る。	鎌倉のようすを聞く。フランス大使館について特段の情報を持たなかったため、励ましのみにとどまる。
	午後、大雨	大雨の後、逗子の集落の様子を見に行き、被害に驚愕する。
	午後5時ころ仏大使P.クローデルが子どもを迎えに来る（徒歩）。	東京・横浜のようすのほかベルギー大使館、フランス大使館の詳細を聞く。バッソンピエール次女が滞在する中禅寺湖方面の情報はなし。
	P.クローデルはそのまま逗子に滞在する。	
9/4（火曜日）	午後、P.クローデルらの一行が逗子を出発するが、暑さのためと船が来るという情報に接し、逗子まで退く。	
	午後、外務省関係者が外交官の安否確認に訪れる。また5日以降横須賀東京間の連絡船が出るという情報をもたらす。P.クローデルらはこの連絡船を利用することに決める。	
9/5（水曜日）	午前7時、ブラジル公使夫妻が船に乗るべく葉山から訪れる（船は来なかった）。	
	正午	ベルギー大使館通訳担当者より手紙を受け取る。ベルギー大使館の無事を知る。
	午後	日本語の得意な次男とともに駅に行き、海軍士官派出所に船の情報を収集に出発する。派出所ではさまざまな情報を得る。士官らはバッソンピエールの足のケガがひどいのを見て横須賀まで送らせると申し出るが、バッソンピエールはこれを断る。
9/6（木曜日）	朝6時に逗子を出発、暑い。	自転車で出発、途中でドイツ大使（W.ゾルフ）らの一行に会う。

	午前10時	田浦から東京に向かう。海上で横浜、東京を望見する。
	午後1時半	東京（芝浦）着。自転車で大使館に向かう。
		ベルギー大使館に到着。大使館のようすを関係者から聞く。
		1階の廊下で就寝。
9/7（金曜日）	朝	外務省に行く。お悔やみと大使館への援助、防備の礼を述べる。
	3時	ベルギー大使館にて各国外交団の会合。会合終了後、イタリア大使と銀座ほかを視察。戦災を受けたデンデルモンデとルーヴェンを想起する。
		大使館のベランダで就寝。
9/8（土曜日）	午前9時	芝浦を駆逐艦で出発。2時間足らずで横須賀に着。
	午後1時半	逗子で昼食をとる。

付記

本稿は第80回ベルギー研究会（2019年7月27日、於・東海大学）での報告原稿、およびそれを改訂した2022年7月28日の徳島大学公開講座原稿（於・オンライン）に大幅に加筆修正したものである。匿名でいただいたコメント、感想のほか、ベティーナ・ギルデンハルト、塚本章宏、西原和久、渡邉克典の諸氏から有益なコメントを頂戴した。記して感謝したい。

第 4 章

ドクロリー・メソッドにおける「自己」
——昭和初期の富士小学校に与えたインパクトの思想史的内実——

渡邉　優子

はじめに——富士小学校とドクロリーの「自己」

大正期から昭和初期にかけて、教育改革に取り組んでいた日本の教育界では、ベルギー人の精神医学者で教育者のオヴィド・ドクロリー（Ovide Decroly, 1871-1932）が考案した教育内容・方法——ドクロリー・メソッド——に目が向けられていた[1)]。たとえば、当時の代表的な「新教育」実践校として知られる、東京女子高等師範学校附属小学校や成城小学校、兵庫県明石女子師範学校附属小学校、東京市浅草区富士尋常小学校（以下、富士小学校）などでドクロリー・メソッドの研究は行われた[2)]。なぜ、当時の教育改革を実践面で

【註】 本文中の引用部の邦訳については、適宜変更している。

1）19世紀末から20世紀初頭にかけて国際的に展開した新教育運動の中で、ドクロリー・メソッドの原理や実践例は『ドクロリー・メソッド』を通して、欧米や東アジア、ラテンアメリカ等に伝播した。当時の日本における同メソッドの受容については、橋本美保「ドクロリー教育情報の普及」橋本美保編著『大正新教育の受容史』東信堂、2018年、pp.61-91に詳しい。

2）橋本美保「明石女子師範学校附属小学校におけるドクロリー教育法の受容——及川平治によるドクロリー理解とカリキュラム開発」同上書、pp.267-288。遠座知恵・橋本美保「大正新教育の実践に与えたドクロリー教育法の影響——「興味の中心」理論の受容を中心に」同上書、pp.289-311。

リードした日本の教師たちは、とりわけ、ベルギー人のドクロリーが考案した同メソッドに注目するに至ったのだろう。

富士小学校の校長であった上沼久之丞（1881-1961）[3]は、教育改革の歩みを進める中で、教師たちが「疑問」や「不安」を感じ、頓挫していたときに出会った同メソッドのインパクトについて次のように語っている。

> この様に子供のすきな材料をもつて学習させて居りましたが、そのうちこれでよいかと言ふ疑問が起きてまゐりました。即ち先生方は不安を感じたのであります。[中略] そこでよそのものを調べました。ロシヤやドイツや奈良の学習であります。然し安心するやうなものが出来なかつたのであります。[中略] デクロリイの案を採つて来ました [。] そこで人と環境との順応反省これの複雑な連続は生活であります。即ち「自己」と言ふものを入れて見たのであります。この時先生方は手をたゝいてわかつたと言ふことになりました。[4]

従来の教育内容・方法の抜本的見直しに取り組んでいた富士小学校では「デクロリイの案」から「人と環境との順応反省これの複雑な連続は生活」ということを学びとり、「「自己」と言ふもの」を学習内容として採用したところ、「先生方は手をたゝいてわかつたと言ふことにな」ったのだと言う。さらに、同小学校の教師たちは、ドクロリー・メソッドから学びとった「自己」を、同時代日本の哲学者である西田幾多郎（1870-1945）の思想と結びつけて理解することによって、教育改革の指針を得、それに依拠した実践を行なった[5]。

教師たちが「手をたゝいてわかつたと言ふことにな」った、そして西田の思想と結びつけて理解するに至った、ドクロリー・メソッドの「自己」とは一体

3）上沼は1926年7月～1927年3月に実施した欧米教育視察でベルギーのドクロリーの学校（エルミタージュの学校）を訪問した。渡邉優子「上沼久之丞における「文化創造主義」の転換点――欧米教育視察との関係から」『教育新世界』65号、2017年を参照。

4）上沼久之丞「富士の教育」『新教育雑誌』3巻1号、1933年、p.54。

何であるのか。本稿では、当時の富士小学校の教育にインパクトを与えるもととなったドクロリー・メソッドの「自己」の考え方を中心に論じてみたい。

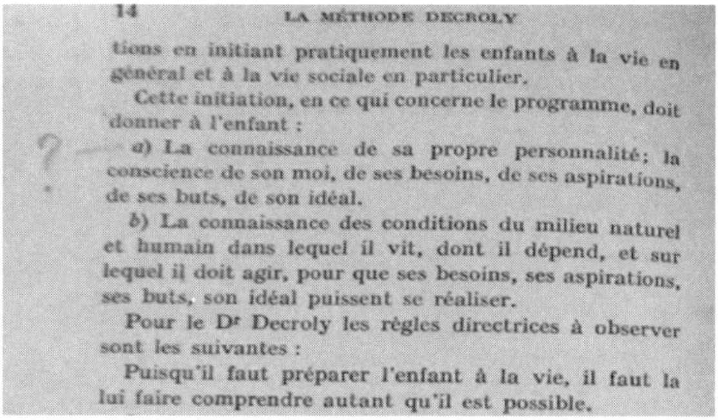

14 LA MÉTHODE DECROLY

tions en initiant pratiquement les enfants à la vie en général et à la vie sociale en particulier.

Cette initiation, en ce qui concerne le programme, doit donner à l'enfant :

a) La connaissance de sa propre personnalité; la conscience de son moi, de ses besoins, de ses aspirations, de ses buts, de son idéal.

b) La connaissance des conditions du milieu naturel et humain dans lequel il vit, dont il dépend, et sur lequel il doit agir, pour que ses besoins, ses aspirations, ses buts, son idéal puissent se réaliser.

Pour le Dr Decroly les règles directrices à observer sont les suivantes :

Puisqu'il faut préparer l'enfant à la vie, il faut la lui faire comprendre autant qu'il est possible.

上沼家所蔵Amélie Hamaïde, *La Méthode Decroly*, Neuchâtel: Delachaux et Niestlé, [1922]1927, p.14. のドクロリー・メソッドにおける二領域の知識について示されている部分の写真である。「自分自身についての知識」のところに「？」の書き込みを確認でき、上沼ら富士小学校の教師たちが同メソッドの「自己」について考えを巡らせていた痕跡を垣間見ることができる（出典：上沼家所蔵文書）。

1　オヴィド・ドクロリーの生涯とドクロリー・メソッド

1.1　ドクロリーの来歴[6)]

オヴィド・ドクロリーは、1871年7月23日、ベルギーの東フラーンデレン

5）渡邉優子「東京市富士小学校における教育実践とドクロリーの教育思想――「創造生活」に着目して」『東京大学大学院教育学研究科紀要』52巻、2013年。同「教育実践における「自己－表現」の概念――富士小学校の教育方法改革を手がかりに」『研究室紀要』44号、2018年。

6）ドクロリーの来歴については、以下を参照。手塚武彦「ドクロリーの理論」金子孫市監修『現代教育理論のエッセンス――二〇世紀教育理論の展開』ぺりかん社、1970年、pp.278-279。斎藤佐和「ドクロリー――子どもの生活に根ざす教育を求めて」松島鈞・白石晃一編『現代に生きる教育思想』（第7巻）ぎょうせい、1982年、pp.347-356。Robert Plancke, « Ovide Decroly (1871-1932) », Jean Château (dir.), *Les grands pédagogues*, P.U.F, 1956, pp.261-273. Sylvain Wagnon (dir.), *Ovide Decroly. —Le programme d'une école dans la vie.*, Editions Fabert, 2009, pp.251-252.

州のルネに生を享けた。1932年9月12日に逝去するまで、多方面にわたり精力的に活動している。故郷のルネは東フラーンデレン州の南に位置する小都市でフランスとの国境に近く、オランダ語圏だがフランス語も使用する地域である。父親はフランス出身の実業家であり、ドクロリーは幼少期を豊かな自然の中で過ごし、父親から手作業に親しむことを教えられたという。自然科学に興味を覚えるようになったドクロリーは医学を専攻し、1896年にガン大学で医学博士号を得た後、ベルリンとパリで研鑽を積んだ。1898年、ブリュッセルの市立病院での臨床活動に従事し始める。当時のベルギーでは実験児童学や実験教育学が医学者や生理学者の関心を引きつけていて、特にブリュッセルは「健常児」と「障害児」に関する研究の中心地であった。

1901年、ドクロリーは夫人の献身的協力に支えられ、ブリュッセル郊外イクセルのヴァンヌ街に特殊教育学院を開いた。これは実際には「障害児」への自宅開放であったと言われている。1902年にはブリュッセル市の特殊教育学級の医師となる。ドクロリーにおいては、しばしば「イレギュリエ(irrégulier)」という形容詞を使って「障害児」が総称されるが、これは「レギュリエ(régulier)」と形容される「健常児」とは異なる子どもの殆どすべてを指していた。ドクロリーは生涯を通して、知能、知覚、運動、言語、情緒障害等の検討に精力を注いでいるが、1901年開設の学院で受け入れた子どもたちとともに活動し、その子どもたちを観察することから、ドクロリー・メソッドをはじめとする教育上の着想は得られていた。

特殊教育学院での成果をうけ、1907年、ブリュッセル郊外イクセルのエルミタージュ街に「レギュリエ」の子どもを対象としたドクロリー・メソッドの学校が開かれた。場所にちなんでエルミタージュの学校とも呼ばれるこの学校では、開校当時から1930年までは、第一次大戦中の一時期を除いて、3〜15歳までの教育を、1930年以降は18歳までの教育を行なっている。教室は、花壇、菜園、小動物のための囲い、馬屋、木工作業場、砂場、水遊び場、アトリエ等で囲まれ、そこで展開される子どもの一日の生活はすべて教育活動として位置付けられた。そのため、当時一般的であった伝統的教育体制の学校や、教師が主役の学校とは全く異なる様子であったという。

エルミタージュの学校の様子（1920年代頃）とみられるこれらの写真は、1926-1927年の欧米教育視察でエルミタージュの学校を訪問した際に上沼が収集したものである（出典：上沼家所蔵文書）。

また、ドクロリーは、1915年には孤児の家を創設している。1920年にはブリュッセル自由大学で心理学を、1923年にはブリュッセルの師範学校で心理学と教育学を担当するようになり、1926年にはブリュッセル市の特殊教育学級の総視学官に任命されている。この間、1922年にはアメリカ、1925年にはコロンビアを訪れる等、その活動はベルギー国内やヨーロッパに留まるものではなかった。

1.2 ドクロリー・メソッドの来歴

ドクロリー・メソッドは1908年にはベルギー国内の教育雑誌に発表されていたが、その全容がまとまった形で公になるのは、1921年に共著で発表された論文「学校の改革をめざして」[7]によってである[8]。1921年以降に同メソッドについて総括的に述べられたものは少なく、この論文が最も整った形のドクロリー自身による同メソッドの解説とされている[9]。他方、ドクロリーの研究協力者アメリー・アマイド（Amélie Hamaïde）による1922年初版の『ドクロリー・メソッド（*La Méthode Decroly*）』は早くから翻訳され、広く知られた[10]。

1920年代に入り、当時ヨーロッパ各地で起こっていた教育改革の試み、いわゆる「新教育」をより影響力をもつ運動とするため、世界新教育連盟が結成された[11]。エルミタージュの学校等の教育ですでに知られていたドクロリー

7）Ovide Decroly et Gérard Boon, « Vers l'école rénovée. Une première étape », Office de publicité, Bruxelles; Lebègue-Nathan, Paris, 1921.

8）前掲斎藤論文、p.353。

9）同上。

10）同上論文、pp.353-354。たとえば、富士小学校では原書（Amélie Hamaïde, *La Méthode Decroly*, Neuchâtel: Delachaux et Niestlé, [1922] 1927.）と同書の1924年版英語訳（Amélie Hamaïde, (Jean Lee Hunt, trans.), *The Decroly class*, New York: E.P. Dutton, 1924.）を参照し研究を行ない日本語抄訳（上沼久之丞『生活学校デクロリイの新教育法』教育実際社／明治図書、1931年）を発表した。本稿ではドクロリーの思想における「自己」についての理解を深めるために、ドクロリー自身による著作を中心に検討を進める。

11）「新教育」は国際的な広がりをもっていたが、それが顕著な運動となったのは、19世紀末までに全員就学をほぼ達成するなど、近代社会における教育の制度化・学校化がほぼ完成した国々であった。世界新教育連盟は、そうした国々に支部を置くことで活動を広めた。日本支部については、渡邉優子「新教育連盟日本支部における「国際化」——「連帯」と上沼久之丞」『教育学研究』80巻2号、2013年などを参照。

は、1921年にフランスのカレーで開かれた同連盟の結成大会で講演を行なった。

ドクロリーの死後も、1936年のベルギーの教育改革において、とりわけ初等教育では同メソッドの考えが全面的に採用されるほか、戦後においても同メソッドはベルギーの公教育等に少なからぬ影響を与えた[12]。

ドクロリー・メソッドは、新教育を代表する草分け的な教育内容・方法として評価されてきた[13]。他方で、実践面では同メソッドの代名詞とされてきた〈興味の中心（centres d'intérêt）〉と〈観念連合の教育内容案（programme d'idées associées）〉に囚われすぎてしまい、本来同メソッドが重視する柔軟性を欠いてしまうという問題や、同メソッドで〈興味の中心〉として示される人間の原初的欲求についての考えが恣意的で現実味に乏しいという問題等が早くから指摘されてきた[14]。同メソッドについては、これまで教育内容・方法、心理学などの観点からたびたび検討されてきたが[15]、メソッドの固定化を危惧し、実践における柔軟性を重視していたドクロリーによって自らの思想が体系的に示されることはなく、同メソッドやその思想はフランスの心理学者アンリ・ワロン（Henri Wallon, 1879-1962）による解説を経て理解されてきたという[16]。近年では、実証史的観点からドクロリーの思想形成について検討する研究[17]や、社会史的観点からドクロリーの思想および同メソッドの特質を検討する研究[18]

12）前掲斎藤論文、p.371。Plancke, *op.cit.*, p.273.

13）ウィリアム・ボイド／ワイアット・ローソン著、国際新教育協会訳『世界新教育史』玉川大学出版部、1966年、pp.48-55。

14）斎藤佐和「解説」ドクロリー著、斎藤佐和訳『ドクロリー・メソッド』明治図書出版、1977年、p.254。前掲斎藤論文、p.373。

15）Valdi José Bassan, *Comment intéresser l'enfant à l'école — La notion des centres d'intérêt chez Decroly,* P.U.F., 1976. Jean-Marie Besse, *Ovide Decroly — psychologue et éducateur*, Editions Privat, 1982.

16）前掲斎藤論文、1977年、pp.253-254。

17）Angelo Van Gorp, "From Special to New Education — The Biological, Psychological, and Sociological Foundations of Ovide Decroly's Educational Work (1871-1932), " *History of Education*, Vol.34, No.2, 2005, pp.135-149.

も行なわれている。また、ドクロリーの思想および同メソッドをキリスト教の存在論ないしアガペーの観点から捉える研究[19]も進められている。

2　ドクロリー・メソッドにおける「自己」

2.1　メソッドのモチーフ

ドクロリー・メソッドは、ドクロリーが考案した教育内容・方法の総称である。ここでは〈興味の中心〉と〈観念連合の教育内容案〉を切り口として、同メソッドのモチーフを探ることとしよう。

同メソッドでは、子どもが「自分自身についての知識」と「自分を取り巻く環境についての知識」という二領域について探究することを大前提としている[20]。ただし重要なことは、これら二つが相互作用的なものとして捉えられていることである。その相互作用は「生（vie）」の様態そのものであり、「生活のための、生活による（pour la vie, par la vie）」ものとされている。同メソッドは目的においても方法においても「生活」ないし「生」に規定されているのである[21]。

「自分自身についての知識」は、子どもが、自らがどのような欲求をもっているのかについて探究するものであるが、ドクロリーは人間の原初的欲求として「自らを養う欲求」「悪天候と闘う欲求」「危険や敵から身を守る欲求」「連帯して活動する欲求」の四つを挙げ[22]、これを〈興味の中心〉と呼んだ。他方、「自分を取り巻く環境についての知識」としてドクロリーが具体的に挙げるの

18）Sylvain Wagnon, *Ovide Decroly, un pédagogue de l'éducation nouvelle — 1871-1932*, P.I.E. Peter Lang, 2013.

19）田中智志「大正新教育の思想史へ——躍動する生命の思想」『近代教育フォーラム』22号、2013年、pp.94-99。同「ドクロリーの教育思想の基礎——全体化と生命」橋本美保・田中智志編著『大正新教育の思想——生命の躍動』東信堂、2015年、pp.62-88。

20）Ovide Decroly et Gérard Boon, « Vers l'école rénovée. Une première étape, » Sylvain Wagnon (dir), *op.cit.*, [1921] 2009, p.141.（ドクロリー著、斎藤佐和訳「学校の改革をめざして」『ドクロリー・メソッド』明治図書出版、1977年、pp.21-22。）

21）*Ibid.*, p.140.（同上論文、p.21。）

22）*Ibid.*, p.141.（同上論文、p.23。）

は、家族、学校、社会などの人間関係、動植物、天体を含めた無生物に関するものである[23]。ドクロリーによれば、子どもは、自分を取り巻く環境を多角的に捉えたうえで、環境が個人にどのように作用するのか、また環境に対して個人はどのように反応し、個人の諸欲求はどのように充足されるのかを知る[24]。つまり、子どもは〈興味の中心〉として示された諸欲求が、自分を取り巻く環境との相互作用の中でどのようにして充足されるのか、あるいは、されないのかを学ぶのである。

表1 「悪天候との闘い」をテーマとした観念連合の教育内容案の一例

	内容
1ヶ月目	悪天候との闘いは自分（子ども）自身にどのように経験され観察されるのか
2〜3ヶ月目	動物はどのようにして悪天候と闘っているのか、また動物は人間が悪天候と闘う際にどのように役立っているのか、人間は動物が悪天候と闘う際にどのように助けているか
4〜5ヶ月目	鉱物は人間が悪天候と闘う際にどのように役立っているのか
6〜7ヶ月目	植物はどのようにして悪天候と闘っているのか、また植物は人間が悪天候と闘う際にどのように役立っているのか、人間は植物が悪天候と闘う際にどのように助けているか
8ヶ月目	人間はどのようにして悪天候と闘っているのか、そこでの家族、学校、社会の役割はどのようなものか
9ヶ月目	悪天候との闘いにおいて天体は人間や動植物、鉱物等にどのような影響を与えているのか
10ヶ月目	これまでの学習を復習し、表や図にまとめる

表1は以下を参照して筆者が作成した。Ovide Decroly et Gérard Boon, « Vers l'école rénovée. Une première étape », Sylvain Wagnon, *Ovide Decroly—Le programme d'une école dans la vie*, Editions Fabert, [1921]2009, pp.146-149.（ドクロリー著、斎藤佐和訳「学校の改革をめざして」『ドクロリー・メソッド』明治図書出版、1977年、pp.31-37。）

23）*Ibid.*（同上。）

24）*Ibid.*, p.142.（同上論文、p.23。）

こうした〈興味の中心〉についての学びを具体的に可能にするのが〈観念連合の教育内容案〉である。ドクロリーはその一例として「悪天候との闘い」をテーマとした学習を挙げ、そこでの教育内容を素描している[25]（表1参照）。この表で示したように、子どもは、テーマに応じた現象や事物を観察し、比較し、多方面から探究していくと同時に、人類が既に得ている知識を活用しながら地理や歴史等との結びつきを発見し、最終的には、学びの成果を具体的あるいは抽象的に表現する手段を得るのである[26]。このような学習の流れを想定する〈観念連合の教育内容案〉では、子どもの心的特性についてはあまり配慮していない従来の方法に対し、子ども自身による〈観察〉〈連合〉〈表現〉という方法が提案されている[27]。

〈観察〉〈連合〉〈表現〉とは、ドクロリーによって取り組まれた認識活動の研究から導き出されたものである。ドクロリーは、生きる中であらゆる人間が行なっている認識活動を〈全体化（globalisation）〉と名付け、それを検討した[28]。〈全体化〉を理解するには、ドクロリーが〈連合〉の概念をどのように捉え直そうとしているかを見る必要がある。とりわけ、ドイツの哲学者であり心理学者、教育学者のヨハン・フリードリヒ・ヘルバルト（Johann Friedrich Herbart, 1776-1841）の考えをどのようにして乗り越えようとしたかが鍵になる。ドクロリーは、ヘルバルトの表象心理学およびその影響を受けた諸思想から、表象という力が感情的かつ知性的な要素を含んでいることを学んだ。そのうえで、人間存在の全体性——特に心身の繋がり——を強調するフランス心理学の観点をとり入れ、身体的要素については十分に描き得ないヘルバルトおよびそれを継承したドイツ心理学に批判的検討を加えたのである。ドクロリーにおいて〈連合〉は、単に表象同士の統合的な動きを意味するのではなく、心身の動的

25）*Ibid.*, pp.146-149.（同上論文、pp.31-37。）

26）*Ibid.*, p.150.（同上論文、p.38。）

27）*Ibid.*, pp.142-145.（同上論文、pp.25-21。）

28）渡邉優子「ドクロリー・メソッドにおける「連合」の概念——フランス心理学における解離研究との繋がりから」『教育学研究』87巻1号、2020年を参照。

一体性、すなわち感情的・知性的・身体的要素の統合を含意している。〈全体化〉は、心身の繋がりを前提とした認識活動を指しているのである。

ドクロリーが〈観念連合の教育内容案〉で示した〈観察〉〈連合〉〈表現〉は、「今・ここ」で経験される認識活動――〈全体化〉――を質的特性に応じて便宜的に分けて表したものである。たとえば、視覚や聴覚、触覚等の感覚が重視されるものは求心的認識活動であり、他方、日常的動作や制作、芸術的表現等を伴う行為に重きが置かれるものは遠心的認識活動とされる[29)]。つまり〈観察〉〈連合〉〈表現〉は、認識活動における心身の様態を感覚的か行為的かといった質的特性に応じて示したバリエーションなのである。心身の繋がりを考慮に入れた認識活動のバリエーションが、学習の具体的な方法として提示されることになる。

ここまで同メソッドの内容や方法を確認してきた。同メソッドの中核には、人間と環境との相互作用という重要なモチーフが据えられている。しかし同時に、同メソッドでは「今・ここ」を生きる人間にも細心の注意が払われていることが分かる。

2.2　生物学的で哲学・心理学的な生

ドクロリーは、自らが拠って立つ「生物的で心的な（biopsychique）土台」を提唱するが、それは「私たちが心的なもの（psychisme）と呼んでいる人類に特有な何かと繋がっている生物学的なもの（biologique）」である[30)]。「心的なもの」は、個々の人間のみならず「人類に特有な何か」を理解するうえで不可欠な要素であり、それは「生物学的なもの」との関連から捉えられる。子どもとは何

29）Ovide Decroly, « La fonction de globalisation et l'enseignement », Sylvain Wagnon (dir.), *op.cit.*, [1929] 2009, pp.177-187.（ドクロリー著、斎藤佐和訳「全体化機能と教育」前掲書、1977年、pp.80-89。）

30）Ovide Decroly, « Une expérience de programme primaire avec activité personnelle de l'enfant », Sylvain Wagnon (dir.), *op.cit.*, [1921] 2009, pp.157-158. 尚ここでは « bio » を「生物的」、« biologique » を「生物学的」と訳出したが、前者は「生命の」、後者は「生命に関する」と訳出することもできる。

かという問いに取り組む以上は、その子どもに対してどのように働きかけるべきかを想像するために、その子どもが生まれてくる前にまで遡る必要があり、生物を支配する根底的法則を念頭に置かなければならない[31]。しかしドクロリーは、子どもを単に生物あるいは生物学的存在として考えることはできないとしたうえで、哲学や心理学の観点から子どもを心的存在（être mental）として捉えることの重要性を急いで付け加えているのである[32]。

ドクロリーの述べる「生物的で心的な土台」の上に構築されている同メソッドには、従って①類としての人間存在に注目する生物学的視点と、②心をもつ個体としての人間ないし子どもに注目する哲学・心理学的視点との二つがあることになる。そして、①の視点は人間と環境との相互作用というマクロなモチーフに、②の視点は相互作用に巻き込まれている「今・ここ」を生きる人間というミクロなモチーフに重ねることが可能である。

しかしながら、「それ［生物的で心的な土台］はダイナミックなものである。つまり私たちは、活動する子どもについて検討し、その一瞬一瞬を考慮する必要があるということだ。それが結果的に、子どもをよく理解し、彼らに働きかけることを可能にするのである」と言うように[33]、ドクロリーの関心は、上記二つの視点が繋がり交錯するところ、換言すれば、ダイナミックな土台そのものとしての「活動する子ども」に寄せられている。

2.3　生が繋がり交錯するところとしての「自己」

生物学的で哲学・心理学的な生が繋がり交錯するところのダイナミクスが、ドクロリーにおいては「活動する子ども」を通して検討されている。その検討から浮かび上がってくる同メソッドにおける「自己」の輪郭を確認しよう。

同メソッドにおいて子どもによって探究される二領域を、2.1ではとりあえず「自分自身についての知識」と「自分を取り巻く環境についての知識」とした

31） *Ibid.*, p.158.

32） *Ibid.*

33） *Ibid.*

が、それについて改めて見てみよう。これらは、正確には「子どもによる自分自身についての知識。自己意識と、そこから当然くるものとしての自分の欲求、願望、目的、最終的には自分の理想についての意識」と、「その子どもが生活し、依存し、そこで活動する自然的、人間的環境の条件についての知識。この知識をもつことによって個人的欲求、願望、目的、理想は接近可能なものとなり、次いで実現され、そのことがかえって広く人間全体の欲求、願望、目的、理想を理解し、かつ、それへの適応条件や、そこに協調して意識的、知性的に連帯していく手段を理解することにつながっていく」ことだとされる[34]。

上述の二領域の知識が不可分であるのは、それらが、一人の子どもにおける生ないし学びの全体性を描いているからにほかならない。「今・ここ」を生きる子どものミクロな生を基点として、「自分自身についての知識」と「自分を取り巻く環境についての知識」は連動して探究されていく。子どもは自身の存在について——自分とはどのような存在であるのか、なぜ存在するのか——探究するのであるが、ここでは、欲求や願望、目的、理想という観点から「自己」は捉えられると考えられている。すなわち、ここでの探究が想定するのは、「欲する存在」としての「自己」である。子どもは、自らの欲するところを充たすために、自分を取り巻く自然や人間といった諸条件について学び、利用していくのである。そして、個々の子どもが自らの欲求を達成しようとすることは、人類全体の目指すところと同じで、それが意識的で知性的な連帯の方法を見出すことに繋がると言う。

では、なぜ、どのようにして、子どもの個人的欲求と人類全体の目指すところは繋がり、「自己」は構築されていくのか。子どもの感情傾向を検討する中で、ドクロリーは次のように述べている。

> 感情の発達は他の様々な要因に依拠している。つまり、子どもは本能的な存在以上のものであり、知性的活動がそのように特徴付けるのである。環境は、諸感覚を介してその子どもに働きかけ得るのであり、様々な傾向を生じさせ

34）Decroly et Boon, *op.cit.*, p. 141.（前掲ドクロリー論文、pp.21-22。）

たり、変容させたり、妨げたりする現象を引き起こし得る。[35]

ドクロリーによれば、子どもが環境と触れ合い、その中で意味を見出すようになるとき、その活動は知性的になる。とりわけ「美的」「道徳的」「宗教的」と表現される「派生的で複合的な」高次の傾向の潜在的可能性を発現に至らせるのが知性なのである[36]。活動が知性的になるとき、私たちはまず欲求を「自己」や「自己」ではないものに関係付けたうえで、熟慮や判断、推論を行ない、行為を遂行したり中断したりするのだとドクロリーは言う[37]。本能的な傾向は、個や類の保存と密接に結びつく生理学的必要性と関係するが[38]、こうした本能的傾向や原初的欲求から派生する二次的傾向の中には、身体的ないし生理学的な個体にもっぱら向かっていくのではなく、心的個人や道徳的個人、つまり心理学者たちが自己や人格と呼ぶようなものに関する傾向の形態を呈するものもある[39]。

とはいえ、子どもにとって「自己」を起点とした意識的ないし知性的な傾向が現れるまでには時間がかかる。ということは「自己」観念の構築は知性の働きにのみ依存しているのではない[40]。ドクロリーは次のように続ける。「しかしながら、ある意味では、この傾向［心的個人や道徳的個人、心理学者たちが自己や人格と呼ぶものに関する傾向］は空腹や防衛本能と同一視し、結合できるものである。これは、英語で言うself-feelingであり、私たちが自己感覚（amour-propre）と言うところのものである」[41]。すなわち「自己」観念の構築は生物学的な意味でも捉えられるのである。たとえば、3～4歳の子どもにおけ

35）Ovide Decroly et Guillaume Vermeylen, *Séméiologie psychologique de l'affectivité et particulièrement de l'affectivité enfantine* (Extrait du volume jubilaire publié à l'occasion de l'anniversaire de la fondation de la Société de Médecine Mentale de Belgique), Imprimerie Médical et Scientifique, 1920, p.45.

36）*Ibid.*

37）*Ibid.*, p.28.

38）*Ibid.* たとえば〈興味の中心〉を構成する諸欲求がこれに当て嵌まる。

39）*Ibid.*, p.36.

40）*Ibid.*, pp.36-37.

る自己感覚は、支配的、頑固、矛盾、臆病などの様相を呈して現れてくるのであるが、これらは、その子どもが自らを取り巻く環境をどう感じているか、それを好ましいと感じているかどうかを示しているのだという[42]。子どもは成長するにつれて、所有本能、競争心やライバル心、承認欲求、共感、性的本能、母性的本能等も示すようになる[43]。その他、好奇心や遊び、模倣等の多様な傾向が発現するが、これらは基本的に自己防衛ひいては個と種の保存という生物学的観点から解釈され得るものである[44]。

こうした「自己」観念の構築についての理路が明らかにするのは、ドクロリーの考える「自己」は、知性への可能性にひらかれていると同時に、生物学的意味を超え出ることはできないということだ。

3 ドクロリーにおける「自己」の思想史的位置

3.1 社会防衛的思想とユマニスム的理想

ドクロリーの「自己」は、人間存在を知性をもった心的存在へひらくと同時に、生物学的存在でもあり続けることを再確認させる。それでは、このような「自己」は思想史上にどのように位置付けられるのだろうか。ドクロリーは、子どもが学ぶ知識について述べる中で、進化とその倫理について次のように述べている[45]。

41）*Ibid.* amour-propreは一般に「自尊心」「利己心」と訳出される。本稿ではself-feelingを受け「自己感覚」としたが、詳細な検討が必要である。

42）*Ibid.*, p.38.

43）*Ibid.*, pp.38-44.

44）*Ibid.*, pp.30-34, 45.

45）ドクロリーにおける生物学と倫理の関係は興味深いものであるが、両者は同程度の重みをもつものとして提示されているように見受けられる。たとえば「共感」についてドクロリーは、無意識の原初的な共感は、動物が群れをなす本能（群居性にみられる誘引性）によるものとしているが、これは同胞と喜びや痛みを分有する段階にまで至ることもあると述べている（*Ibid.*, pp.39-40）。渡邉優子「ドクロリーの教育思想における« vie »概念――生活・生命・生の重層性」『フランス教育学会紀要』28号、2016年を参照。

> 必要不可欠な知識を論理的に身につけることは、何よりも、宇宙と全存在を支配する偉大な法則であるところの、個人的かつ社会的な生の大きなメカニズムと結びついている。つまり進化は進歩と同義であり、生のための闘いよりも生のための連帯に基づいている。[46)]

子どもは自らを取り巻く環境に徐々に適応していくとき、宇宙と全存在を包摂する「生の大きなメカニズム」について学んでいるのだと言う。「生の大きなメカニズム」とは生物学的には「進化」のことである。ここでの「進化」とは「生のための連帯」に基づくものであり、倫理的なものに差し向けられているのである。

当時において生物学的なものと倫理的なものが重ね合わせられるとき、それは社会防衛的思想ひいては優生的思想とどのような関係にあるのだろう。統治の観点から「自己」の形成について検討するローズは、博愛的精神や慈善事業の背景にある道徳や倫理の内実にまで目を向けなければならないと言う[47)]。すなわち、当時「規律訓練のレジーム」内にとどまることのできるのが、いわゆる「正常」ないし「普通」の子どもとされたが、それは病理的だったり厄介だったり反抗的だったりする等「不適応」と判断された「異常」な子どもとの対比によってはじめて明確化されるものであった[48)]。当時の個人差への注目は、労働や学校、軍隊などでの能率的で合理的な配置、すなわち「規律訓練のレジーム」から逸脱する者を特定し、それに対処することを課題としていたのであり、そこで重視されるのは、分類や組織化あるいは道徳化・倫理化であった[49)]。「正

---

46) Ovide Decroly, « Le programme d’une école dans la vie, » Sylvain Wagnon (dir.), *op.cit.*, [1908] 2009 , p.100.

47) ニコラス・ローズ著、堀内進之介・神代健彦訳『魂を統治する——私的な自己の形成』以文社、2016年、p.222。

48) 同上書、pp.228-229。

49) 同上書、pp.231-237。

常」「異常」を分けるとき「何が望ましいかについての判断だけでなく、達成されるべき目標についての指示も含」まれているのである[50]。

当時は進化論の影響もあり[51]、「異常」な子どもに見られる「不適応」は、個の保存に関する本能が規範から逸脱ないし欠如していることと解釈され、類の保存を脅かすものと見做された[52]。「異常」な子どもが見せる「不適応」は、社会の脅威であり重荷だと考えられていたのである[53]。

ドクロリーが「レギュリエ」「イレギュリエ」を分類し、研究、教育に携わったことは、上述したような統治の観点とも重ねて、いわゆる倫理化の一環として捉えられる[54]。さらに、ドクロリーに特徴的な点は、「不適応」をアルコール中毒や結核、梅毒、下層階級の住環境および労働環境、不衛生等と同列の、近代化や都市化がもたらした社会問題の一つとして捉えていることである[55]。当時のベルギーは、産業革命やコンゴの植民地経営によって、イギリスに次ぐ世界第二位の工業大国となっており、経済成長の只中にあったが、それでも周期的な不況にみまわれ、労働者階級、特に女性や子どもは過酷な生活を強いられていた[56]。ドクロリーは、その状況をベルギー社会の機能不全、つまり「病

50）同上書、p.229。

51）当時のベルギーにおける進化論の影響は以下を参照。Marc Depaepe, Raf De Bont and Kristof Dams, "How Darwinism has affected Catholic as well as non-Catholic psycho-pedagogical constructs in Belgium from the 1870s to the 1930s," *Paedagogica Historica*, Vol.48, No. 1, 2012, pp. 51-66.

52）Van Gorp, *op.cit.,* p.138. ゴルプはドクロリーについてはスペンサーの影響を指摘している（*ibid.*, p.144）。また、ゴルプはドクロリーが優生思想の研究に参加していることを明かしたが、「ドクロリーは第一に社会衛生学者であり、意固地な優生学者ではない」として、遺伝的要素に固執していたのではないことも指摘している（*ibid.*, pp.140-141）。

53）*Ibid.*

54）Van Gorp, *Ibid.*, pp.135-150.

55）*Ibid.*, p.138.

56）栗原福也『ベネルクス現代史』山川出版社、1982年、pp.82-91, 114-130。ジョルジュ＝アンリ・デュモン著、村上直久訳『ベルギー史』白水社、1997年、pp.87-94。

気」の状態と診断し、教育による社会改革を構想したのである[57]。

ドクロリーの活動は多岐にわたったが、中でも教育に関する複数の仕事は、一つのプロジェクトと見做せるとヴァニオンは言う[58]。ドクロリーの関わった教育機関や孤児院では、ドクロリー・メソッドの導入だけでなく、子どもや社会についての新たなビジョンを含む指導的原理も共有され、それが既存の制度への異議申し立てでもあったからである[59]。ドクロリーの仕事は、自らの学校だけでなく、国全体の教育改革を視野に入れたものであり[60]、教育プロジェクトは、社会的かつ政治的・哲学的な性格をももっていたのである[61]。こうした仕事の根底には、当時のカトリック政権に対するフリーメイソンの世俗的な「ユマニスム的理想（idéal humaniste）」もあったようだ[62]。ヴァニヨンはこう指摘する。「ドクロリーは、政治的には革命的というよりは改良主義的であり、ブリュッセルの進歩主義的ブルジョワジーの象徴的存在である」[63]。

57）前掲渡邉論文、2016年。Sylvain Wagnon, « Le « dispositif Decroly », un levier éducatif pour réformer la société (Belgique 1900-1930), » *Les Etudes Sociales*, n°. 163, 2016, pp.127, 132.

58）*Ibid.*, pp.117-132.

59）*Ibid.*, p.126.

60）*Ibid.*, p.129.

61）*Ibid.*, p.132.

62）*Ibid.* ゴルプによれば、ドクロリーは「行動によって人間存在はよりよい未来を保証しようとすることを確信していた」（Van Gorp, *op.cit.*, p.139）。また、当時のベルギーでは教育の世俗化をめぐって盛んに議論が行なわれ、ベルギー政界において学校問題は重要な関心事となっていた。1884年以降およそ30年続いたカトリック政権は、前政権（自由党）によって教育の世俗化を念頭に置いて施行された、国家による公教育の把握・宗教教育の禁止を主旨とした初等教育法を改訂し、初等教育における地方自治体の自主権を回復し、公立小学校の設置と私立学校の並立を認め、宗教教育を復活させた。しかし自由党の反発を受け、1914年には、初等教育における公立と私立学校の並立を認めつつも、カリキュラムを国家が指定するものとし、政府が任命する視学官による監督を義務付ける内容に改訂した（河原温「ベルギー王国とルクセンブルク大公国の成立」森田安一編『スイス・ベネルクス史』山川出版社、1998年、pp.380-401）。

「病気」のベルギー社会を治療し、正常化するための道具として教育を捉えたように[64]、ドクロリーは「正常」な状態を目指すべきものとして想定し、そこには倫理的なものを重ねている。そうであるならば、ドクロリーの考える「自己」も詰まるところ、所与の目指すべき倫理に向けて駆動することになる。それに関連して見ておきたいのは、ドクロリーが〈全体化〉と名付けた認識活動の検討の中で次のように示していることである。

> はっきりしている基本的な事実は、心的作業は、そのどの段階においても、［中略］結局、主体の恒常的ないし一時的に優勢な傾向（tendances）によって、一言でいえば、一定もしくは変わりやすい魂（âme）の状態によって、支配され、決定され、いずれにしろ影響をうけるか、あるいは影響を受けやすいものである。[65]

ドクロリーが「主体の恒常的ないし一時的に優勢な傾向」ないし「一定もしくは変わりやすい魂の状態」を、〈全体化〉を規定するものとして指摘していることには注目すべきであるだろう[66]。「傾向」と「魂」は、上記のように不安定さを強調されているのであるが、それは〈全体化〉だけでなく、人間存在ひいては「自己」をも規定する所与と見做すことができる。

3.2　傾向ないし魂の探究

人間存在を規定しつつ不安定さを抱えもつもの、それはドクロリーが「傾向」あるいは「魂」と呼ぶものだが、それについて検討を進めよう。そのためにここではリードが提唱する「アンダーグラウンド心理学」[67]の系譜に注目する。この系譜において、19世紀初期の心理学は〈魂（soul）〉の科学であったが、

63）Wagnon, *op.cit.*, 2016, p.132.

64）*Ibid.*

65）Decroly, *op. cit.*, [1929] 2009, p.186.（前掲ドクロリー論文、p.88。）

66）前掲斎藤論文、1977年、p.256。

19世紀末には〈魂〉が〈心 (mind)〉によって置き換えられた[68]。この〈魂〉から〈心〉への置き換えに際して重要な役割を果たしたのが、「リベラルなプロテスタント神学」における人間本性について「真の悪と非合理性は自己の中核にとって外的なものと見な」す立場、つまり、「意識的な心」すなわち「真の自己」と、「無意識的な心」すなわち身体を含む〈魂〉の外部の力の影響を受ける部分とを分ける立場であった[69]。19世紀ヨーロッパにおいて大学などの限られた機関が制度化され、諸学問は国家や教会を支持するべきものとなったが、これはほかでもない〈魂〉よりも〈心〉を重視する立場の影響下でのことであった[70]。したがって、当時〈心〉ではなく〈魂〉そのものについて研究することは歓迎されず、多くの場合は権威者による抑圧の対象になったと言う[71]。

19世紀を通して〈心〉の科学は広く普及していったが、とりわけ19世紀後半には「無意識的な心」を〈魂〉と見做す解釈が一般的となる[72]。ここで〈魂〉が再び注目されたのは、「無意識的な心」には、夢を見ること、催眠による暗示感応効果、意図されざる行為等が含まれ、また、降霊会やトランス等の心霊的活動への関心が高まっていたためであった[73]。さらに、ロマン主義における「人間の魂は、ある意味で人間よりも大きく、日常生活では顕わにならない思考や能力を含んでい」るという考え方の影響もあったとリードは指摘してい

67）エドワード・S・リード著、村田純一・染谷昌義・鈴木貴之訳『魂（ソウル）から心（マインド）へ——心理学の誕生』講談社、2020年、p.42。19世紀以降、多くの医師や自然哲学者たちが人間の魂や生命の本性を探究していたが、彼らの思想は、実験や測定を重視する〈心〉の科学が成立し力を得ていく中で、厳しい検閲や弾圧の対象になったのだと言う。そうした彼らの思想水脈をリードは「アンダーグラウンド心理学」と名付け、心理学史の新しい像を提示している。

68）同上書、p.26。

69）同上書、p.32。

70）同上書、p.37。

71）同上書、p.42。

72）同上書、p.194。

73）同上書、pp.194-195。

る[74]。ただし、実証主義的手法が一層重んじられるようになる19世紀末には、〈魂〉の研究は〈心〉を対象とする科学的心理学の領域外に追放されることになる[75]。

こうした歴史に鑑みれば、ゴルプの指摘、つまり、ドクロリーは生物学的知見や測定による科学的概念装置を用いつつ[76]、その「自己」に関する言説はルソーのロマン主義的概念の域を抜け出ていない[77]、という見方は大変興味深く、的を射ている。すなわち、実証主義的な〈心〉の研究が主流となっていた中でも、ドクロリーにおいて、実証主義的であろうとすることと〈魂〉を追究することは矛盾せず、併存しているのである[78]。認識活動である〈全体化〉が、「傾向」ないし「魂」に規定されると述べられるとき、認識活動の検討は、実証主義的研究であると同時に〈魂〉の探究でもあったのだ。

3.3 基盤的なものの探究へ

ここで〈魂〉の探究と同時にドクロリーが重視した〈傾向〉について確認しておきたい。そもそも〈傾向〉とは、19世紀末から20世紀初頭のフランス心理学において、精神的かつ生物学的な両局面から研究が進められていた、欲求や本能、欲動等を含む包括的概念のことである[79]。ドクロリーは、この〈傾向〉に

74）同上書、p.195。

75）同上書、pp.227-228。

76）Van Gorp, *op.cit.*, p.146.

77）*Ibid.*, p.148. ゴルプは、ドクロリーによって生物学的視点から安定的で抽象的な子ども像が抽出されていることを指摘した。また、ゴルプはルソーをThe New School Movementの草分けと位置付けている。

78）当時のベルギーのカトリックにおける一般的な進化論受容では魂については別問題とされたが、こうした特徴は、フラーンデレンでは、カトリックの心理学に限らず、厳格で教条的な教育の領域にも見られるものであった（Depaepe et al, *op.cit.*, p.57.）。

79）松本雅彦「力動学派 3 心理分析と有機力動論」土居健郎・笠原嘉・宮本忠雄・木村敏編『学派と方法』（異常心理学講座1）みすず書房、1988年、p.230。

ついて「複合的で変動する諸力であり、それは多くの多様な形態を呈し得るものである。それぞれの形態はその強度に応じて様々に変化する可能性がある」と述べている[80]。ドクロリーの研究は主に観察、測定、実験といった手法によるものであったが[81]、〈傾向〉研究においては「基盤（fond）」が想定されていることが特徴的だった。ドクロリーは、環境への適応を余儀なくされる「今・ここ」を生きる人間の変わりやすく不安定な表層的なものとともに、心的個人を構成し、後の活動を保証するような「基盤」があると考えて無意識のプロセス解明を行なったのである[82]。

こうした基盤的なものについての関心は、認識活動の一環としての「反応時間」への取り組みにも見られる。反応時間とは、刺激が与えられてから手足や音声による反応が生じるまでの時間のことであるが[83]、当時のその実験的研究は〈心〉を対象とする科学的心理学の基礎の一つをなすものであった[84]。しかしドクロリーの関心は、反応時間の測定そのものではなく、その意味にあった[85]。重要なのは、第一に、反応時間には感覚と行為の両方が含まれているということ、第二に、生理学的現象としての感覚や行為を可能にし包括する、基盤的なものがあるということであった[86]。つまり、表層の諸現象を可能にする

80）Decroly et Vermeylen, *op.cit.*, p.19.

81）*Ibid.* Ovide Decroly, *Etudes de psychogénèse. Observations, expériences et enquêtes sur le développement des aptitudes de l'enfant*, Maurice Lamertin, 1932.

82）Decroly et Vermeylen, *op.cit.*, p.6.

83）大山正「反応時間研究」梅本尭夫・大山正編著『心理学史への招待――現代心理学の背景』サイエンス社、1994年、pp.81-88を参照。

84）前掲リード書、pp. 199-200。リードは新心理学――〈心〉を対象とする科学的心理学――の基礎となった実験的な研究として、反応時間の実験のほかに、反射機能の研究と精神物理学の研究を挙げている。

85）詳細は前掲渡邉論文、2020年。また、リードによれば、同時代のジェームズなどにおける反応時間の検討でも、その測定ではなく「内観や直接的な分析によっては観察できないと考えられる意味の領域」ないし「心に関する存在論的な関心」が追究されている（前掲リード書、p.259）。

原理への関心である。

ドクロリーの〈傾向〉研究等におけるこのような立場や関心の背景には、アンリ・ベルクソン（Henri Bergson, 1859-1941）の思想の影響もあった[87]。ベルクソンは『創造的進化』において、「生命は傾向であり、傾向の本質は、ただ増大するだけで、分岐する諸方向を創造しながら、束状に自身を展開すること」であると述べ[88]、次のように続ける。

> 創造された諸方向は、生命の弾み（élan）を分有している。われわれが性格と呼ぶ特別な傾向が進化するとき、われわれは自分自身に以上のようなことが起こっているのを観察する。われわれは誰しも、自分の身の上を少しでも振り返ってみれば、子供の頃の人格が、不可分であるとはいえ、様々な人格を併せ持っていたことを認めるだろう。それらは生まれつつある状態であったので、互いに溶け合ったままでいられたのである。この期待に満ちた定まらなさは、幼少時代の最も大きな魅力の一つでさえある。しかし相互に浸透し合っている人格は増大するにつれて両立不可能になる。われわれは誰しも一つの人生しか生きることができないから、選択せざるをえないのである。われわれは実際たえず選び、そして同じく絶えず多くのものを捨てているのだ。[89]

86）ドクロリーにおける反応時間の検討で「潜在的な時間」と言い表されたものを本稿では基盤的なものとして捉えている（前掲渡邉論文、2020年参照）。

87）ドクロリーは〈全体化〉とゲシュタルトの理論やベルクソンの「直観」、デューイの*How we think*にみられる考え等との関連性を示唆するも詳細を明かしていない（Decroly, *op.cit.*, [1929] 2009, p.185）。金森は、ベルクソンの進化論の特徴として進化が「心理的特性」すなわち「意識の流動性」との連関から捉えられていることを指摘している（金森修「ベルクソンと進化論」『現代思想』（臨時増刊号）22巻11号、1994年、pp.390-391）。

88）Henri Bergson, *L'Evolution créatrice*, Félix Alcan, [1907] 1908, p.108.（アンリ・ベルクソン著、合田正人・松井久訳『創造的進化』筑摩書房、2010年、p. 134。）

89）*Ibid.*, pp.108-109.（同上。）

ここでは〈生命〉ないし〈生命の弾み〉[90]を〈傾向〉と言い換えたうえで、子どもの人格における「定まらなさ」が「選択」を経て「一つの人生」を創造していく様子が描かれている。留意すべきは、こうした創造としての適応は機械的な反復ではなく、つねに偶然性を帯びた応答とされることである[91]。また、ベルクソンが〈生命〉ないし〈生命の弾み〉を〈傾向〉と換言したことについて、金森は次のように指摘する。

> それ[生命にある根本的な弾み]は生命に時間の経過とともにますます複雑な形態を与え、生命をある高貴な使命に導いていく。〈はずみ〉と呼ばれると、そのはずみを支える物質的基体つまりなんらかの弾性体を表象しがちだが、ベルクソンの場合、その物質的基体に対する存在措定はあえて解放されたままの曖昧性を保っている。純粋な物質ではない可能性を示唆するためか、ときにそれはひとつの〈傾向〉(tendance)とも呼ばれる。[92]

ベルクソンが〈生命の弾み〉を〈傾向〉と換言するのは、それを支えるものが「純粋な物質ではない可能性を示唆するため」の戦略として捉えられている。ベルクソンにおいて〈生命の弾み〉ないし〈傾向〉の「原初の起動者」つまり基盤的なものは曖昧である[93]。ベルクソンにおいて「不断の創造」として示される〈生命〉は「直前の状態の解析学的規定からは逃れ、予想のつかない展開を示す」のであり、「生命は個別的生物そのものではなく、それを貫くある種の運動である」[94]。金森の解釈をふまえるならば、ドクロリーにおける基盤的な

---

90) エラン・ヴィタル(élan vital)は、ベルクソン生命哲学の根幹概念であるが、『創造的進化』では〈生命の弾み(élan de vie)〉と表現されている(前掲金森論文、p.390)。

91) *Ibid.*, pp.63, 105.(前掲ベルクソン書、pp. 86, 130-131。)

92) 前掲金森論文、p.389。

93) 同上論文、p.390。

94) 同上。

ものをめぐる探究は、ベルクソンが戦略的に曖昧にしていた〈生命〉についての探究と関心を同じくしており、それへの挑戦であったと考えられる[95)]。

振り返れば、ドクロリーにおける「自己」は、人間が知性の可能性にひらかれていることの象徴であると同時に、人間が生物学的意味を超え出ることができないという有限性の象徴でもあった。そして、ドクロリーは「活動する子ども」に、「生物的で心的な」生のダイナミクスを見ていたが、それは「欲する存在」としての「自己」の具体的で表層的な姿であった。そうした表層的で不安定で変わりやすい、つまりは欲し続ける「自己」の〈傾向〉についての研究は、〈魂〉ひいては〈生命〉の探究の系譜に位置付けられ得る。「自己」は、「今・ここ」の表層と、表層を規定する基盤的なものとが繋がり交錯するダイナミクスの場なのであり、倫理との繋がりから語られようとしていたのである[96)]。

おわりに――富士小学校における「自己」を理解するために

私たちは、当時のドクロリーの仕事を今日的な教育学や心理学といった枠組みを超え、より大きな視座から捉える必要もあるのだろう。いわゆる〈心〉の歴史の系譜に位置付けられる教育学や心理学の枠組みだけではドクロリーの思想の全体像は見えてこない。

ドクロリー・メソッドにおける「自己」とは「欲する存在」であり、無意識の欲求を知性によって意識化し、発現する諸傾向を変容させる可能性をもつもの

---

95) 当時の教育学の言説とりわけ「新教育」は、適応、順応、環境、機能というような進化論的諸概念によって規定されたが、「いずれにしても人間の発達には生体の保存を確保するための何らかの原理があること、それが上昇的進化あるいは生成を示す過程であることを含意」していた(原聡介「発達について」長尾十三二編『新教育運動の理論』明治図書出版、1988年、pp.148-149)。具体的には、優生学的発達、種の歴史を反復する発達、生成としての発達の三つが挙げられ、生成としての発達に、ベルクソンの生の飛躍の思想は位置付けられる(同上論文、pp.149-153)。

96) 生物学との関連に注目しつつドクロリーにおける倫理とベルクソンにおけるそれについて比較検討する必要がある。

であると同時に、常に意識化されない無意識の部分も保持し続けているものであった[97)]。この無意識の「基盤」としての役割や意味にドクロリーの関心は注がれていたのであり、それは〈生命〉についての探究に繋がるものであったのだ。

ただ、ベルクソンがあえて曖昧にした〈生命〉の概念をドクロリーがどのように捉えていたのかについては、さらなる検討が必要である。というのは、本稿で提示したドクロリーにおける「自己」のダイナミクスと「レギュリエ」「イレギュリエ」の枠組み、ひいては社会防衛的思想等との関係については、慎重に見ていく必要があるからである[98)]。また、これによって「生活のための、生活による」という言葉の内実にも、より迫ることができるだろう。

昭和初期の富士小学校では、西田の思想、とりわけその自覚論などを媒介として、ドクロリー・メソッドの「自己」の理解を試み、独自の教育実践を展開した[99)]。矢野によれば、西田の「自覚とは、自己を知るために自身を真摯に見つめ直すといったことではなく、この歴史的世界で主体として行為的に働きかけることによって世界を創造することである」[100)]。このような西田の自覚論をベースとすることによって同小学校の教育が、ドクロリー・メソッドの「自己」の考えと結びつき得たということは興味深い。

昭和初期以降、ドクロリー・メソッドは教育界から消えていくという運命を辿ったが、それは、当時の日本の教師たちがメソッドの名称やhow toに固執

97）リードによれば、〈魂〉の心理学においては「無意識」は「自己」の不可欠な部分と見做される（前掲リード書、pp.195-196）。

98）たとえば原は「自然のうちに込められたものが外化する過程としての発達は、かくあるという存在概念であると同時に、そのようにしかあり得ないという必然性のロジックを経て、かくあるべしという規範概念に転化しうる」としたうえで、新教育期において子どもの発達は「規範的思考の照り返しの中で組立てられていた」ことを指摘している（前掲原論文、p.147）。

99）前掲渡邉論文、2018年を参照。

100）矢野智司「近代日本教育学史における発達と自覚」『近代教育フォーラム』22号、2013年、p.104。

することなく、その本質的価値を内面化し得たからだとされる[101]。本稿では、同メソッドが富士小学校の教師たちに与えたインパクトのもとに遡って、ドクロリーの考える「自己」について見てきた。教師たちはドクロリーの「自己」にどのような価値を見出し、それをどのようにして内面化していったのだろう。ドクロリーにおける「自己」を〈傾向〉ないし〈魂〉の探究として、殊に〈生命〉の観点から読み解き、「自己が自己に於て自己を見る」と述べる西田の思想[102]との繋がりや、西田の思想を介してドクロリーの「自己」に接近しようとした富士小学校の教育との関係について思想史的検討を重ねることは、今後の課題である。

【付記】

富士小学校および上沼久之丞に関連する資料調査に快くご協力いただき、多くの示唆を与えてくださった、故・上沼舜二氏に心より感謝申し上げたい。

また、本稿は、渡邉優子「オヴィド・ドクロリーにおける「自己」――傾向ないし魂、生命の思想史的連関から」『人間科学研究』44号、2023年に大幅な加筆・修正を加えたものである。

101）橋本美保「実践家の思想を捉えるパースペクティヴ」前掲橋本書、pp.312-319。

102）矢野は「「見る自己」と「見られる自己」、そしてその両者を包む対象とならない働きそのものである「自己」という三者で自覚を捉える構造こそ、西田の自覚論の核心をなすものであった」と指摘している（矢野智司「京都学派としての篠原助市――「自覚の教育学」の誕生と変容」小笠原道雄・田中毎実・森田尚人・矢野智司著『日本教育学の系譜――吉田熊次・篠原助市・長田新・森昭』勁草書房、2014年、p.151）。

第 5 章

「日白修好 150 周年」はどのように語られたか
——メディア談話の分析をつうじて——

中條　健志

1　はじめに——「日白修好 150 周年」について

1866年、日本とベルギーとのあいだで修好通商航海条約が締結される。それから150年を経た2016年には、交流関係を祝う行事が両国で開催された。本論では、「日白修好150周年」を伝えるメディア報道を談話資料として、それがどのように語られたのかを分析することで、日白交流の一端を明らかにすることを試みる。それにより、「150周年」[1)]をつうじて何が話題となったのか、言い換えれば、自国にとってのベルギーあるいは日本がどのような存在であったのかを考察し、日白交流史を描くための手がかりを提示したい。

幕末からつづく二国間関係であるが、両国は互いをどのようなパートナーとみなしているのだろうか。駐日ベルギー王国大使館のホームページでは、次のように述べられている。

> 工業国であり、民主主義国家であるベルギーと日本の二国は、信頼と共通の価値にもとづいた友好的かつ多面的な二国間関係を交歓している。
> 我われ二国は、多くの遺産をともに保持し、協力関係を築いており、それは

1) 以下、「日白修好150周年」を「150周年」と略記する。

> こんにちもなお多様性に富んだものである。
> 日本の皇室とわが国の王室との親密な関係は、ベルギーと日本の関係に特別な意味をもたせている。[2)]

ここでは、二国間の関係が「友好的」、「多面的」かつ「多様性に富んだ」ものとして語られている。また、皇室と王室との「親密な関係（Les liens proches）」がその特徴とみなされている。

一方で、在ベルギー日本国大使館のホームページでは、外務省のホームページへのリンクをつうじて、二国間の関係が次のように説明されている。

> 伝統的に友好関係を維持。皇室・王室関係は極めて親密。1866年に外交関係を樹立し、2016年に150周年を迎えた。同年は「日本・ベルギー友好150周年」として盛大に祝賀され、その日本側名誉総裁に天皇陛下（当時。現上皇陛下）が、ベルギー側名誉総裁にフィリップ国王陛下が各々御就任された。同年10月には、フィリップ国王・王妃両陛下が国賓として訪日されたほか、2019年10月にも両陛下は即位礼正殿の儀御参列のため訪日された。[3)]

ここでも、両国の関係が「友好」であると語られ、また、「極めて親密」とされた皇室と王室とのつながりに言及されている。つまり、日本とベルギー双方の位置づけに大きな違いはないと言える。

次に、関連する主な行事を主催した両国の大使館による声明をつうじて、「150周年」を念頭に発せられた談話をみる。たとえば、駐日ベルギー王国大使館は、両国の外交関係における出来事として、2016年を次のように述べている。

2）駐日ベルギー王国大使館ホームページ、＜https://japan.diplomatie.belgium.be/fr/relations-belgique-japon/relations-diplomatiques＞、2022年9月23日閲覧。筆者訳。

3）外務省ホームページ、＜https://www.mofa.go.jp/mofaj/area/belgium/data.html＞、2022年9月23日閲覧。

記念となるこの年を、日本の天皇陛下とベルギー国王のもとで迎えた。多くの行事がこの一年をつうじ、日本とベルギーでおこなわれた。こうした活動は、二つの国が多くのものを共有していることを明らかにし、友好関係をさらに強化し、今後の文化および学術交流を促進したといえる。[4)]

先に引用した、駐日ベルギー王国大使館の論調と同様であるが、そこに「文化」と「学術」[5)]というあらたな視点が加えられている。

また、在ベルギー日本国大使館では、前年の2015年4月に、当時の駐ベルギー日本国特命全権大使の石井正文が、次のようなメッセージを発表している。

2016年、日本とベルギーは、1866年に外交関係を樹立してから150周年を迎えます。両国は長きにわたり友好関係を築いてきています。150周年という節目の年を契機に、この緊密な関係をさらに深化させていくため、皆様とともに盛り上げていきたいと考えています。

2016年には、日本、ベルギー両国において数多くの記念イベントが行われる予定です。ベルギーでは、2016年1月に予定している開会式典や開会行事を皮切りに、1年間を通じて、様々な分野、レベルで、事業、行事、交流等が予定されています。日本大使館の主催・共催事業のみならず、政治、経済、科学技術、文化、芸術、学術、教育、スポーツなどあらゆる分野での両国間の活動が、日本・ベルギー友好150周年の一環として行われることを期待しています。[6)]

---

4) 駐日ベルギー王国大使館ホームページ、＜https://japan.diplomatie.belgium.be/fr/relations-belgique-japon/relations-diplomatiques＞、2022年9月23日閲覧。筆者訳。
5) 引用内の「文化および学術交流」の原語はéchanges culturels et académiques。
6) 在ベルギー日本国大使館ホームページ、＜https://www.be.emb-japan.go.jp/150jb/jp/＞、2022年9月23日閲覧。

こちらも、「両国間の活動」の分野がより具体的に挙げられている点をのぞけば、論調は同じである。

このように、大使館レヴェルでは、「150周年」が両国の関係をさらに強化し、交流を深めるものとみなされていることが分かる。大使館の役割を考えれば、そのこと自体は一般的であり、日白関係に特化したものではないだろう。本論がメディア談話を分析資料とするのは、「150周年」が広く社会に伝えられるさい、そこでどのような意味づけがなされているかに注目するからである。

2 先行研究

本論文がよりどころとする研究は、メディア報道を談話資料とした、国家間関係、「日本人」あるいは日本語学習の表象、対日または外国イメージを分析したものである。

国家間関係にかんするものとして、たとえば、石上(1994)[7]は、*Newsweek*誌における日米摩擦にかんするイメージの変化を分析した。相田(2000)[8]は、1990年代の*TIME*誌における日本と中国に関連する記事の分析をつうじて、同誌が冷戦後の日中関係の変化をどのように語ったのかを論じている。また、秋元(2018)[9]は、国際交流機関の年報・機関誌、閣僚や官僚の語りを談話資料に、日本の対中東文化交流事業の傾向と特徴を分析している。

「日本人」や日本語学習についての研究には、清(1996)[10]による、日本発信の英文雑誌*LOOK JAPAN*誌における「日本人像」の分析や、古川(2015)[11]によ

7) 石上文正(1994)「英語マスメディアに見る日米投資摩擦のイメージの変容」『時事英語学研究』33号、pp.129-143.

8) 相田洋明(2000)「90年代*TIME*誌記事における対日、対中イメージの比較」『時事英語学研究』39号、pp.15-27.

9) 秋元美紀(2018)「戦後における日本の対中東文化交流活動—— KBS・国際交流基金の事業を中心に——」『国際政治』192号、pp.17-32.

10) 清ルミ(1996)「*LOOK JAPAN*誌にみる海外向けに発信される日本人像の考察」『時事英語学研究』35号、pp.1-14.

る、20世紀前半のハワイ語新聞における日本人イメージの分析がある。また、嶋津（1998、2015）[12]は、オーストラリアにおける日本語学習の位置づけについて、一方では同国の全国紙および地方紙、他方では日本の新聞記事から分析をおこなっている。

対日あるいは外国イメージにかんする先行研究としては、岡部（1993）[13]が、1987年の一年間でアメリカの放送局[14]が放映した日本関連のテレビ番組を分析し、対日イメージの特徴を明らかにしている。また、小林（2008）[15]は、世論調査の結果から、中国における対日感情の実態とその要因を分析した。徳田・関本・工藤（2013）[16]は、ロシアの新聞における日本関連記事の分析をつうじて対日イメージを明らかにし、日露関係の一端を考察している。そして、ポンサピタックサンティ（2008）[17]は、2003年から2006年までのあいだの、日本とタイのテレビ放送をもとに、コマーシャルにあらわれる外国イメージを二国間で比較分析している。

テーマと方法論に違いはあるものの、いずれの研究も、主要メディアにおいて「日本」、国家間関係、あるいは「外国」がどのように語られたのかを分析し

11）古川敏明（2015）「ハワイ語新聞への学際的アプローチ――日本・日本人・日系人関連記事の分析――」『人間生活文化研究』25号、pp.126-130.

12）嶋津拓（1998）「1990年代前半のオーストラリアの新聞紙上に見られる「日本語学習不要論」について」『オーストラリア研究』11巻、pp.28-37.
嶋津拓（2015）「オーストラリアの日本語教育を日本の新聞はどのように報道してきたか:その100年の変遷」『オーストラリア研究』28巻、pp.54-66.

13）岡部朗一（1993）「アメリカのテレビニュースに見られる対日イメージ――研究方法の一試論――」『時事英語学研究』32号、pp.111-141.

14）CBS Broadcasting。

15）小林良樹（2008）「中国における「対日感情」に関する考察――各種世論調査結果の複合的分析――」『アジア研究』54巻4号、pp.87-108.

16）徳田由佳子・関本英太郎・工藤純一（2013）「ロシア新聞における日本関連報道の定量的研究」『情報知識学会誌』23巻2号、pp.235-240.

17）ポンサピタックサンティ，ピヤ（2008）「テレビ広告に現れる外国イメージ：日本とタイの比較から」『マス・コミュニケーション研究』73巻、pp.97-112.

ている。筆者は、これらのテーマ設定に関心を寄せながら、方法論としてはFairclough・Wodak（1997）[18]、Chouliaraki・Fairclough（1999）[19]、ヴォダック（2010）[20]、フェアクラフ（2012）[21]らによる、社会と談話の関係に注目する談話分析の手法[22]を参照しながら議論をすすめたい。

3　談話資料

本論であつかう談話資料は、2016年に掲載、配信された、「150周年」を報じた次の新聞・放送局の記事からの引用である。

ベルギーのメディアは、*l'Avenir*紙[23]、*La Libre*紙[24]、*Le Soir*紙[25]の各フランス語新聞である。

日本のメディアは、『朝日新聞』、『産経新聞』、『日本経済新聞』、『日本工業新聞』、『毎日新聞』、『読売新聞』の各日刊紙で、そこには、共同通信社あるいは時事通信社による配信記事が含まれる。

そして、これらの媒体において、「150周年」関連の記事から分析に必要なものを選択し、さらに、論旨に直接かかわる箇所を論文中に引用した。

18）Fairclough N. & Wodak R. (1997). Critical Discourse Analysis, in Van Dijk T. (dir.). *Discourse Studies : A Multidisciplinary Introduction, vol. 2, Discourse as Social Interaction*, London, Sage, pp. 258-284.

19）Chouliaraki, L. Fairclough, N. (1999). *Discourse in Late Modernity-Rethinking Critical Discourse Analysis*. Edinburgh, Edinburgh University Press.

20）ヴォダック，ルート（2010）「批判的談話分析とは何か？　CDAの歴史、重要概念と展望」山下仁訳『批判的談話分析入門』ルート・ヴォダック、ミヒャエル・マイヤー編、野呂香代子監訳、三元社.

21）フェアクラフ，ノーマン（2012）『ディスコースを分析する　社会研究のためのテクスト分析』日本メディア英語学会メディア英語談話分析研究分科会訳、くろしお出版.

22）批判的談話分析（Critical Discourse Analysis）

23）1918年創刊の日刊紙。

24）1884年創刊の*Le Patriote*紙に起源をもつ日刊紙。

25）1887年創刊の日刊紙。

4 「150周年」をめぐる報道

4.1 概要

分析に先立ち、報道の傾向を概括的にみておく。結論から言えば、両国ともに「150周年」をめぐる記事の量は少なく、扱いも大きくなかった。また、大半は日白関係を簡潔に説明する記事が中心で、特定の論点に立脚したものは極めて限られていた。言いかえれば、1節で示した両国の大使館によるアナウンスに近い論調であった。

4.2 「150周年」の予告

2016年1月19日に、ブリュッセルで「150周年」の開会式がおこなわれた。同日付*l'Avenir*紙は、次のように報じている。

> **ベルギーと日本が外交関係150年を祝う**[26]
> ブリュッセルのエグモン宮での式典で、火曜日、ベルギーと日本は外交関係150周年を祝った。ヘルマン・ファン・ロンパイ親善大使が出席するこの祝賀会は、二国間の関係を確かなものにする文化行事の一年のはじまりである。
>
> ベルギーと日本の外交関係は、緊密な経済交流の道をひらいた、最初の修好通商航海条約が調印された1866年にはじまる。日本はベルギーにおいて、アメリカに次ぐ、非ヨーロッパの第二の投資国である。[27]

ここでは、日白関係が「外交関係（relations diplomatiques）」とよばれ、文化行事の開催が予告されている。また、ベルギーにとっての日本を形容することばとして、「投資国（investisseur）」という語が用いられている。

26）太字は見出し。以下同様。

27）*l'Avenir*、2016年1月19日付。なお、ベルギーの新聞社、放送局の記事（原文はフランス語）は筆者訳。以下同様。

一方で、日本では共同通信社の配信記事（2016年1月20日付）をつうじて、次のように報じられた。

友好150年、関係拡大を／日本とベルギーが開会式

日本とベルギーの国交樹立150年を祝う「日本・ベルギー友好150周年」の開会式が19日、ブリュッセルで開かれ、両国関係者らは政治、経済から文化、学術まで幅広く関係を拡大したいと抱負を語った。

日本から出席した武藤容治外務副大臣は、2014、15年に続いた両国首脳の相互訪問が関係強化の契機となったと指摘し「今年、数々の文化事業でさらに関係を発展させたい」と述べた。

今年は安倍晋三首相や日本の皇族によるベルギー訪問が見込まれ、フィリップ国王が10月に訪日を予定している。

ここでは、日白関係が「友好」と形容されている。記事の内容は*l'Avenir*紙とおおむね同じだが、両国の関係を説明することばとして、「文化」や「経済」[28]にくわえ、「政治」と「学術」が用いられている。また、皇室と王室間の交流関係の存在についても触れられている。

このように、1月19日の開会式を報じた記事には、両国間の外交や交流の歴史といった日白関係そのものに焦点をあてたものはみられず、文化行事の開催を予告するものが中心であった。一方で、ベルギーのメディアでは、日本が主要な経済的パートナーとして語られ、日本のメディアでは、ベルギーが皇室とのかかわりがある国として語られていた[29]。

28）*l'Avenir*紙では、évènements culturels「文化（的）行事」、échanges économiques「経済（的）交流」と、それぞれ形容詞が用いられている。

4.3　共通する特徴：文化をめぐる語り

一方で、「150周年」そのものに言及してはいないものの、関連する情報として、文化交流に触れたものは多くみられた。代表的なものとしては、料理とファッションにかんする記事である。

2016年1月30日付*La Libre*紙には、日本とベルギーとのあいだの「料理交流」にかんする記事が掲載された。その見出しと小見出しを引用する。

> **白日間の[30]料理交流**
> 白日友好150年が祝われる今年。二国間の美食交流の重要性はますます高まっている。[31]

ここでは、「料理交流（échanges culinalres）」あるいは「美食交流（échanges gastronomiques）」という表現で、両国間に料理をつうじた交流があることが述べられている。記事を要約すると、そこでは、ヨーロッパにおいて日本料理店が増加していること、ベルギーの日本料理店の紹介、日本料理のベルギー料理への影響、ブリュッセルにあるレストラン[32]の料理長であるダヴィッド・マルタンへのインタビューをつうじた日白間の「料理交流」が順に話題になっている。

同様の記事は、日本の新聞にも掲載された。そこでのテーマは「ファッション」と「グルメ」で、次に引用するのは、2016年11月17日付『産経新聞』（関西版）の見出しと小見出しである。

29）新聞社、放送局の記事だけでなく、雑誌やホームページといったその他の媒体を含めると、文化行事を告知する記事は多くみられた。しかし、「150周年」に直接触れている訳ではないため、本論では省略する。一方で、行事の内容やその傾向に着目することで、別だてで論じられると考えられる。

30）原語belgo-nipponsにならい、「白日」と訳した。

31）*La Libre*、2016年1月30日付。

32）店名はLa Paix。

日本・ベルギー友好150周年、関西企業も一役！“国旗色ファッション”や駅ナカグルメまで交流

日本とベルギーが修好通商航海条約を締結し、外交関係を樹立してから今年で150年。10月にはフィリップ国王夫妻が国賓として来日するなどして、両国間の絆はさらに深まっている。経済面での関係も良好だ。こうしたムードを支えるのに実は関西企業も一役買っている。

記事の冒頭では「150周年」に触れられているものの、これに続く本文では「ファッション」と「グルメ」の面からみた日白間の交流が述べられている。具体的には、皮革ブランドのデルヴォー[33]の心斎橋店が前月にオープンしたこと、1990年に洋菓子会社のエーデルワイス[34]によってヴィタメール[35]の日本法人[36]が設立されたこと、ワッフルを販売するローゼン[37]の紹介である[38]。

いずれの記事も、「150周年」そのものを詳しく報じてはいないが、それをきっかけとして「料理」、「美食」、「グルメ」あるいは「ファッション」といった言葉で、文化的側面における交流が述べられている[39]。関連記事の中心を成しているのは、このような、文化をめぐる語りである[40]。

33）Delvaux。1829年にブリュッセルで創業。

34）1966年創業。本社は神戸市。

35）Wittamer。1910年にブリュッセルで創業。

36）ヴィタメール・ジャポン。

37）1954年創業。本社は吹田市。「マネケン」のブランドで知られる。

38）記事の結びでは、詳しいものではないが、日白交流が16世紀にさかのぼること、ベルギーが日本の近代化に影響を与えた国であること、皇室と王室の交流が盛んであることに触れられている。

39）2016年はブリュッセルでのフラワーカーペット（Tapis de Fleurs）の開催年で、テーマが日本だったこともあり、カーペットのモチーフ（鯉、桜、鶴など）を解説した記事もみられた。cf.）2016年8月12日付*Métro*紙。

40）一方で、日本語の「文化」とフランス語の« culture »が指し示しうるものが必ずしも同一ではないことに留意する必要がある。二国間交流というコンテクストのもとで、それぞれのタームがどのように用いられてきたのかについては別稿に譲りたい。

4.4　国ごとの特徴：経済、王室・皇室関係をめぐる語り

4.3では、「150周年」そのものよりも、文化的側面を紹介する記事が多かったことを述べた。これらは、日本とベルギー双方の報道に共通する点であった。

一方で、「150周年」を報じる記事で取り上げられるテーマには国ごとの特徴もみられた。前項で引用した『産経新聞』の記事には、「ベルギー進出も活発」という小見出しのもと、次のような記述がある。

> 外務省によるとベルギーに進出している日本企業は約230社。フランスやドイツに近い上、生活環境が良いことなどから1960～70年代に日本企業が本格的に投資を始めた。ブリュッセルには欧州連合（EU）の本部があり、欧州事業の拠点を置く企業は多い。

このような、「生活環境が良い」とされるベルギーに進出する自国の企業[41]に言及した、経済的側面にかんする記事が多いことが、日本のメディアの特徴である。

これにたいし、ベルギーのメディアでは、王室・皇室関係がしばしば取り上げられている。2016年10月7日付*Le Soir*紙では、「ベルギー、日本の天皇にとっての賓客」[42]という記事のなかで、国王夫妻の訪日[43]を報じるとともに、王室・皇室関係の歴史が概説されている。論調は、同年3月22日におこった「テロ（Attentats）」事件の影響で対外的なイメージが良くない状況にあるが、それでも、ベルギーは「賓客（hôte privilégié）」として扱われている、というものである。

たとえば、国王夫妻の訪問が「テロ」事件後のベルギーにとって重要であることが、次のように述べられている。

41）記事では、「関西企業」としてダイキン工業とカネカの名前が挙げられている。
42）ベルギーのメディアについての鍵括弧内の引用もすべて筆者訳。
43）2016年10月9日から15日にかけて、東京、名古屋、大阪を訪問した。

この2016年10月9日、［前回の国王夫妻訪問から］[44]ほぼ二十年ぶりに、日出ずる国へのはじめての公式訪問に出発するのは、フィリップとマチルドである。こんにち、わが国のことが現地で知られているとすれば、それは、テロ行為の犠牲となったからでもある。もっとも、現在のところ、日本人の多くはわが国に不信を抱いているため、当局は日本にたいして［ベルギーへの］訪問を避けるよう忠告した。

つまり、日本への5日間の公式訪問は、ベルギーの権威を取り戻させるために有益であり得るし、観光、経済、学術、文化面での魅力から、ベルギーを地図上に置き直しうるということである。6月初旬、外務大臣ディディエ・レンデルスも、本紙へのインタビューにたいし「日本への公式訪問は、物事を立て直すための最良の手段だ。」と述べている。[45]

ここでは、「日本人の多くはわが国に不信を抱いている（les Japonais boudent largement notre pays）」ことを背景に、国王夫妻の訪問が「ベルギーの権威を取り戻させる（redorer le blason belge）」ものとして位置づけられている。

こうした、日本との王室・皇室関係が「テロ」後のベルギーの状況を改善し得るものである、という論調がみられることが、ベルギーのメディアの特徴のひとつである。

このほかには、訪日した国王夫妻の様子を報じる記事もある。たとえば、2016年10月12日付*La Libre*紙には、「“場違いな恰好”をしない、日本で輝くマチルド」[46]という記事が掲載され、訪日した王妃の服装が話題になっている。そこでは、王妃と皇后の服装が対照的であることが、王室と皇室の伝統の違いによるものであり、王妃が「“場違いな恰好”（fashion faux pas）」をしていないことが述べられている。なお、この記事では、「150周年」そのものについては

44）[] 内は筆者による補足。以下同様。

45）*Le Soir*、2016年10月7日付。

46）*La Libre*、2016年10月12日付。

言及されておらず、王室・皇室関係に話題が限定されている。

なお、わずかではあるが、日本のメディアでも国王夫妻の訪日が報じられている。ただし、2016年10月14日付の『日本工業新聞』の見出し、「日本車出荷1000万台　ベルギー国王が記念式典に出席」があらわすように、経済面での影響という文脈でのものが中心であった。

4.5 「日本(人)」のイメージ

以上のように、収集した談話資料からは、「150周年」そのものが中心的に論じられた記事はないこと、その一方で、文化や経済(日本企業の進出)、王室・皇室関係が主な話題となっていたことが確認された。しかしながら、いずれも情報提供の側面が強く、議論を提起するといった性質をもつものではなかった。したがって、そこでの語りから相手国の表象を読みとるには、資料が量的にも質的にも不十分だといえる。

そうしたなかで、ベルギーのメディアにおいて、ある種の「日本」あるいは「日本人」イメージがあらわれていると考えられる報道があった。以下は、2016年10月13日付*Le Soir*紙に掲載された記事[47]の見出しおよび小見出しである。

> **ベルギーは日本で敬意を欠いたのか？**[48]
> 日本への公式訪問は、連邦政府の出遅れに頭を悩ませているのだろうか?
> ベルギーの代表団は苛立っていた。それにしても、儀礼にとても忠実な日本人には悪印象だったのではないだろうか?

当時、2017年度予算をめぐって議会が紛糾していた影響で、連邦政府内での調整が進まず、そのため、レンデルス外務大臣が訪日代表団に参加できなく

47) *Le Soir*、2016年10月13日付。

48) 原文は、"La Belgique a-t-elle manqué de respect au Japon ?"。

なり、代わってデ・クレム対外貿易担当国務長官が、日程の途中から訪日していた。

記事は、公式訪問にかかるこうしたベルギー側の体制の不備を問題視する論調となっており、背景にあるのは政権批判であるが、そのなかで、日本あるいは日本人イメージがあらわれている箇所がいくつかみられた。この小見出しにある、「儀礼にとても忠実な（très attachés au protocole）」がそのひとつである。

その後、本文では、当時の共同通信ブリュッセル支局長であった永田潤と、元駐日ベルギー大使のパトリック・ノートンへのインタビューがつづく。はじめに、記事前半の永田へのインタビューを引用する。

> Q[49]：ベルギー代表団のメンバーが、こうした［閣僚の］不在の影響を懸念していたのは、彼らが日本にたいしてもっている、儀礼に忠実で、非常に規律正しいというイメージに起因するようにみえます。これは間違ったイメージなのでしょうか?
>
> A：間違っているとは言えない気がします。日本では儀礼がとても重んじられます。裏ではおそらく、日本政府とその周辺の人びとが、大臣たちの日程を見直すために動かなければならなかったでしょう。しかし、それはかれらの仕事の一部であるはずです。儀礼を重んじることは、スケジュールにしたがって動けることでもありますが、それに合わせられるということでもあります。

ここで記者[50]は、日本が「儀礼に忠実（attaché au protocole）」で、「非常に規律正しい（très discipliné）」国であることについて、「間違ったイメージ（une image erronée）」なのかを問うている。これにたいし、永田は記者によるベル

49）記者からの質問をQ（Question）、永田あるいはノートンによる答えをA（Answer）と表記する。

50）マチュー・コリネ（Mathieu Colinet）とコランタン・ディ・プリマ（Corentin Di Prima）による署名記事。

ギー側への批判をおさえるトーンで回答しているが、「儀礼を重んじること（Respecter le protocole）」というイメージには同意している。

そして、ふたりのやりとりは、王室、皇室の役割にもおよぶ。

Q：ベルギーでは、国王には儀礼的な役割しかありません[51)]。これは、日本の天皇の状況に似ています。それでも、その［天皇という］人物をめぐっては、何か侵すべからざるものがあるような気がします。

A：難しいですね。日本の天皇にはいかなる政治的権限もありませんが、日本の伝統のなかで象徴、国家の統一性の象徴であり続けています。多くの日本人による天皇にたいする敬意はそこに由来します。

記者は、ベルギー国王と同様の役割に加え、天皇にはさらに「何か侵すべからざるもの（quelque chose de sacré）」があると指摘する。これにたいし、永田は明確な答えを避けているが、多くの日本人による「敬意（le respect）」の存在に触れる。結果として、一つ目の引用のなかで語られている、ベルギー側が「懸念していた（se sont inquiétés）」ことの原因、すなわち日本にたいする「儀礼に忠実」というイメージが肯定されていると言える。

次に、記事の後半に掲載された、パトリック・ノートンへのインタビューを引用する。

Q：日本への公式訪問をめぐる政治的な優柔不断さは、わが国との外交関係を損ねるものなのでしょうか？

A：いいえ。状況を説明するためのあらゆる情報が示されました。まったくもって大したことではありません。日本人はきっと状況を理解しています。

51）何をもって「儀礼的な役割（un rôle protocolaire）」とよぶかにもよるが、法律の承認と公布、大臣の任命と罷免といった役割はもちろんのこと、議会運営にたいするその政治的影響力に鑑みれば、少なくとも日本の天皇との比較においては、このように断言することは難しいと考えられる。

Q：日本は、儀礼や伝統を重んじることに極めて厳しいことで知られています。一線をこえてしまわなかったでしょうか?

A: 日本において、儀礼にとても厳密でいなければならないのは確かです。私自身も、1996年のアルベール二世の訪日にかかわりました。準備が極めて厳格なものであるということは言えます。どんなことも、半年前には予定が決まります。日本人の計画能力はまったくもって並外れていて、ぎりぎりになって不測の事態が生じても、かれらはそれに適応する見事な能力をもっています。たしかに、一部の日本国民は、閣僚が遅れて到着することを批判するかもしれません。しかし、それが重大な結果を招くとは思えません。もうデ・クレム氏が現地に到着したのですから、体面は完全に保たれています。

永田へのインタビュー同様、ここでも、ベルギー側の訪日体制を「問題」として指摘する記者と、そうしたトーンをおさえるインタビュイーという構図になっている。記者は「政治的な優柔不断さ（Les atermoiements politiques）」が「外交関係を損ねる（abîmer les relations diplomatiques）」ことを問題視するものの、ノートンはそれを否定する。

これにたいし、日本が「儀礼や伝統を重んじることに極めて厳しい（très soucieux du respect du protocole, des traditions）」ことを理由に、ベルギーの対応が「一線をこえ（franchi la ligne rouge）」た可能性をさらに問うが、ノートンは、日本人による「批判（des critiques）」が「重大な結果を招く（elles aillent très loin）」ことはなく、「体面は完全に保たれて（toute la face est sauvée）」いると答えながら、記者の指摘を否定している。

一方で、ノートンの回答では、日本が「儀礼にとても厳密（très précis vis-à-vis du protocole）」であることや、日本人の「計画能力（Le sens de l'organisation）」が「並外れて（extraordinaire）」いることが挙げられ、インタビューの前半部分と同じく、「儀礼を重んじる日本」と「敬意を欠くベルギー」とが対比的に語られている[52]。

したがって、このインタビュー記事では、「150周年」自体が論じられている訳ではないが、訪日プログラムをめぐる問題が指摘されるなかで、ベルギーからみた「日本」あるいは「日本人」イメージがあらわれていると言える。

5　まとめ

本論では、「150周年」を伝えるメディア報道を談話資料として、それがどのように語られたのかを分析することで、そこで何が話題となったのか、すなわち、自国にとってのベルギーあるいは日本がどのような存在であったのかを明らかにしようと試みた。

しかしながら、4.1で述べたように、報道自体が質量ともに少なかったことから、この目的を十分に達成できたとは言い難い。一方で、別の見方をすれば、「150周年」への関心が、少なくとも大手メディアのレヴェルではさほど高くなかったことが指摘できるだろう。このことについては、4.5で引用したインタビューのなかでの、記者と永田との次のやりとりからもうかがえる。

Q: ベルギー代表団のなかに政府の代表一名が不在であることは、日本側には配慮や敬意を欠いていると受け取られたのでしょうか?
A: 日本では、代表団に閣僚がいないことはまったく報道されていません。

Q: 日本の当局、皇室、政府は、このような大臣の不在を不快に感じたのでしょうか?
A: これは単にベルギー的な問題だと思います。

ここで永田は、外務大臣が不参加となったことは、日本では話題にすらなっておらず、ベルギー国内に限られた問題であることを指摘している。

他方で、4.3および4.4で述べたように、「150周年」をめぐって、日本とベルギーそれぞれのメディアの関心の傾向を把握することはできたと言える。ま

52) 談話分析を主軸とした本稿では、日白間外交の実態については省略したが、とくにプロトコルがどのように尊重されてきたのかにかんしても、あわせて分析する必要があるといえる。

ず、双方に共通する点としては、文化的側面に一定の紙面が割かれていたこと。次に、それぞれの特徴として、日本では経済的側面が、ベルギーでは王室・皇室の話題が、相手国との関係をあらわすものとして記述されていたことである。また、ベルギーのメディアにおいて、ある種の「日本（人）」イメージの表出を確認することができた。

したがって、両国の交流、すなわち双方向的な関心にかんするより詳細な分析は、文化関連の記事に焦点をあてることでなされるだろう。日白交流史の一端を明らかにすることを目的とした本研究を、両国間の関心が相対的には高まったであろう2016年を中心としつつ、「文化」をめぐる語りの分析をつうじて継続していきたい。

Belgique, le Cœur d'Europe

北原　和夫

ベルギー政府給費生として1971年10月から1974年6月までブリュッセル自由大学（ULB）に留学しました。1969年春に物理学科を卒業して大学院に進学し、学部生時代から関心を持っていた熱力学についての本格的な研究を始めたいと思って文献を調べていたら、ブリュッセル（ベルギー）、ユトレヒトとアムステルダム（オランダ）、アーヘン（西ドイツ）などの大学において先進的な研究が行われていることを知りました。（実は、現地に行って分かったことですが、私の研究分野である熱力学・統計力学については、オランダで定期的に研究会が開催されていて、講演は英語、そして近隣のベルギーや西ドイツからも参加者がありました。）

1971年初めに修士論文を書き終えたころに、ベルギー政府が給費生を募集しているということを知り、応募して6月にベルギー大使館での試験を受けました。フランス語による面接はボロボロでしたが、英語で留学の目的を熱く述べて何とか合格。10月初めに羽田から出発。当時欧州に行くのに最も短時間で安かったソ連航空のアエロフロート機のモスクワ経由パリ行きに片道切符で搭乗。パリからは鉄道でブリュッセルに行きました。

それからほぼ三年間をブリュッセルで過ごし、ULBの理学博士号を取得しました。所属した研究室自体が極めて国際的かつ学際的でした。主任のプリゴジン教授はロシア出身[1]で、関心が広く、「非平衡系」とか「不可逆過程」という考え方を、物質科学だけでなく、生物学、生態学、社会科学、哲学にまで広げようという野心的な研究室を組織していました。研究室には、ベルギー人の教授の他に、ルーマニア出身の教授、ギリシャ出身の教授もおられ、また米国、英国、フランス、オランダ、東欧のグルジア、ポーランドなどからの研究者や大学院生が滞在していました。そこで私自身いろいろな分野の人たちとの出会いを経験することができました。

最初の二年間は、大学の学生部の紹介でWoluwe-St. Lambert地区の一軒家の最上階の部屋に下宿をしました。この地区では、フランス語とオランダ語の二つの言語を日常的に耳にし、また目にしました。下宿した家はご主人と奥様はともにフランダース（オランダ語地区）の出身ですが、日常的にはフランス語を話しておられました。高校生の息子さんもフランス語を話していました。

下宿は朝食付きでしたので、毎朝奥様と台所でお話をすることでフランス語の勉強とベルギー事情の勉強になりました。またご主人の出身地であるNinoveの町のお祭りに同行させて頂いたこともありました。ブリュッセルとはまた違う文化と生活に触れることができました。この下宿生活によって、多様なベルギーの庶民の生活を知ることができましたことは感謝です。

三年目のときは、研究をまとめる時期でもありましたので、大学の近くのアルメニア人の家に間借りをしました。持ち主のおばさんは訪問客があると、私をも茶菓に呼んでくださり、いろいろな人々とお話をすることができました。ここでアルメニア人の苦難の歴史について知ることができました。さまざまな歴史を背負った民族の人たちが住んでいるブリュッセルの街のユニークさを思わされました。

1）北原和夫、『プリゴジンの考えてきたこと』（岩波科学ライブラリー67、岩波書店、1999年）

そんな経験から、1971年にベルギー大使館での試験のときに頂いたベルギーを紹介する小冊子の題名「Belgique, le Cœur d'Europe」が心に今も響いてくるのです。この題名は、内容からすると、欧州の地理的な中心、またEU本部がある政治的な中心、という意味で「欧州の中心」と題していると思われるのですが、三年間の滞在の経験から思うことは、むしろベルギーは「欧州の心」という意味でのle Cœur d'Europeを体現しているのではないだろうかということです。「欧州の心」とは、多様性を認めて受け入れることによって新たな創造を行う心意気とでも言えるのではないかと思うのです[2)]。

2016年の日白修好150周年を記念して開催された第一回シンポジウムのテーマは「文化・知の多層性と越境性へのまなざし」[3)]でした。この「文化・知の多層性と越境性」こそベルギーに体現されている「欧州の心」です。

1974年にULB留学から帰国してからのベルギーとの関わりについて一言触れたいと思います。帰国後、秋には米国のMITに研究員として赴任し二年間研究を続けてから帰国し、国内の大学で物理学の研究・教育を続け、その間、個人的にベルギーの研究者との研究連絡は続けていました。1989年に当時の駐日ベルギー大使であったノートン氏が過去のベルギー留学生を大使館に招いてくださったことがありました。それを機に東京外国語大学の斎藤恵彦先生の呼びかけで「ベルギー留学生の会」(愛称　Société de Frites)が生まれ、世代を超えた元留学生の交流の会となりました。2007年に「日本ベルギー学会」として学術交流の発展も視野に入れた集まりとなりました。そしてベルギー研究に関する研究団体と協働して2016年にシンポジウムを開催する運びとなったのでした[4)]。

---

2) 北原和夫、「欧州の心としてのベルギー」、『表面と真空』(日本表面真空学会誌) vol.61、No.1、pp.44-45, (2018) https://doi.org/10.1380/vss.61.44

3) https://www.jb150sympo.org/previous-symposia

4)『日本・ベルギー協会会報』88号 (2020年) p.20-22

ベルギー・日本間の50年にわたる文化交流

——アーツフランダース・ジャパン（旧フランダースセンター）の場合——

ベルナルド・カトリッセ
（鈴木義孝 訳）

変化する日本の文化シーンにおける50年間の文化交流

2022年3月31日、アーツフランダース・ジャパン（旧フランダースセンター）はその歴史を閉じた。フランダースと日本のあいだの文化シーンをはぐくみ、活力をあたえてきた、ほぼ半世紀にわたる活動に終止符が打たれたのだ。この期間のフランダースと日本の文化交流は、強さと自信を増し、世界へと羽ばたいていく日本の文化シーンと時を同じくした。以下では、フランダースとフランダースセンターが、変わりゆく日本の文化シーンの中で、自らをどのように位置づけ、それに上手く対処し、関係を築いてきたのかについて述べたいと思う。

西洋に目を向けて

日本のアートシーン、美術館やギャラリーの世界は、多くの点で西洋をモデルにしている。これは驚くべきことではないだろう。近代化を急速におこなっていた明治期（1868-1912）に、日本は社会的、経済的な構造だけでなく芸術の分野の構造においても、主として西洋から影響を受けてきたからだ。この国がハード面、そしてソフト面を発展させているあいだも、芸術における基準をあたえてくれる西洋の、および国際的な芸術運動に強い注目が向けつづけられてきた。このことは第2次世界大戦後の期間にもあてはまる。大部分の「非西洋」の国とは異なり、日本の芸術家たちは、ほぼ常に西洋の、および国際的な芸術運動に名を連ねてきた：アンフォルメル（具体美術協会）、フルクサス（オノ・ヨーコ）、コンセプチュアル・アート（河原温）、パフォーマンス・アート（草間彌生）、ポストモダニズム（村上隆）。

自信を増し、自国の伝統的芸術形式にインスピレーションを見出す日本

戦後の時代は、多くの主要な日本人アーティストにさらなる自信をもたらした。彼らは、長いあいだ日本人の中に培われていた西洋文化への劣等感を初めて拭い去ることができたのである。彼らは、西洋の、および国際的な芸術運動とのつながりを求め続けると同時に、その芸術運動に日本的な色をつけくわえた。中にはインスピレーションの源を日本の伝統的な芸術様式に見出した者もいた。

特に、日本経済が急発展をしていた1970年代から1980年代、日本人は、自国の伝統的な芸術様式と独自の表現方法や制度への新たな視点とともに、アーティストを見るようになった。1989年には、東京でP3 art and environmentが活動を開始した。この展示スペースでは、社会と環境に焦点をあてたアート作品の展示がおこなわれた。1990年には東京国立近代美術館で手塚治虫展が開催された。美術館が漫画家一人の単独の展示をおこなうのは、これが初めてのことだった。両イベントが示しているのは、芸術の分野が自信を得ていたことと日本における「芸術」の定義が徐々に進化しつつあったということである。

デジタルアートとコンピュータ・ゲームの分野でのリーダーとしての日本

日本で生じたもう一つの重要な進展は、メディア・アートが、テクノロジーの使用により、日本の企業と融合した、その方法だ。キヤノンはキヤノン・アートラボを立ち上げ、電気通信会社NTTはNTTインターコミュニケーションセンターを設立した。アートと先端技術、メディアを結びつけるというアイデアは、日本で生まれ、アートの世界だけではなく、産業界を含む社会の幅広い領域で熱狂的に受け入れられた。デジタル革命は、この傾向をさらに強化し、デジタルアートの分野だけでなく、コンピュータ・ゲームといった関連分野でも、日本が主要な地位を占めることを確かなものとしている。

大阪万博で弾みがついたベルギー／フランダースと日本の文化交流

ベルギー／フランダース・日本間のより深い文化交流への種がまかれたのは、大阪万博と呼ばれることが多い1970年万国博覧会の時であった。これは日本で初めて開催された国際博覧会だった。日本にとって最も重要だったのは、日本の国とその新しい成果をこの機会に世界に呈示するということだった。この国際的な文脈の中で、ベルギーと日本は出会い、交流を重ね、強い結びつきを、特に文化の領域で作り上げたのだった。この文化的つながりを正式なかたちにすることが、1975年にフランダースセンターのもととなる組織の設立につながることになる。

文化交流における優れた媒体：
フランダースセンターとアーツフランダース・ジャパン

フランダースセンター、改称後のアーツフランダース・ジャパンは、文化交流における優れた媒体であった。展覧会やコンサート、専門家によるセミナー、言語講座、公演などの文化交流の多くは、フランダースセンターの中で計画され、おこなわれたのだった。ベルギー／フランダースからの音楽家やアーティストの要望や希望に合わせたり、優先したりすることができる小規模なイベントは、彼らにとって、より大きな日本のマーケットへの進出の足掛かりとなり、真の永続的な協力を作り出した。ある者にとっては、このイベントが日本への初めての進出となった場合もあれば、別の者にとって、さらなる成功につながる場合もあった。そして、ほぼ確実に、すべての音楽家やアーティストにとって、これは大きな記念であり、日本のマーケットとの最初の出会いとなった。より名の知れたアーティストや、より大きなプロダクションは、さらに規模の大きな美術館やコンサートホールへの進出にいたった。

紹介から交流、相互関係、対話へ

1980年代から90年代の間、日本は、文化の世界で自国が持つ可能性と日本が占めるべき重要な位置への認識をさらに強めた。そして、日本は、来日するアーティストへの態度と日本での紹介方法を少しずつ変えていった。西洋の芸術的表現が優れていることを臆面もなく絶賛するということが、より少なくなっていく。それらの来日するアーティストに対応する際に、日本は、芸術作品の作成過程に関して相談を受け、積極的にかかわること、あるいは少なくとも相談を受けることに強い意欲を見せるようになった。それゆえ、フランダースにとっての関心の中心は、芸術の紹介から、交流、相互的関係、そして対話へと徐々に移っていくこととなった。

双方の態度とアプローチの進化が、より持続的な交流につながる

来日するアーティストに関しては、ここ数十年の間にいくつかの注目すべき変化が目に留まるであろう。総じて、日本文化と社会についての知識と関心が

劇的に増加したのである。ヨーロッパのアーティストは、以前よりも大きな関心をあらわしただけでなく、発表する新作に意図的に日本的な要素を組み入れたいと考えたのであった。この地域的な相互依存関係を追求することで、日本文化から単にインスピレーションを得る以上のことがよく起こる。多くの場合、フランダースと日本のアーティストが新しく、独自の物語を描き出すということが意図的に始められるのである。このようなフランダースと日本に見られる態度とアプローチの進化は、より良い関係を作り、協力したいという衝動に、よりいっそう駆り立てられたもので、ここ10年から15年の重要な傾向を示している。このようにして、アーティストは互いに、これまでにも増して深い関係と相互作用を生み出し、交流はより持続可能なものとなる。

かけはしとしての機能をより適切に果たすための仲介の仕組みへ焦点をあてて

フランダースのアーティストを日本に紹介し、日本と結びつけることにかかわる、広範で、複雑な過程において、上で述べた進展は私たちの団体の仲介的役割に影響をあたえている。これからの活動の焦点は、もう日本への紹介という一瞬ではなく、創造の過程全体に向けられることになる。私たちが、かけはしの機能をより適切に果たすために、個々のアーティストや団体というレベルにエネルギーを使うのではなく、仲介の仕組みへと焦点は移ったのだ。そのよい例が、TOKAS アーティスト・イン・レジデンス（AIR）事業の中に私たちがフランダースのアーティストのために作ったものである。TOKASのAIRは、日本で最大の、そしてもっとも充実したAIRで、東京都庁の一部門となっている。TOKASは長い実績を持ち、かつては主にトーキョーワンダーサイトとして知られていた。

このレジデンス事業に加わり、この事業をベルギーとフランダースに結びつける際に、私たちは互恵的で持続可能な交流を選択した。それは、フランダースのアーティストの東京滞在と日本人アーティストのブリュッセル滞在が交互におこなわれるということである。レジデンス事業は、この分野に限るわけではないが、主として現代の視覚芸術の分野においておこなわれている。標準的な滞在期間は3か月だが、ブリュッセルの現代アートセンター「ウィールズ(Wiels)」は、可能であれば6か月間の滞在を希望している。

私たちの団体を2016年に大阪から東京へ移すとき、活動方法を微調整し、次の原則にしたがって団体を作ることを選択した。それは、長期的で持続可能な関係と仕組みを優先するということと、相互関係と協力(共同制作)に焦点をあてるということ、そして、できる限り、ヨーロッパとの協同的な活動を選ぶということである。

長期間のかかわりと仕組みの発展

日本では、ビジネスだけでなく芸術の分野でも、長期的なものに焦点が向けられる。有益な人間関係やネットワークは、長期間の集中的なプロセスの結果として、もたらされるものである。それゆえ、私たちの団体の中心的な関心、大部分の時間、エネルギー、そしてリソースは、長期的な計画を持ち、持続的に日本で成功する可能性があるアーティストや団体に向けられることになる。そのため、優先されるのは、1回限りの単発のイベントや時折しか行われないイベントを避け、上記のようなアーティストや団体にとって有益な方法あるいは仕組み、もしくは方法と仕組みの両方を作り上げることとなる。

相互関係と協力(共同制作)に焦点をあてて

国際的なアートシーンにおいて、日本は経験豊かなプレーヤーである。ほぼ、どの専門分野でも日本人アーティストは最も高いレベルで競い合うことができる。フランダースはこのことを利用し、これらのアーティストとの協力関係、相互関係を目指すことが可能である。

協力してプロダクションを立ち上げるという考えは、日本人アーティストだけでなくフランダースのアーティストにとっても有益だ。すべてのプロジェクトに当てはまるというわけではないが、相互関係の構築を目指すこと、そして共同制作をおこなうことは、もっと考慮されるべきである。共同で制作をおこなうことも、日本のアーティストやパートナーと永続的な関係を作るために非常に適切な方法である。さらに多くの観衆を得ることや再度、来日することがおまけとしてついてくることもありうる。

ヨーロッパの国同士の協力

私たちの団体は、常にヨーロッパの国同士が力をあわせることを支持している。私たちのような小規模な存在にとって、同種の団体や、同じ考え方を持つ団体が集まったネットワークに加わることは、日本という大きく、重要なマーケットで認められるためには適切な方法だと考えられる。そうすることで私たちの団体は、本来持つ力以上のことをすることができるのである。

このことは、私たちの団体が、これら多くの共同プロジェクトを始めた理由でもあった。それは、関西地区でのアーティスト・イン・レジデンス事業であるArt-Exや大阪ヨーロッパ映画祭（OEFF）である。アーツフランダース・ジャパンは、のちにEUフィルムデーズ、ヨーロッパ文芸フェスティバル（ELF）、欧州留学フェア（EHEF）にも参加した。

力を合わせることも私たちの団体のDNAに深く根付いている。さらに、同質な文化に誇りを持つこの国で、ヨーロッパというのは、EU各国やその文化の素晴らしい特徴である「多様性」を表現するための最高の方法である。ディベートやシンポジウム、そのほかの意見交換の場に他のヨーロッパの組織とともに加わることは、それ自体がすでに、私たちのアイデンティティや個性の表明となる。また、そうすることは多様性や、さまざまな文化と意見が存在することも意味する。このことが、私たちが支持したいことであり、表明したいことなのだ。さらに、そのことはスケールメリット（規模の経済）、そして実質的であると同時に現実的な利益をもたらしてくれる。それは、専門的知識の共有と協同の促進、ベンチマーキングの可能性である。

第 2 部

交流と文化

第 6 章

アメリー・ノトンと日本

岩本　和子

はじめに

現代の代表的なベルギー・フランス語作家を挙げるとすれば、まずはジャン＝フィリップ・トゥーサン（Jean-Philippe Toussaint, 1957-）とアメリー・ノトン[1)]（Amélie Nothomb, 1966-）の2人になるだろう。しかし前者が近年の数冊を除き野崎歓氏によるほぼ全作品の邦訳出版によって一定の読者層を獲得したのに対し、後者は数冊の小説が複数の訳者により翻訳されたのみで[2)]、日本では知名度が低いままである。作家が日本の大企業で一年間働いた実体験にもとづく小説『畏れ慄いて』（1999年出版）は、ベルギーやフランスだけでなく広く欧米でベストセラーとなり、アカデミー・フランセーズ文学賞を受賞、また映画化（2003年）も大評判となったが、翌2000年に出た邦訳の反響は少なかったようで、やがて絶版となった。モデルと見做された企業人たちからの反発や、辛辣な文体への抵抗なども一因であろう。その後ノトンの小説、特に自伝的テク

1）Nothombの実際の発音は作家本人の言明もあり、「ノトンブ」のようだが、本稿ではフランスやベルギーのメディアで慣例となっている「ノトン」を使用する。

2）『殺人者の健康法』（柴田都志子訳、文藝春秋、1996年）『午後四時の男』（柴田都志子訳、文藝春秋、1998年）『畏れ慄いて』（藤田真利子訳、作品社、2000年）『幽閉』（傳田温訳、中央公論新社、2004年）『愛執』（傳田温訳、中央公論新社、2005年）、『チューブな形而上学』（横田るみ子訳、作品社、2011年）

ストは出版社や編集者たちの躊躇もあるのか翻訳は進んでこなかった。

本章はアメリー・ノトンと日本との関係や、彼女の日本人／ベルギー人アイデンティティについて考察し紹介するものである。この作家の日本での受容を促す一端も担えればと考えている。

アメリー・ノトンは本名ファビエンヌ・クレール・ノトン（Fabienne Claire Nothomb）で、1966年7月9日にブリュッセルのコミューンであるエテルベークEtterbeekで生まれた。ただしネットや出版物の多くが1967年8月13日に日本の神戸で生まれたと紹介し、本名への言及も全くない。この紹介は主に自伝的小説内での記述に基づいていると思われることから、作家の創作活動や作品の意味を考える上でも重要な意味を持つであろう。本章では作家と語り手・登場人物のアイデンティティやフィクション性の問題について扱うことになる。代々政治家や作家を輩出してきた名門貴族の家系の出で、父のパトリック・ノトンPatrick Nothombは妻と子供3人（アメリー、5歳年上の兄、3歳年上の姉）と共に総領事として大阪に赴任し（1968-1972）、その後中国（1972-1974）、ニューヨーク（1974-1977）での外交官を経てバングラデシュ・ビルマ大使（1978-1980）、アジア外務局長（1980-1985）、タイ・ラオス大使（1985-1988）、そして駐日ベルギー大使（1988-1997）、その後はイタリア、サン・マルタン、マルタ、アルバニアでの大使（1998-2001）を務めた。アメリーも父と共に各地で暮らして育つが、17歳の時にベルギーに戻り、ブリュッセル自由大学（ULB）に在籍してロマンス語文献学（フランス文学）の学位を取得した後、1989年に再来日し、1991年初頭までの2年間を東京で暮らす。そのうち後半1年間を「大企業」で働き、すでに書き始めていた小説で生きていく決心をする。そしてベルギーに戻って執筆に専念、1992年に処女小説『殺人者の健康法』を出版、文学賞を受賞して一躍有名になる。以来、正確に毎年1冊ずつ8月に長編小説を出版し9月には「今年度の新学期ベストセラー小説」として話題を呼び続けている。2022年8月には31冊目の『姉妹の本*Le Livre des soeurs*』を刊行している。また、彼女の小説に基づく戯曲、オペラ、映画などへのアダプテーションも数多い。2015年にはベルギー王立フランス語フランス文学アカデミー会員に就任している。

小説はオリジナルの創作をはじめ、主にヨーロッパの伝説やおとぎ話、また聖書を下敷きにしたもの、幻想的、サスペンス的なものあり、語りの形式は3人称、2人称、1人称（「私」の人物像は様々に設定される）と多様である。文体は概ね簡潔だが豊かな語彙で多彩なイメージを喚起させ、また辛辣な風刺や皮肉が込められることが多い。そのうち、1人称の語り手が「アメリー」と名乗り周囲の人々も時に実名で登場する、明らかに自伝的と思われる作品は、いずれも日本が舞台になっている。メディアへの露出も多い作家自身、インタビューなどで「日本人」としての自己意識や日本への愛を語ってはばからない。

アメリー・ノトンと日本との関係は実際、かなり特殊である。多くのフランス（及びベルギー）の芸術家たちが一度でも日本を訪れるとその魅力に取りつかれ、風景、文化、また表意文字などにインスピレーションを得て自らの作品に取り込んできた。バルト、ビュトール、ペレック、キニャール……、トゥーサン然り。しかし彼らが眼差しを向けるのは外から見た日本、異国情緒あふれる「他者」としての日本である。アメリー・ノトンは物心ついた人生の始まりから幼年時代にかけて、すでに「日本」の中にいた。日本とはエキゾチックなものではなく、彼女の中にあった。しかしまた、5歳から日本を離れ、大人になって再来日するまでは、「日本」を外から客体化する視点も持ち得たのである。では「ベルギー人」としての意識はどうだったのだろうか。例えばベルギー人作家ド・デッケルはこう答えている。「ノトンはかなり強烈なベルギー的現象である。その想像の世界にはバロック性、奇抜さ、幻想性、つまりベルギーのシュルレアリストたちの影響が刻み込まれているからだ」。彼はさらに、ベルギーのフランス語圏はフランス革命も啓蒙の世紀も経験しなかったことを忘れるべきではないとし、それゆえにこの国は「ずっと君主制であり哲学的伝統を持たなかった。それがノトンに見られる二つの側面だ」[3]と考える。

3）Michel Zumir, *Amélie Nothomb de A à Z —Portrait d'un monstre littéraire*—, Le Grand Miroir, 2003, p.43（« Pensez-vous qu'elle possède des caractéristiques typiquement belges ? »という質問に対するJacques De Deckerの返答）

以下、第1節では1人称の「アメリー」が語る自伝的作品を通して、語り手の、そして作家の「日本」との関係を探っていく。特に全作品中でも代表作と言える『畏れ慄いて』を主に取り上げ、同時期の同じ東京を舞台とした『見知らぬどうし（仮題、未訳）*Ni d'Ève ni d'Adam*』をそれと比較させることで、前者の閉鎖性や負のイメージに注目して、「アメリー」にとっての「日本」の意味を考えていきたい。第2節では、自伝的作品を通して「日本性」と「ベルギー性」の表象を確認し、さらにそれらを統合するかのような「第3の場」について、主に2012年出版の『懐かしい——幸せなノスタルジー *La Nostalgie heureuse*』を手掛かりに論じてみたい。

1　自伝的小説／オートフィクション roman autobiographique / autofiction

1.1　アメリー・ノトンの自伝的小説

まず、アメリー・ノトンの自伝的テクストについて確認しておく。全31作品中、6作品と数は多くないが、作家にとって重要な位置を占め、また前述のようにいずれも「日本」が関係している。すべてパリのアルバン・ミシェル Albin Michel 社出版である。以下は出版年順のリストで、タイトルの訳は、邦訳のあるものはそれを、未訳のものは仮の拙訳を記しておく。

①　1993　*Le Sabotage amoureux*　未訳『愛のサボタージュ』
②　1999　*Stupeur et tremblements*　『畏れ慄いて』
③　2000　*Métaphysique des tubes*　『チューブな形而上学』
④　2004　*Biographie de la faim*　未訳『空腹の伝記』
⑤　2006　*Ni d'Ève ni d'Adam*　未訳『見知らぬどうし（イヴからでもアダムからでもなく）』
⑥　2013　*La Nostalgie heureuse*　未訳『懐かしい——幸せなノスタルジー』

ただし、①については5〜7歳に過ごした北京が舞台なのだが、それまでに住んでいた日本との対比がしばしば語られる。当時の中国は毛沢東政権下にあり、外国人外交官とその家族は三里屯Samliton地区内の団地、いわばゲットーに閉じ込められて生活していた。「アメリー」にとっては日本が「美の国」だったとすれば中国は「醜の国」、北京は醜悪な「扇風機の都市Cité des Vantilateurs」

であった。

各作品の舞台となった時期で分類すると、幼年時代が③（テクスト内では関西での0〜3歳）と①（中国での5〜7歳）、④が日本での幼年時代からアジア各地、アメリカ、ベルギーを経て再び日本に来るまで（〜1989年初め）、②と⑤が2年間の東京生活（1989年1月〜1991年初頭）、そして⑥は2012年3月、フランスのテレビ局〈フランス5〉が東日本大震災の跡を巡るドキュメンタリー番組を企画し、そのナヴィゲーターとして来日した出来事を語る。ここでは関西で子供時代の家政婦と、東京ではかつて同棲していた日本人学生「リンリ」と再会し、過去の記憶を辿り直すことになる。

注目すべきは、実名の人々が登場し、おそらく実際のエピソードを語りつつ、表紙には「小説roman」と明記されていることである。④にだけは何も書かれてないが、それについては作家自身の言及がある。「これは初めて自伝契約［pacte autobiographique: フィリップ・ルジュンヌが提唱した〈自伝〉の条件（筆者注）］が100%に達したものです」。ではこのテクストだけが自伝的性質が特に強いというのだろうか？　作家のこの言葉を紹介したジャン＝ミシェル・ルーによれば、「彼女はいつでも自分の《日本の》小説で語られている出来事は実際にあったことだと断言した。いちどは《証拠》さえ見せた。」フランスのベルナール・ピヴォの番組で、鯉の池に落ちた時の傷［『チューブな形而上学』内に言及あり（筆者注）］を見せたというのである[4]。テクスト内で語られたエピソードの信憑性は、様々なインタビューで作家の家族によってもしばしば確証されている。しかし、と一方でルーは続ける。「すべてが作り話かもしれない。インタビューでも嘘をついているのでは？　家族も含めて（まさか……）[5]」と。それが「まさか」ではないかもしれない。作家本人が適当に話したことが独り歩きし「事実」となってしまったこともあるらしい（これについては改めて後述しよう）。少なくとも我々はルーに倣って、テクストの主人公（1人称の語り

4）Jean-Michel Lou, *Le Japon d'Amélie Nothomb*, L'Harmattan, 2011, pp.15-16.

5）*Ibid.*, p.16.

手）を「アメリー」と呼び、作家についてはノトンもしくはアメリー・ノトンと名指すことで区別しておくことにしよう。

5編の「自伝的小説」及び1編の「自伝」において、1人称の語り手は基本的にすべて主人公自身の「アメリー」である。ただし③では冒頭部は3人称で語られる。自我の意識がなくただ「管」として植物人間のように横たわっていた2歳半までは、赤ん坊の「アメリー」は3人称の《il》《lui》で示される。「彼」ではなく中性的ないし無機物的なものとして「そいつ」と訳しておこう。「語り手＝アメリー」は「現在」、おそらく2000年時点での「私」である。ベルギーから様子を見に来た祖母がホワイトチョコレートをくれ、それを口にし突然「自我」の意識を得た瞬間、その自我が自分に向ってまず「おまえtu」と呼びかけ、すぐに「私moi」と一体化する。ここから1人称主語「私je」の語りに取って代わられる。その部分を引用しよう。

> 快感がそいつluiの頭に昇ってきて、そいつluiの脳を引き裂き、そいつilがそれまで聞いたことのなかった声を響かせた。
>
> 「私だ！　私が生きている！　私が話している！　私は《そいつはil》でも《そいつにlui》でもない、私は私だ！　おまえはもう自分のことを話すのに《そいつ》と言わなくていい、《私》と言えばいい。私がおまえのいちばん親しい友なんだ。私がおまえに喜びを与えるのだ。
>
> そのとき私は生まれた。2歳半で、1970年2月に、関西の山々の中、夙川の村で、父方の祖母の目の前で、ホワイトチョコレートのおかげで。[6]

しかしこの後も語っているのは2歳半の「私」ではなく形而上学的思索を巡らす大人の「私」である。つまり他者としての自己認識、語る自己と語られる

6） Amélie Nothomb, *Métaphysique des tubes*, Albin Michel, 2000. 引用は現在手に入りやすい次の版を使用した。*Métaphysique des tubes*, Éd.Magnard, 2010, p.30.（以下MTと略し本文中にページ数を記す。引用の訳文はすべて拙訳であるが、既訳のあるものは参考にさせていただいた。）

（物語内では焦点化される）自己との明確な分離がこの瞬間に起こったのである。

5編の「小説」、あるいは6編の自伝的テクストにおいて、同一と思われる人物の過去の出来事が互いに引用され、基本的に結びつき合っている。読者はそれらを関連づけて確認することでそれを事実だと見做し、アメリー・ノトンがいた「日本」という一つの世界を受け入れることになる。しかしこの「間テクスト性」によって構築された世界全体が大きなフィクションである可能性も前述のように否定できない。テクスト内に多くの矛盾や非現実的な要素も多々あり、そもそも出生地や生年など作家のプロフィール自体が曖昧である。従ってこれらのテクストは「自伝的小説」というよりも「オートフィクション autofiction」の性質を持つものではないか。ノトンの研究者たちもそう分類する傾向にある。オートフィクションはセルジュ・ドゥブロフスキーが1977年に提唱し一般化した用語とされるが、それを踏まえたジャック・ラカルムの定義を引用しておく。「語の厳密な意味でのオートフィクションにおいて、物語 récitが記す諸事実は現実であるが、語りの技術と物語はフィクションに着想を得ている。」[7]

一見疑いない過去の実際の出来事、つまり複数の「自伝的」テクストが互いに証明し合っている事実を語る「アメリー」を、作家アメリー・ノトンに重ねることができるとしても、その作家自体が実は毎年1冊のテクストを出版し続ける「作家」と称する、（ファビエンヌ・ノトンによる）創造物だとしたらどうだろうか。前提となる「作家の人生」がすでにフィクションなのである。作家は自身の像も自由に創り出すことができるのである。

編集者もこの「罠」に掛かっているか、あるいは意図的に加担しているのではないか。出版社は著書の表紙に毎回アメリー・ノトン自身の写真を使うが、それらはよくあるような単なる作家の近影ではない。各テクスト内の主人公を

7）Jacques Lacarme, « L'autofiction: un mauvais genre ? », in *Autofictions & Cie*, Colloque de Nanterre, 1992, dir. Serge Doubrovsky, Jacques Lacarme et Philippe Lejeune, RITM, n°6.

模しており、「オートフィクション」においては特にそれが露骨である。『畏れ慄いて』では茫然とした顔、『チューブな形而上学』では2歳ころの写真、『見知らぬどうし』では日本刀を持ち凛とした姿、『懐かしい』では昔の日本髪風の髪型で砂利を敷いた日本風の庭に立っている。作家は「小説」の主人公／語り手と一体化し、物語世界の存在として表象されているのである。

テクスト内の「アメリー」と一体化した、意図的に創られた作家像。それは自己中心的であったり、育ちの悪い子供の典型であったりする。それも礼儀を重んじる日本では敬遠された一因ではないか。テクスト内で語られたことは決して事実そのままではないと読み解く言説にも注意したい。例えば『畏れ慄いて』は「日本」についての本ではなく、一個人の特殊な経験を描いたもので、それは日本でなくともどこでも起こりうる「物語」なのだ、と[8]。

1.2 『畏れ慄いて』と『見知らぬどうし』 ――閉じた世界と開いた世界

日本での受容状況が芳しくなかった『畏れ慄いて』だが、欧米では多くの読者を獲得し、批評や研究の対象となってきた。それらも参考にしつつ、テクストの特徴を見ていきたい。それは「物語時間」が重なる『見知らぬどうし』とは表裏一体をなし、いわば影と光、閉じた空間と開かれた空間という対比を成していること、従ってこれら2作品は合わせて読むべきだと述べることにもなろう。

『畏れ慄いて』の冒頭は、日本の「カイシャ」の特異な上下関係や縦社会構造を瞬時に象徴させる見事な導入部となっている。

> ハネダ氏はオーモチ氏の上司で、オーモチ氏はサイトー氏の上司で、サイトー氏はモリさんの上司で、モリさんは私の上司だった。そして私は、誰の上司でもなかった。
>
> 別の言い方もできるだろう。私はモリさんの命令下にあり、モリさんはサ

8) Jean-Michel Lou, *op.cit.*, p.64.

イトー氏の命令下にあり、と続く。命令は下に向っては階級を跳び越すこともできた。[9]

顧客へのゴルフ招待の英文手紙、お茶くみ、大量のコピー、カレンダーめくりなどの単純作業の日々が綴られ、語学能力やヨーロッパ人としての資質を生かす機会はない。やがてトイレ掃除役となった時のエピソードは印象的な箇所の一つである。

(…) 振り向くや、副社長 [オーモチ氏] の巨体が私に襲いかかった。

驚愕のマイクロ秒 (どうしよう! 男だ――このでかい脂肪の塊が男であるなら――女子トイレに!) 次に永遠のパニック。[それから男子トイレに引きずって行かれる] 彼は個室のドアを開けると、私を便器に放り出した。(…) 彼は怒りの極致で3つの音を叫び続けていた。突然、閃いた。私はその訳の分からない音を判別した。

「ノー・ペーパー! ノー・ペーパー!」

つまり、日本式英語で「紙がない! 紙がない!」

副社長はつまり、ここに紙がないことを私に知らせるためにこんな上品なやり方を選んだのだ。(ST pp.115-116) ([ ] は筆者注)

このあと副社長はお礼も言わずに個室に落ち着くというものである。

一連のエピソードを通して描かれるのは、幼年時代を過ごした「美しい国」へ日本人という自己意識と共に帰還したアメリーが、その日本社会で徹底的に「他者化」される現実である。アメリーは次第にそれを理解し、自らをモノ=廃棄物 (トイレのイメージにつなげれば排泄物) と認識し、そうすることで「日本」をもう一方の「他者」として客観化する。この因果関係を作家は皮肉を

---

9) Amélie Nothomb, *Stupeur et tremblements*, Albin Michel, 1999. 引用は次の版を使用した。*Stupeur et tremblement*, Éd.Magnard, 2007, p.9. (以下STと略し、本文中にページ数を記す)

込めて描くのである。M.ダヴィッドはそれを軍隊で「陣地を保持するtenir une position」ようなもので、軍隊式の日本の「カイシャ」を脱構築し、最後には上司が滑稽になり貶められる様子を「エレガントな皮肉」で語っているのだという[10)]。他者による自らの対象=事物化、それはもはや身体も言語も持たず、人間性を失うこと、時間や象徴という概念も失うことである。アメリーは企業勤めを1年できっぱりとやめて「ヨーロッパに戻った」(ST p.141) のである。

さて、『畏れ慄いて』の物語世界の大きな特徴はそれが閉じた空間だということだ。語られるのは「ユミモト」という大企業商社内部でのアメリーの行動及びアメリーの視点による描写と思考のみで、登場人物はユミモトの社員に限定される。これは演劇、とりわけフランスの古典主義演劇の形式と重なるというルーの指摘[11)]に我々も沿っていきたい。『畏れ慄いて』はいわば舞台上で演じられる一種の悲喜劇で、観客=読者はそれを外から眺めていればいいのだ。冒頭部は登場人物紹介の機能も果たしている。アダプテーション映画[12)]はそのことを意識しているようだ。オーモチ氏、サイトー氏、モリさんが一人ずつ順にカメラに向かってお辞儀をし、ナレーションが彼らの上下関係を解説する。とりわけ古典悲劇形式に則っていると考えられるのは、トイレの場面でも見られた誇張された悲劇的な (滑稽ではあるが) 表現、さらに三単一の法則trois unitésも取り込まれていることだ。

閉じた空間と言ったが、場所は東京のユミモトの建物内のみ (大部屋やコピー室、トイレなどのわずかな移動はあるがほぼ最上階の平面上である)。筋については、アメリーが契約による仕事を全うしようと奮闘する話と規定できよう。そこにはモリフブキへの愛、すなわち「日本」への愛も絡むが、仕事の中でモリは敵になり、愛は挫折するという悲劇に至るのである。モリ自身、1980

---

10) Michel David, *Amélie Nothomb: Le symptôme graphomane*, < L'œuvre et la psyché >, L'Harmattan, 2006, p.140.

11) Jean-Michel Lou, *op.cit.,* pp.27-28.

12) « Stupeur et Tremblements », un film de Alain Corneau, d'après le roman de Amélie Nothomb, 2002.

年代の日本社会における女性差別や抑圧と戦い続ける悲劇を担っている。時の一致については最大24時間という古典悲劇の規則からは逸脱し1年間となるが、1990年1月8日から1991年1月7日までという期間には一単位としての時間枠の設定を感じる。最後にアメリーがユミモトを去る場面も演劇的である。「私はユミモトの建物を出て行った。二度とそこに私の姿は見られなかった。」（ST p.141 ）まるで舞台上からアメリーが退場し楽屋に引っ込んだかのようだ。そして「数日後にヨーロッパに戻った」その後についても数行ほどの記述があるが、これはエピローグ、すなわち主役アメリーが再び舞台に出てきて観客に口上を述べているかのようである。「1991年1月14日、私は『殺人者の健康法』というタイトルの原稿を書き始めた。1月15日はアメリカのイラクに対する最後通牒の日だった。1月17日、戦争が始まった。(…) 1993年、東京からの手紙［モリフブキから］を受け取った (…)」

この閉じられた演劇空間において、ほぼ唯一の外への視線、つまり外界とのつながりを象徴するものとして「窓」がある。窓はノトンの他作品でも、また多くの作家にもよく使われるイメージではあろう。『畏れ慄いて』においてはユミモト最上階の廊下の突き当りの同じ窓に、冒頭と最終部、つまり勤務初日と最終日にアメリーが近づいて行く。他にも数回この窓への言及がある。

> ［冒頭］1990年1月8日、エレベーターがわたしをユミモト商事の最上階に吐き出した。窓がホールの端にあり、飛行機の丸窓が壊れればかくもあらんとばかりに私を吸い寄せた。遠く、遥か遠くに街があった。あまりに遠くて、私がそこにいたことがあるとは信じられなかった。(ST p.9)

ユミモトの窓は外へ導く道であり、高さの象徴でもある。次の例も見ておこう。「突然、私は解き放たれた。立ち上がった。私は自由だった。それまでこれほど自由だったことはなかった。ガラス窓まで歩いた。煌々と輝く街は私の遥か下にあった。私は世界を支配していた。私は神だった。この肉体を窓から突き落とし離脱してやろう」(ST p.65) ここでは窓とは、この肉体やこの現実世界から、自由に向かって「私」を離脱させてくれるものとなる。「バベルの塔の上から私は上野公園の方を見る。雪に覆われた木々が見える。満開の桜だ——そう、復活祭の時期のはずだ」(ST p.67) このように、窓の外には美しい自然があるのだ。

最終部にはこう書かれる。

> 本能的に私は窓の方へ歩いた。額をガラスに押し付け、これを惜しむことになるのだろうと悟った。44階の高さから街を見下ろすなど誰にでもできることではないのだ。
>
> 窓は、醜悪な光と美しい闇、オフィスの数々の部屋と無限、衛生的なものと洗い得ないもの、トイレの水洗装置と空、これらの間の境界だった。窓が存在する限り、地上のどんな下層の人間でも自由の恩恵にあずかっているのだ。
>
> 最後に、私は空に身を投げた。私の身体が落ちていくのを見た。(ST pp.140-141)

ノトンにとっての窓は高みにあり、そこから象徴的に身を投げることは「今の自分」の自殺であり逃走である以上に、「自由」、夢、別世界への飛翔のきっかけとなるのだ。

『畏れ慄いて』の物語世界の閉鎖性を見てきたが、次に『見知らぬどうし』の「開かれた空間」に注意を向けて行きたい。再来日した同時期の「アメリー」の物語ではあるが、正確には『畏れ慄いて』での1年間の直前、1989年1月から1990年1月(ユミモト入社)の1年が中心となる。ブリュッセル自由大学文献学の学位を手にして日本に「帰還」し、フランス語の個人レッスンの生徒となった大学生のリンリとやがて恋人として付き合うことになる。それから「婚約」とその破綻に至る物語である。所々で記される日付や個々のエピソードの多くは実際にあったと思わせるものだが、脚色や組み換え、語り手の主観などと共にテクスト全体はオートフィクションとしての「小説」であることは改めて確認しておきたい。

まず、ここでも頻出する「窓」に注目し、数例を挙げてみよう。

1989年1月30日。大人になって日本に来てから10日目。私の帰還と呼んでいるこのときから、毎朝カーテンを開けると完璧な青い空を見出していた。何年もの間、ベルギーのカーテンを開けては、ドンと重い灰色を目にしていたのだから、東京の冬に興奮せずにいられようか？[13)]

［ベルギー大使館勤めの友人クリスティーヌのマンションに、留守を預かって1か月間、リンリも呼んで暮らしている時］(…) 建物は三島が儀式的自殺を遂げた市ヶ谷駐屯地の眼と鼻の先にあった。途轍もなく重要な場所に住んでいるのだという気がしていた。(EA pp.53-54)

(…) 半リットルの濃すぎるお茶を淹れ、窓から市ヶ谷駐屯地を眺めながら飲み込んだ。(…) ときどき書く手を止めては、ガラス窓越しに東京を見つめた。〈この地の男と関係を持ったんだ〉と考えながら。(EA pp.62-63)

性交でも何においても、設備はとても大事だ。窓から市ヶ谷駐屯地を眺めながら、三島は好きかとリンリに聞いた。(EA p.71)

ここでの窓はアメリーにとっての日常の身近なもので、明るい青空を目の前に差し出してくれるものだ。また友人のマンションの窓が何度も描かれるが、それはユミモトの44階よりはずっと地上に近いし、アメリーの好きな作家の一人に結び付けてくれるものだ。外の世界は決して別世界ではなく、親しみのある東京である。リンリとの関係も窓の風景と呼応しているとわかる。

このテクストが「開かれた世界」を描いていることは、アメリーが多くの場所を訪れてそこで無謀な行動を行うことからも示されるだろう。リンリの車でいつも行先は告げられないままに、白金公園へ、鎌倉へ、箱根へとふらりと行

13) Amélie Nothomb, *Ni d'Ève ni d'Adam*, Albin Michel, 2006, p.16.（以下EAと略し本文中にページ数を記す）

く。またお好み焼きソースを買いに広島へ、姉のジュリエットが旅行で来日したときには二人で懐かしい関西の「夙川の村」へ行く。富士山には、リンリを置き去りにしてツァラトストラと一体化したアメリーが猛スピードで上って降りる。一人で雲取山に登った時は遭難しかけるという「冒険」も成し遂げる。さらにリンリとは佐渡島にも旅行する。各地で日本の美しい景色に触れ、その描写と共に自らのアイデンティティやリンリとの関係を模索することにもなるが、それについては次節で扱うことにしよう。

2年目の1年間が『畏れ慄いて』で描かれるユミモトの閉じた世界になるのだが、その1年間も実は「外」の、リンリもいる日常生活が続いていたことが明らかになる。

> 1990年1月初め、日本の七大企業の一つに私は入社した。ビジネスを口実に日本での実権を独占している会社だった。どこにでもいるサラリーマン同様、40年くらいそこで働こうと考えていた。(…) 毎晩私はリンリと会ってその日のことを話していた。(…) 私は二重生活を送っていた。日中は奴隷、夜は婚約者。(…) リンリのところには、22時より前には行けなかった。しかもすでにそのころ、私は執筆のために朝4時に起きていた。(EA pp.160-161)

このように『畏れ慄いて』と並行して、『見知らぬどうし』で描かれる「外の日常」が続いていたこと、さらには執筆活動もすでに始まっていたことがわかるのである。

2　日本とベルギーの狭間で

1節では主に2作品の比較を例として、アメリー・ノトンの自伝的小説はオートフィクションとしての別の世界を描きつつ、諸テクスト間で互いに関連し合っていることが示せたのではないかと思う。2節では、自伝的小説の語り手を通して日本とベルギーがどのように描かれているか、互いに向けるまなざしがどのようなものか、さらには作家自身の認識についても確認していきたい。

2.1 「日本」らしさとは?

アメリー・ノトンは、テレビや雑誌などのインタビューで、しばしば日本への愛を語っている。そして日本が自分の人生の始まりだったために、ベルギー人としてよりも、日本人としてのアイデンティティが最も強いと言う。彼女にとっての「日本」あるいは「日本性」をテクスト内に探りたいが、その際には作家とは別の主体としての主人公アメリーと語り手アメリーにおける意識の多層性も念頭に置く必要があるだろう。

子供時代、特に0〜3歳が舞台となる『チューブな形而上学』は、前述のように2歳半で自我に目覚めるまでは3人称だが、1人称に移っても、登場人物のアメリーが見たことや感じたことは執筆時2000年の語り手=私の意識を介したものである。家政婦のニシオさんの優しさや慎ましさ、夙川近辺の山々、鳥取での日本海の美しさ、父の演じた能、「管」を想起させるので珍しく嫌悪の対象となる口を開けた鯉たち。これらは語り手の記憶による選択や印象、解釈である。次はそれがよくわかる一例である。

> そのあたりはまさに日本の街並で、静かで美しく、日本瓦を載せた壁に縁取られ、銀杏の木が庭から突き出していた。遠くでは路地が曲がりくねった山道へと変わり、《緑の小湖》に向かっていた。それは私の世界だった。生涯でただ一度この場所で、私はすっかりくつろいでいた。私は父の手を摑もうと、腕を空に向けて上げていた。私をはじめ、すべてがふさわしい場所にあった。とその時、私の手が空っぽなのに気づいた。(MT pp.91-92)

関西地方を襲った洪水のあとで父と夙川の近所を歩いていて、この直後に父が側溝に落ちて出られなくなるという事件が起こるのだが(側溝の存在自体がきわめて日本的な風景でもあろう)、上記の描写は明らかに、言語や思考の洗練された大人の語り手のものでしかない。

各地を旅する『見知らぬどうし』では、日本の、とりわけ自然の美しさを讃える描写が多い。富士山頂に辿り着いたときの風景、そして日本人の日の出に対する崇敬の特異性が、次のように描かれている。

頂上では月が出現していた。それは噴火口の深淵を取り囲む石の巨大な円だ。円に沿って歩かなければバランスを保つことができない。振り返ると、青い空の下に日本の平野が見渡す限り拡がっていた。(EA p.120)

突然、地平線に赤い断片が現れた。無言の群衆に戦慄が走った。次に、威厳は失われないくらいの速さで円盤全体が虚無から抜け出し、平原の上にそそり立った。

そのとき、いつ思い出しても衝撃的な驚くべき現象が起こった。そこに集まった、私も含めた何人かの胸から、大きなどよめきが上がったのだ。

「万歳!」

この叫びは一つの節辞法[ある大事な事柄を簡潔に表現する]だった。この光景によって掻き立てられる日本人の不変の感情を表すには、一万年でも足りなかっただろう。(EA p.125)

1989年8月11日のこの出来事を語っているのは、下線[筆者]からもわかるようにのちの執筆時(2006年)のアメリーである。語り手も、自らがこの永遠の感情を理解し得る「日本人」と一体化していると感じているのだ。

『畏れ慄いて』のタイトルにも注目しておきたい。アメリー・ノトンの小説のタイトルは多義的で暗示的な意味を持つことが多いが、自身がインタビューでこう答えている。「1945年以前の日本では、天皇陛下に話すときは日本人はみんな畏れと慄きをもって行う作法がありました。敬意を示すこの文化的習慣が企業文化に残ったのです。」[14] 同様の説明が『畏れ慄いて』のテクスト内にもあるが、ここではかつての侍の態度として称賛されている。「日本のかつての作法では、〈畏れと慄き〉を持って天皇陛下に話しかける決まりだった。私はいつも、侍映画の俳優たちの演技とぴったり一致するこの様式が大好きだ

14) Jean-Michel Lou, *op.cit.*, p.71.

った。彼らは主人に話しかけるとき、超人的な崇敬で声を震わせるのだ。」（ST p.172）

プルースト的な〈匂い〉による日本での〈幼年時代の記憶〉の想起も描かれるが、これは「お好み焼き」というかにも日本的なものを通してである。

> （…）クレープ用生地が用意され、それからオコノミヤキが焼けるのをじっと見た。キャベツと小エビとショウガが一緒になってじゅうじゅう焼ける匂いは、私を16年前に引き戻した。そのころ、優しい家政婦のニシオさんがこの同じご馳走を作ってくれていたのだ。それ以来、また食べる機会は二度となかった。（EA pp.27）

しかし、日本の美を語りつつその背後にはときおり「ヨーロッパ人」としてのアメリーも顔を見せることがある。

> ［佐渡島で］陸地の内部は海辺よりもっと限りなく美しく驚異的だとわかった。目玉は雪に覆われた柿の巨大な果樹園だった。自然の創り出す妙で、柿の木々は、どの果樹もそうであるように冬には葉を落とすが、果実は絶対に失わない。熟しきった時期を過ぎてもだ。極端な場合には生きている木々が朽ちた実をつけていることもあり、十字架からの降架を連想させる。（EA p.202）

それでは、1990年には日本で執筆を始めていたという作家自身のエクリチュールにおいて、日本的なものが見出せるだろうか。これについてはルーが能の「切れ」という概念と文体とを結びつけ、かなり断定的に論じている。簡潔さが問題となるのだが、俳句の形式などを意識しているようである。自然を崇拝するのは神道の伝統によるもので古代からの連続性を持つが、自然を「切り取る」、すなわち「切れ」は仏教の影響下にあり、それが俳句の文体と関係する。この二重性を持ち合わせているのもまた日本人の特性であり、ノトンには日本人の自然への共感と文体における「切れ」とが同時に存在するのだとルーは言う[15)]。確かにノトンのテクストは1文が短く、様々なイメージを強く喚起させる傾向がある。それは俳句の特徴とも言えるのだろう。しかしそれだけでなく、ヨーロッパ的な認識やスタイルも見え隠れするのがノトンのエクリチュールの特徴でもあろう。その側面を次に見ていこう。

2.2 「ベルギー人」アイデンティティ

日本への愛や日本人としての自己認識を語るアメリー・ノトンだが、日本について語っている自伝的小説にも、実はヨーロッパ的要素、ヨーロッパ人意識が色濃く表れてくる。最も強いのは、幼いころから親しみ大学では専門的に学んだヨーロッパ文学、特にフランス文学の影響であろう。実際、フランスの作家名や作品名への言及が登場人物の会話中にも「語り手」の言説中にも頻出する。ラファイエット夫人、サド、スタンダールなどである。作家が大学での卒論テーマとしたベルナノスへの言及もある。『見知らぬどうし』で広島までお好み焼きソースを買いに行ったエピソードでは、デュラスの『広島わが愛』をアメリーがリンリに全文フランス語で朗読させ、その登場人物と自分たちを重ねようとする。さらにトーマス・マン『ヴェニスに死す』への言及もあれば、富士山に登った際にはツァラトストラと一体化する感覚にとらわれる。映画や音楽への言及も散りばめられる。こうして語り手（および作家）が芸術や文学に通じた知識人であることが示唆されることになる。

直接言及されなくても、日本での出来事を語る中にヨーロッパ文学の反映が感じ取られるというルーによる指摘もある。それを踏まえた数例を確認しておこう。まず『畏れ慄いて』でアメリーとフブキが最初に会う場面が、ラファイエット夫人『クレーヴの奥方』のクレーヴ夫人とヌムール公が〈雷の一撃〉で恋に落ちる〈最初の出会い〉の原型に則っているという[16)]。これはノトンのような教養あるフランス語圏読者にとっては無意識に刷り込まれた典型的な場面ら

15）Cf. Jean-Michel Lou, *op.cit.*, chap.7 « Amélie Nothomb auteure japonaise ? Le kire », pp.109-142.

16）Jean-Michel Lou, *op.cit.*, p.85.

しい。また『畏れ慄いて』は主人公が幾多の困難を乗り越えて人生を学んでいく〈教養小説〉とも言え、その意味ではマリヴォーの『マリアンヌの生涯』やサドの『ジュスティーヌ』のパロディとも見做せるという[17]。

文体については、冒頭部のサイトーさんとの出会いもそうだが、人物や情景の描写はほとんどない。主人公アメリーへの焦点化が徹底され、彼女が把握する情景や行為のみが語られる、いわばスタンダール的（そして20世紀フランス小説的）な手法が明確である。さらに、教養ある大人の手によるフランス古典主義的な堅固な筆致にバロック的な多様なイメージを配した文体は、こう評される。「結局、ノトンの文体は、パスカルのあとを受けた他のフランス作家たちの系譜内に彼女を位置づける。辛辣で剣のように研ぎ澄まされた文体（《文体style》という語は、周知のように《細身の短剣stylet》と関係し、それは武器なのだ）である。つまり17世紀のモラリストたちの系譜で、ヴォルテール（ルソーではなく）、スタンダール（バルザックではなく）の系譜だ。シャンフォールが言うところの《力強い簡潔さ》の文体である。」[18]

ヨーロッパ的な要素は聖書からの引用や影響にも見られる。彼女のテクストは聖書の「間テクスト性」に支えられている。それは多くの西洋の芸術作品に共通の性質でもある。ズミールZumirによれば、ノトンはキリストを小説の登場人物の一人と見做している。またアダムとイヴの堕落と楽園追放の場面は最も顕著に表象される要素だという[19]。一例が『愛のサボタージュ』に見られる。「しかしそこ、〈扇風機の都市〉の中心で、私の凋落は始まった。それは、世界の中心は私なのではないと理解した瞬間に始まった。」（SA p.47）北京が転落の場であるとすれば、追放されてきた「楽園」は日本だった。「おまえはもう日本では生活しないだろうから、楽園から追われるのだから、ニシオさんと山を失うのだから、与えられたものを取り上げられるのだから、おまえにはその宝を想い起こす義務がある。」（MT pp.110-111）

17）*Ibid.*, p.28.

18）*Ibid.*, p.132.

19）Michel Zumir, *op. cit.*, p.21.

では、ベルギー人としてのアイデンティティはどのようなものだろうか。皮肉を込めながらも、それを自らのものとして引き受けていると思われる場面がある。

> ［ニューヨークのフランス人高校で］新学期が始まって2週間後、年下のフランス人の女の子が私のことをとても気に入った。マリーという名だった。
> ある日、感情にまかせて、私は彼女に恐ろしい事実を打ち明けた。《ねえ、私はベルギー人なのよ》
> するとマリーは、愛の見事な証をくれた。声を落して、こう宣言した。《そのこと、誰にも言わないわ》。[20]

> ［ニューヨークで兄・姉と3人で夏休みキャンプに参加して］指導員たちは私たち3人をブルガリア人と呼んでいた。それが、私たちがベルギー国籍を伝えた時に、彼らが理解したことだった。しかも彼らはとても親切で、東側の国の子供たちがキャンプにいるのが嬉しくてこう明言した。《自由な国を発見するのは君たちにとって素晴らしいことだ!》（BF p.111）

こうして、ノトンのテクストはフランスの古典文学に連なるものとなり、「日本」はここでは単なる一つの動機、奇異なものの寓意に過ぎないとルーは指摘する。普遍性、すなわち残酷という普遍的なテーマが実際には描かれているのである。主人公が味わう徹底的な「他性 altérité」もまた普遍的なものなのだ、と。さらに、日本という特殊な場を超えて繰り返されるモチーフがある。生まれ故郷へのノスタルジー、願い、排斥されたという感情、閉じ込め、「他者」への魅惑と畏れ、権力のメカニズム……これらは世界の文学に共通するテーマであり、すべての読者がその中に自らの姿を見出せ得るものだという[21]。

20）Amélie Nothomb, *Biographie de la faim*, Albin Michel, 2004. 引用は次の版を使用した。*Biographie de la faim*, < Livre de poche >, Albin Michel, 2006, pp.89-90.（以下 BF と略し本文中にページ数を記す）

しかしノトンにとっての「日本」とは単にたまたま選ばれた場という以上の重要性を持つのではないだろうか。普遍的な（むしろ、ヨーロッパ的な）テーマを語っているのは確かだが、「日本」という場を通して、ノトンは最も個人的なものを最も普遍的なものに結び付けている。「日本人」としての自己認識を語りつつノトンが我々に見せたいものが「我々自身」なのではないか。ヨーロッパ性という特徴からさらにベルギー性に絞って文体の特徴を挙げれば、グロテスクと幻想への好み、平易な表現と高尚な文体の混合だと作家自身が述べている。それは隣の大国フランスとの差異化を意識し、ゲルマン精神や北方性を取り込んだ〈フランドル的〉な特性にもなろう[22]。

登場人物、語り手、作家としての「アメリー」は日本性と同時にヨーロッパ性／ベルギー性を持ち合わせた特異な人物像となる。一方で自伝的テクストの中でおそらく最も詳細に描かれ、特に『見知らぬどうし』ではもう一人の主人公とも言える日本人の「リンリ」の存在も重要である。典型的な「日本人」として、親切で常に気配りをし、繊細で感受性が強く、完璧な礼儀正しさを備えている人物として描かれる一方で、アメリーとは、実は「典型的な日本人ではない」側面によってこそ特別な関係にあると思われるのである。ノトンのテクストでは日本的なるものとベルギー的なるものの二項対立ではとらえきれない別の場が存在するようである。それは「愛」が成立させる第三の世界である。

2.3　第三の空間＝愛の世界

幼年時代にむりやり引き離されて自分の国ではなくなった日本、大人になって再来日して日本の「カイシャ」という異世界に身を置き、日本人との同棲・婚約を通して異文化理解の困難に直面し、日本とベルギーの異質性を意識せざるを得なくなった「アメリー」。しかしそのアイデンティティは両国の狭間におそらくあった。それを掬い上げ、いわば弁証法的に統合して見せるのが、小説『懐かしい』ではないかと考える。まずは前提としての『見知らぬどうし』を

21）Jean-Michel Lou, *op.cit.*, p.39.

22）*Ibid.,* p.146.

もう少し詳しく見ておこう。

『見知らぬどうし』において、リンリとアメリーは日仏の二つの言語、二つの文化の間で揺れながら、その中間に二人だけの言語や場を創り出す。それが二人の愛の場であり、互いに「外国人／よそ者étrange」であることがこの「狭間」の空間を成り立たせているのではないか。ルーはそれを「第三の空間」と呼んでいる[23)]。ただそれゆえにこそ、この空間は二人だけの水泡に包まれたような世界で、永遠には続き得ないものとなるのだろう。婚約破棄（自然消滅）が小説の結末である。つまり『見知らぬどうし』は開かれた世界＝日本各地を移動しつつ、作家＝語り手＝主人公アメリーと、日本人青年リンリとの不可能な愛を描いた物語とも言えよう。

この小説では、言語システムの相違による誤解やいわゆるカルチャーショックが、おそらく実際の経験に基づいて、日本語とフランス語、日本とベルギーの双方を知るアメリーによって、「のちの」解釈と共に詳細に描かれる。それが読者にとって――邦訳が出れば特に日本人読者にとって――非常に興味深いエピソードになるだろう。例えば「愛」と「恋」を区別する日本語。その区別がなく「愛amour」という言葉のみが存在するフランス語。日本語がある程度上達したところでアメリーは「コイ」の概念を理解する。

> 愛はとてもフランス的な衝動なので、この国の発明だと見做した人もいた。そこまで行かなくとも、この言語には愛の素質があることは認める。おそらくこう考えられよう。リンリと私はそれぞれが相手の言語の典型的な傾向を身につけてしまったのだ。彼はその斬新さに酔って愛のまねごとをし、私はコイを大いに楽しんだ。私たち二人ともが互いの文化をどれだけ見事に受け入れていたかの証拠だ。
>
> コイには一つだけ欠点があった。その名称だ。鯉と完全に同音なのだ。私にいつも嫌悪感を抱かせてきた唯一の生物だ。（EA p.75）

23）*Ibid*., p.163.

引用最終部の「鯉」への嫌悪感は、『チューブな形而上学』の幼年時代で描かれており、自伝的テクストの間テクスト性の一例ともなろう。

アメリーは「日本人」たらんとし、対してリンリは中世ヨーロッパの騎士修道会の一つであったテンプル騎士団に憧れるという「ずれ」もある。また、富士山頂の日の出をアメリーだけが見て、リンリはその間山小屋で眠っていたというエピソードも示唆的である。「私は思った。私が日本人であることにふさわしいとすれば、彼はベルギー人であることにふさわしいと」(EA pp.124-125)。こうして互いの文化やアイデンティティが行き交い、時にはすれ違う。日本語の否定疑問文に対する答え方は誤解を招きやすい特徴の一つで、我々にも馴染み深いものだが、『見知らぬどうし』においてはそれがアメリーの運命を左右するほどの重大な結果をもたらすエピソードとなる。リンリは結婚を望み、アメリーは「コイ」のまま「婚約」期間を継続させようとする、そんなある日、いつものようにリンリからのプロポーズに対してアメリーもいつものように否定で答えた。そして間違いに気づく。おそらく否定文で「やっぱり僕と結婚したくない?」と聞かれ、それに対して「ノン(結婚したくない)」と答えたのだが、日本人は「いいえ(結婚したい)」と解釈して喜びをあらわにしたのだ。

この小説の結末は、その後「ちょっとブリュッセルに帰ってくる」と言って旅立ったアメリーが「なんとなく」そのまま二度と東京に戻らずに作家となっていく後日談となる。1996年すなわち6年後に、作家として出版記念会のために来日したアメリーとリンリが再会する。その時に「サムライとしての同志の抱擁を」とリンリが言い、アメリーはやっと互いに理解しあったと感じる。つまり結婚して日本で「日本人」として暮らすことで「愛」を成就させるのでなく、互いが互いの文化を取り込みつつ「騎士」「侍」として、どちらかに属すのでもなく同志として生きていくこと、そのことを納得し得たのだろう。それは実際の作家ノトンの生き方でもあろう。自身はベルギー人意識も何か特別のアイデンティティもなく、いつでも少しばかり他所にいて、「別の空間にいる」と感じるという[24)]。現在住んでいるのはパリである。

さて、この1996年の束の間の再会も含めて、幼年時代の「日本」、リンリとの生活と企業勤めの2年間の「日本」をまとめて「懐かしく」想い出し、かつての足跡を辿りつつそれらの意味を考えていくのが、小説『懐かしい』である。フランスのテレビ局〈France 5〉が、ノトンを案内役として東日本大震災後の日本を訪ねるドキュメンタリー番組を企画する。2012年3月27日から4月6日の来日期間中、ノトンはまず6日間関西を訪れ、幼年時代を過ごした夙川の家と自分が通った幼稚園に行き、そして神戸に引っ越していた家政婦のニシオさんと再会する。次に京都に立ち寄ったあと福島へ移り、ここで撮影を終えたあと、4月3日に東京に行く。翌4日には邦訳が出版されたばかりの『チューブな形而上学』について出版社とのインタビューや翻訳者との懇談、日仏会館訪問を行う。『懐かしい』の後半では東京でのリンリとの再会の様子が詳しく描かれる。最後に会ってから「日本無しの」16年が経ったが、その時間を超えて記憶が呼び覚まされる。そして過去を辿り直すとともに、「現在」の再会もまた記憶になっていくだろうことが示唆される。ほぼ実際にあったことが書かれているドキュメンタリー的なものながら「小説」と銘打たれたこのテクストで、実名と共に登場するのは愛する人々のみだということに我々は気づく。再会をきっかけに蘇るかつての記憶は「懐かしい」つまり「幸福なノスタルジー」なのである。例えば「ユミモト」商事への言及は全くない。ニシオさんへの愛、リンリへの愛、そして文学（とりわけヨーロッパの）への愛。当然ながら、「現在」＝2012年の「現実」には失望や悲しみも味わうことになるが、「過去」はひたすら美化される。アメリー（主人公＝語り手＝作家）にとっての「日本」は、その「過去」を通して理想化されたものになるのだ。

象徴的な例の一つとして、幼年時代の想い出の地「夙川」が現在（2012年）からどのように語られているかを見てみよう。日本への出発前に「今日は3月11日。フクシマの一周年記念日だ」[25] と「現在」の位置が示され、やがて夙川に到着するや、過去へと引き戻されていく。

24） Michel David, *op.cit.*, p.160.

25） Amélie Nothomb, *La Nostalgie heureuse*, Albin Michel, 2013, p.22.（以下NHと略記し本文中にページ数を記す）

3月29日の始まりは穏やかではなかった。我々は夙川に向って出発した。私の最初の5年間の村。電車に乗らねばならない。(…) 夙川駅でタクシーに乗る。すでに紛いものくさい。夙川でタクシーとは。もちろんシテール島でF1でもいいじゃないか？ 私の幼年時代の村には、タクシーなどない。何が起こったのか？ それはもはや村ではなく、お洒落な郊外で、住宅地区だ。(…) おとなしく、私は今日夙川と呼ばれる街を歩く。(…) 夙川があの古めかしい村のままでいたなら世界は救われるだろうに。(…) 私は山々の方を見る。あの頃は人も住まず神秘的だった。マンション群が山々を侵食している。緑の小さな池は、斜面の中腹にその場所を見定めたが、駐車場になったと知る。(NH pp.41-48)

時の隔たりと変化に打ちのめされているのだが、しかし変わらず残ったものもそこに見出している。「攻撃的ではない犬の吠え声で時々断ち切られる、［過去と］同じ静けさが支配しているようだ」そして突然思い出したのは側溝だ。「側溝に気づくのに、なぜこんなに時間がかかったのか？ まさにそれであり別のものではない。子供の頃の側溝と今見ている側溝は、完全に同じものだ」(NH pp.48-49)

このあと (3月30日)、かつて通った夙川のマリア幼稚園を訪ねるが、ここも変わっておらず、自身が写った写真も残っていた。幼稚園からしばしば逃げ出していた想い出も蘇る。

夙川の小さな駅は姫路の白い城と同じくらい崇高なものになっていた。鉄道は、この上なくうまく共有された日本の力を示すものだが、郊外に棲みつく竜に通り道を提供していた。側溝は騎士たちも渡るのを恐れる猛り狂う河だった。山々は乗り越えられないと思われるほど切り立っていた。景色は敵意を露わにすればするほど、いっそう美しかった。(NH pp.39-40)

幼かった当時、想像の世界で描いた光景と共に、かつての「夙川」が主観的に理想化されているのがわかる。ただ、やはり理想化されていた「ニシオさん」

は、「現在」はその姿も環境もかなり変化していた。1995年の阪神大震災で自宅は全壊、夫はすでにおらず、双子の娘たちは折り合いが悪く家を出て行き、ニシオさんは一人で神戸の公団住宅に引っ越していた。「ドアが開くと150cmほどのとても年老いた女性が出てきた」(NH p.52) 1989年の大みそかにいちど再会し、一緒に京都の神社に初詣に行った時は「私」は22歳、ニシオさんは56歳、従って2012年には79歳のはずである。境遇の激変からなのか、2011年の東日本大震災のことは全く知らないと言って、アメリーを驚かせる。しかしアメリーにとってはこの再々会後、神戸もまた新たな思い出の場となるのだろう。「車の窓から、神戸は突然私にとって、魔法の街に見えてくる」(NH p.58)。

『懐かしい』はかつて過ごした「日本」での記憶を辿り直し、日本とベルギー、異文化との対立とそれへの愛、といったものをすべて包み込み「幸福なノスタルジー」として浄化するテクストなのだろう。その意味で弁証法的なのである。「私」を通して理想化された「日本」は、ドキュメンタリーの形をとりながらも「小説」として差し出されている。

ノトンが書き始めたきっかけは日本だった。『空腹の伝記』には次の記述がある。「全力で書き始めたのは1989年のことだった。日本の地を再び見出したことが、私にエネルギーを与えた。その場所で、自分のリズムとなったものを身につけた。毎日少なくとも4時間は執筆するというものだ」(BF p.185)。やがて日本についてのオートフィクションも書き始め、時を経て、愛した人たちについての追想を語る「小説」にも向かっていく。そして今後は「日本」無しでも、身近にいる愛する人たちのことを書き記そうとしているようだ。2020年3月に父パトリック・ノトンが逝去、おそらくそれをきっかけに2021年には『最初の血 *Premier sang*』[決闘での「最初の負傷」の意味がある]という、父の子供から青年時代までの伝記をやはり「小説」と称して刊行した。そして2022年8月出版の最新作は、アメリーと姉ジュリエットをモデルとした(作家自身がそう語っている)『姉妹の本 *Le Livre des sœurs*』である。ただし登場人物の姉妹はトリスターヌとラエティシアという別の名前でありフィクション性が強いが、自伝と小説の間、言い換えればオートフィクションの巧妙な仕方での実践を今後も続けようとする一つの試みとも見える。

おわりに

現役で活躍中の現代作家について論じるのは難しい。まして毎年1冊ずつおそらくこれからも新作を発表し続けるであろう作家については。とりわけ実体験を基にした自伝的作品については、筆者の解釈違いや思い込みの可能性も大いにあり、不安や恐怖さえ覚える。しかしフランス語圏のみならず翻訳を通して世界的に知られ、しかも日本と深いかかわりのあるアメリー・ノトンはもっと関心を寄せられて然るべきであり、そのきっかけの一つにでもなればと、あえて紹介と考察を試みた。邦訳出版の進展も願いつつ、彼女の作品に関心を持つ読者にさらなる考察を委ねたいとも思う。ヨーロッパ文学を散りばめた独特な内容と文体、また日白文化比較も興味深いが、現在フランス語圏文学の一傾向でもあるオートフィクションの先駆けとして、歴史や記憶とフィクションの関係を問える意義深いテクストでもある。

筆者は一読者としてノトンの小説を面白く読んできた。ベルギーのフランス語文学研究者の立場から、現在ベルギーのフランス語作家で最も人気がありアカデミー入りもした作家、という重要性も感じ続けてきた。また、作家紹介や自伝的小説内の記述を通して実はまったく個人的なつながりも見出すに至った。ノトンが幼年時代を過ごした夙川は、現在筆者の居住地であり、彼女が通った幼稚園や外交官家族が多く住む界隈、近くの山々、そして「側溝」も、非常に親しみを感じるものである。さらに彼女が学んだブリュッセル自由大学のロマンス語文献学（フランス文学）セクションには同時期に筆者も博論準備留学生として籍を置いており、論文の指導教官は同じミンゲルグルン教授で、学部の授業もいくつか受講したので同じ教室にいた可能性も大きい。もちろん作家になる前のファビエンヌ・クレール・ノトンとである。それが事実だったと確認できたのは留学から30年後だった。

もう一つ個人的なことを書かせていただく。2022年8月、筆者はベルギー・フランス語共同体（ワロニー＝ブリュッセル連合）政府の助成でスネッフSeneffe城内のレジデンスに3週間滞在し、ベルギーのフランス語文学翻訳をする機会を得た。12, 3名の仲間のうち半数は各国（主に東欧）からの翻訳者、半数は次作品執筆に専念するベルギー人作家たちだった。個室で仕事をし、食事はともにして毎日語り合い議論し合う生活だったが、その中でベルギー人の詩人兼朗読パーフォーマーのヴァンサン・トロメ Vincent Tholomé 氏が、ブリュッセル自由大学でノトンと同級生であり、指導教官も同じだったとわかった。彼から聞いたのは、ノトンが新進気鋭作家としていきなり有名になり、数々のインタビューを受ける中で適当に答えた真偽様々な言説が、その後独り歩きし「事実」として引用され続けたということだ。同大学の教員だったアラン・ダンチンヌ Alain Dantinne が『腸の健康法』という、ノトンの諸作品の諸要素を取り出し（オマージュとしてノトン読者を楽しませるために）パロディ的フィクションを出版したところ、それも独り歩きし、ダンチンヌ氏への激しい攻撃が起こったというエピソードも聞いた。

「小説」の中に、とりわけすでに邦訳のある『畏れ慄いて』にどれほど日本社会への批判が読み取れようとも、作家は日本への愛を語り続けている。反＝日本として単純化され独り歩きする言説に対して、インタビューなどであとから反論する作家自身の言葉が、正確には伝わっていないのではないか。邦訳の序文でもひと言触れられてはいるが、「そうです、この本（『畏れ慄いて』）は、日本的な企業文化とのちょっとした果し合いですが、決して日本に対するものではありません」[26] と明言しているのである。

今後は作家に直接話を聞く機会が得られればと願っている（そこでもどこまで「事実」が語られるかはわからない）が、本稿はベルギーと日本を繋ぐ作家の作品を通してその意義を考えてみた、まずは出発点と位置づけておきたい。

26）Entretien dans le magazine *Le Vif / L'Express*, août 2001, et interview d'Amélie Nothomb par Sébastien Ministru, pour *Télémoustique*, août 1999 (cf. Jean-Michel Lou, *op.cit.*, p.48).

第 7 章

日本におけるベルギー・オランダ語文学の受容と翻訳出版の実態

井内　千紗

1　はじめに

ベルギーの公用語の一つであるオランダ語は、日本の近代化に大きな影響をもたらした言語である。蘭書の輸入は科学の発展に貢献し、我々が日常的に使用している日本語のことばにも、オランダ語の痕跡をたどることができる。

こんにち、ヨーロッパでオランダ語を母語とする人口は2,300万人を超え、域内では8番目に話者数の多い言語である[1)]。しかし、オランダ語の文学に関しては、市場規模が小さい北欧や東欧各国と比較して、日本のみならず世界的にも認知度が低い。グローバル化が進む出版業界で存在感を示すには、同じ言語圏であるオランダとベルギー・フラーンデレン[2)]地域の協力は不可欠なものとなっており、実際、両者は対外的な普及や促進の面において、政策的に協調関係を構築している。

文学の国外出版および流通に関しては、これまで主に翻訳社会学や世界文

1）Taalunie “Feiten & cijfers: Wat iedereen zou moeten weten over het Nederlands” <https://taalunie.org/informatie/24/feiten-cijfers>［最終確認日2022年11月3日］.

2）本稿では、オランダ語での発音に倣い、「フラーンデレン（Vlaanderen）」と表記する。ただし、フランス語文学の文脈で同地域に言及する際は、フランス語表記に合わせて「フランドル（Flandre）」と記す。

学研究において議論されてきた。翻訳社会学の第一人者であるヘイルブロンは、ウォーラーステインの世界システム論を引き合いに、グローバル化は翻訳出版において大言語とそれ以外の言語の間での力の不均衡を拡大させていることを指摘している。1980年代以来、世界における翻訳出版の件数は増加し続ける一方、翻訳される本の起点言語の数は減少しており、世界の言語の中でも最も支配的な地位にある英語のシェアだけが増えているのが現状である。1979年の時点で、全世界の書籍の翻訳の43%は起点言語が英語のものであったが、2002年にはその割合が60%にまで増大している。グローバル化は「液状化」、つまり差異を減らす、あるいは「平ら」にするどころか、力の不均衡を増大させ、言語の多様性を減少させているのである[3)]。

他方、翻訳が重要な主題としてしばしば俎上に上がる世界文学研究は、作品の「移動」という現象に関心をはらってきた。これは、作品が複数の言語、複数の場所で発生するのであれば、フランス文学、ドイツ文学といったカテゴリー分けが象徴するように、文学が国民国家を代表するという理屈にはもはやそぐわないという論理にもとづいている[4)]。

オランダ語文学の国際的な流通や翻訳に関する研究は、数は多くないが上記の問題意識をもとにしたものを主流としており、そのほとんどは、主要な目標言語であるフランス語、ドイツ語、および英語への翻訳出版を議論の対象としている[5)]。いずれの研究においても共通するのは、周縁的な言語と中心的な言語の関係を論じ、どのように目標言語・文化圏で受容されているのかを論題としている点である。そしてこれらの研究において、日本をはじめとする非西欧の言語圏への普及については言及されていない。ヨーロッパ諸国におけるアジア各国の文学作品の普及は、近年一般的にも関心を集めているが、逆の移動が

---

3) Johan Heilbron “Obtaining World Fame from the Periphery”, *Dutch Crossing,* 44:2, 2020, p. 137.

4) レベッカ・L・ウォルコウィッツ『生まれつき翻訳——世界文学時代の現代小説——』佐藤元状・吉田恭子（監訳）、松籟社、2021年、p.43.

本国で話題になることはまれである。日本に目を向けると、蘭和翻訳に関する研究は、蘭学関係のものにとどまっており、現代の翻訳出版やオランダ語文学受容の実態を体系的に示す研究は未だ存在しない。しかし、大言語と地理的な近接性という条件を除けば、文学作品の日本語への翻訳件数は非ヨーロッパの言語の中では最も多い。日本語とオランダ語の歴史的なつながりも勘案すると、日本におけるオランダ語文学の翻訳は、注目するに値すると捉えていいだろう。

日本における外国文学という観点においても、やはり大言語から日本語に翻訳された文学に関心が集中している。例えば、2012年に出版された『世界文学総合目録』において、ベルギーの作家として紹介されているのはフランス語文学のメーテルリンクとローデンバックのみであり、オランダを含むオランダ語文学の作家は一人も取り上げられていない[6)]。メーテルリンクとローデンバックはともにフラーンデレン地域出身であり、19世紀末の象徴主義文学を牽引した。彼らがフランス語で描いた「フランドル（Flandre）」イメージは日本のみならず世界で広く受容されてきたが、このイメージは現地のことばであるオランダ語を介していない。そのため、ベルギーの文学を代表し、国際的に知られる作家がフラーンデレン出身であるものの、オランダ語文学においては取り上げられないというのが実情である。

5）例えば、以下の文献が挙げられる。Elke Brems et al. (eds.) *Doing Double Dutch: The International Circulation of Literature from the Low Countries*, Leuven University Press, 2017; Elke Brems et al. “The Translation Trajectories of Dutch Literature as a Minor Literature: A View from World Literature and Translation Studies”, *Dutch Crossing*, 44:2, 2020, pp.135-145; Jack McMartin “Dutch Literature in Translation: A Global View, Dutch Crossing”, 44:2, 2020, pp.145-164; Johan Heilbron and Nicky van Es “In de wereldrepubliek der letteren”, T. Bevers et al. (eds.) *Nederlandse kunst in de wereld. Literatuur, achitectuur en beeldende kunst, 1980-2013*, Vantilt, 2015, pp.20-54.

6）川戸道昭・榊原貴教（編）『世界文学総合目録〈第9巻〉北欧・南欧諸国編』大空社、2012年.

本稿は上記の背景・問題意識をもとに、ベルギー・オランダ語文学[7]が日本で（かつ国際的に）プレゼンスが低いのはなぜなのか、という問いを出発点に、日本でのベルギー・オランダ語文学受容の輪郭を示すことを目的とする。まず、文学概論を手がかりにベルギー・オランダ語圏の文学がどのように紹介されてきたのかをたどり、本研究が対象とするベルギー・オランダ語文学の日本における位置付けを確認する。次に、発信国ベルギーにおける、オランダ語のステイタスや言語そのものの変容と、国外出版をめぐる政策との関係を整理する。さらに、これまでの翻訳の実績をもとに、日本における翻訳出版の特徴や課題について、世界の翻訳出版の動向と比較しながら考察する。以上から、日本におけるベルギー・オランダ語文学受容の実態を確認し、それをふまえて認知度が低い要因と今後の可能性について検討していきたい。

2　日本におけるベルギー・オランダ語文学の所在

ベルギーはフランス語、オランダ語およびドイツ語を公用語とすることから、国家のレベルで「ベルギー文学」が論じられることは稀である。言語によって異なる市場が存在するため、文学が言語圏ごとに独立したものとして受容されるのは自然なことである。そこで本節では、日本でベルギー・オランダ語文学がどのような位置付けで紹介されてきたのか、「文学概論」の性質をもつ文献をもとに整理してみたい。

日本で初めて「ベルギー文学」を紹介したのは、日本における象徴詩の先駆者として知られる詩人で翻訳家の上田敏とされる。上田は微幽子という筆名で1895年に小論「白耳義文學」を発表した[8]。これはW・シャープの英語論文[9]を下敷きにベルギーの文学事情を述べる概論であり、1901年には「補遺」を追加した論考が改めて発表されている。そこでは、ベルギーの文学には「フラン

7）ベルギーのオランダ語文学は「フラーンデレン文学」と呼ばれることもあるが、本稿は他国での受容をテーマとしていること、そして、19世紀の民族運動と関連づけて論じられるフラーンデレン文学と現代文学も対象として含むため、「ベルギー・オランダ語文学」と称することとする。

デル文學」が存在すること、そして国民文学を提唱した作家としてヘンドリク・コンシアンス（Hendrik Conscience）に注目している。

> 抑も白耳義の文學に核心の形勢を現ぜじは千八百八十年の比にして、アンリ、コンシアンスHenri Conscience[10]が王立學士院の講演にフランデル文學の趨勢を論じ、深く国民文学の設立に慮る所ありて、彼のフラミングと呼びワロンといふは共に吾人が特稱にあらず、白耳義こそは今後の號たる可けれと唱道せしは、四十餘年の昔に歌はれし愛国心の反響なり。[11]

上記のとおり、「フランデル文學」はベルギー文学の一部を成すものであり、国民文学を象徴するものとして紹介されている。このあとには、他にもオランダ語で活動する若手詩人を何名か取り上げ、彼らの奔放な詩文はヨーロッパの文壇を揺るがす存在になるかもしれないと今後の展望を示している[12]。さらに補遺では、コンシアンス、エークハウト、マーテルリンク、ローデンバック、そしてヴェルハーレンを紹介している。この人選から、上田は当時コンシアンスの存在にかなり関心を持っていたことが窺える。

上田が19世紀末、「フランデル文學」の存在に言及した頃、日本では西欧の文学の流入が進んでいたが、翻訳対象は英語が主流の時代へと転換していた。そのため、オランダ語文学は蘭学発展による恩恵を受けることなく、他の大言語と同様に翻訳される機会を逃してきた。そのような状況でも20世紀に入り、

8）上田敏「白耳義文学」『定本　上田敏全集第三巻』教育出版センター、1978年、pp.274-286. なお、原典はそれぞれ、以下のとおりである。上田敏「白耳義文学」『文芸論集』春陽堂、1901年12月11日、微幽子「白耳義文学」『帝国文学』第1巻第1号、大日本図書株式会社、1895年1月10日。

9）William Sharp “La Jeune Belgique”, *The Nineteenth Century*, September 1893, pp.416-436.

10）アンリ（Henri）はヘンドリク（Hendrik）のフランス語名である。

11）上田、前掲書、p.275.

12）同書、p.278.

日本で外国文学が広く受容される過程で出版された世界各地の文学を紹介する概論において、件数は少ないがベルギー・オランダ語文学は取り上げられてきた。そこで、筆者が2022年9月の時点で確認できている概論[13]において、ベルギー・オランダ語文学がどのように紹介されてきたのか、それぞれの位置付けを確認する。

まず、1924年に新潮社が刊行した『世界文学講座』を見てみたい[14]。本書には、「現代和蘭文學外觀」と題するオランダ語圏の文学事情を紹介する章があり、附録として「附、現代フランドル文學の一瞥」が収録されている。なお、「戰時・戰後の白耳義文學」と題するベルギー文学の概論が別章にあるが、フランス語文学のみを扱っており、フラーンデレン地域のオランダ語文学についての言及はない。「現代和蘭文學外觀」においても、フラーンデレンの文学の位置付けや「フランドル文學」のアイデンティティに関する説明はなく、附録として当時の代表的な作家を紹介するにとどまっている。

次に、1936年刊の『世界文芸大辞典』(中央公論社)に収録されている「ベルギー文學史」を紹介する[15]。この概論は、フランス語、オランダ語、と両言語圏の文学を1つの章にまとめて紹介しているという点で興味深い。しかしながら、オランダ語文学については、ベルギー北部のオランダ語を指す「フランドル語」で書かれた文学の存在に触れる程度である。ワロニー、フラーンデレンと作家の出身地域別に項目を分けて文学事情を説明しているものの、フラーンデレンのセクションでは同地域出身でありながらフランス語で作品を発表した作家しか紹介していない。さらに、「フランドル語」について、以下のように

13) 国立国会図書館デジタルコレクションで関連するキーワード(オランダ文学、フランドル文学、ベルギー文学etc.)から、ベルギーのオランダ語文学に言及のある文献を抽出した。

14) 朝倉純孝「現代和蘭文學外觀」新潮社編『世界文学講座』第13巻、新潮社、1924年、pp.379-404.

15) 神部孝「ベルギー文學史」吉江喬松編『世界文芸大辞典』第7巻、中央公論社、1936年、pp.521-527.

フランス語と対照化した説明がある。

> フランドル語に忠實な人々よりロダンバックやヴェルアーランやマーテルランク達の方がベルギーの名譽であることは事實だ。＜中略＞フランドル人達の激情性が、より良く藝術的表現を執る爲には仏蘭西を通してのラテン的教養摂取の必須である事を力説する。[16)]

また、同書では別章に「オランダ文学史」が収録されているが、そこではフラーンデレン地域のオランダ語文学に関する記述はない。したがって、ベルギー・オランダ語文学は、ベルギー・フランス語圏からみた視点での言及にとどまっている。

最後に、1964年刊行の『世界文学入門』（三笠書房）を取り上げる[17)]。同書では「オランダ文学」の章において、オランダ本国のものを北方オランダ文学、旧オランダ植民地のものを南阿オランダ文学、そしてフラーンデレン地域のものはかつてオランダ南部であったという歴史を考慮し、南方オランダ文学に分類している。したがって、ここではオランダ文学の一部という位置付けとなっている。

以上、3点の「概論」を通してベルギー・オランダ語文学がどのような位置付けで紹介されてきたのかを整理したが、その捉え方は一様でないことがわかった。これは、概論の編集方針や著者が得意とする言語、参考文献の影響もあると思われるが、いずれにしても、国家を基準にすればフランス語が中心のベルギー、言語を基準にすればオランダを中心とする中で同じ言語圏であるフラーンデレン地域、といずれの軸においてもベルギー・オランダ語文学が附属的な位置づけにあることは少なくとも共通している。近年は、日本でもベルギー

16）同書、p.521.

17）朝倉純孝「オランダ文学」矢崎源九郎編『世界文学入門』、三笠書房、1964年、pp.129-132.

の歴史や言語事情を十分考慮した上でベルギーのオランダ語文学に言及する研究が発表され[18]、後述する「フランダース文学翻訳プロジェクト」等を通してベルギーにおけるオランダ語文学を日本で紹介する試みも見られるようになった。しかし、依然として19世紀末の象徴主義文学を通して広まった「フランドル」イメージの印象が強く、地域の言語であるオランダ語の文学が紹介される機会は極めて少ないのが現状である。

つまり、地域という切り口で見れば、日本におけるフラーンデレンの文学の受容は、現在のベルギーにおける文学の事情とは乖離していると言える。日本でフラーンデレン出身の作家と言えば、前述のマーテルリンクやローデンバックのことを指し、オランダ語圏フラーンデレン地域出身であるものの、彼らはフランス語で活動したことから「フランス語文学」の一部として扱われている。これは、19世紀末の象徴主義文学を中心とするフラーンデレン出身の作家によるフランス語文学が、日本における「フラーンデレンの文学」像となっていることを意味する。しかし、ベルギーにおける今日の「フラーンデレンの文学」は、まず何よりも公用語であるオランダ語で書かれた作品を意味する。ノーベル文学賞の最有力候補と目されていたヒューホ・クラウス（Hugo Claus）をはじめ、国際的に著名な作家や作品は存在するが、今日に至るまで、日本ではこの「フラーンデレンの文学」が体系的に紹介されたことはなく、これまで翻訳出版された作品には、フランス語や英語等、他の言語からの重訳となっているものも少なくない。したがって、ベルギー・オランダ語文学にはどういった特徴があるのか、歴史的にどのように発展してきたのかについて、日本語で情報が発信されていないことが、日本において認知度が低いままである1つの大きな原因になっていると推察できる。

18）例えば、日本で刊行されたベルギーの文学を主題とする研究として、以下が挙げられる。岩本和子『周縁の文学——ベルギーのフランス語文学にみるナショナリズムの変遷——』松籟社、2007年；三田順『想像された「北方」——象徴主義におけるベルギーの地詩学を巡って——』松籟社、2018年.

3　オランダ語の社会言語的動態と対外翻訳出版

前節では日本において、ベルギー・オランダ語文学が体系的に紹介されてこなかったことについて述べたが、第1節でも触れた通り、日本のみならず国際的にもプレゼンスが低い背景には、発信国であるベルギーの言語事情も大きく関係している。それは自ずと、翻訳出版のありようにも影響を与えている。

文化商品としての書物のもたらす効果を出版流通の観点から明らかにした箕輪は、本来、文明的な見地において情報を得ようとする受信国側の学習熱やイニシアティブによって「自然発生的」にすすめられてきた書物の翻訳出版が、近現代に入ると、発信者側が努めて書物の流通をはかるようになったと述べている[19)]。さらに、グローバル時代におけるマイナー言語の翻訳出版は、ネーションよりも市場主義に傾倒すると言う[20)]。市場規模が小さな言語圏は、翻訳者に投資し、国外に商品である作品を輸出することで流通をよりダイナミックに展開させることを目指すが、この市場主義的な対外出版を推し進めるには、それを補完するシステムとしての政策も重要な役割を担う。

現在、世界市場における文学の流通という観点において、オランダとベルギーのオランダ語圏は、各支援機関が協力して普及活動を実施している。しかしこんにちの政策を実現させるまで、ベルギー・オランダ語文学は自国の言語事情に左右されながら発展してきたことにも注意を払う必要がある。本節では、ベルギーのオランダ語使用をめぐる環境の変化をオランダ語文学作品の出版事情と関連づけて整理し、隣国オランダとの言語をめぐる協調関係が、ベルギー・オランダ語文学の対外出版にどのような影響を与えているのかについて述べる。さらに後述するオランダの文学支援機関「オランダ文学財団（Nederlands letterenfonds）」が公開しているデータベースをもとに、オランダ語文学の翻訳出版の傾向を整理し、言語・文化・市場・政策という複合的な条件のもと、展

19）箕輪成男『「国際コミュニケーション」としての出版』日本エディタースクール出版部、1993年、pp.99-105.

20）Jack McMartin “A Small, Stateless Nation in the World Market for Book Translations: The Politics and Policies of the Flemish Literature Fund”, *TTR*, 32 (1), 2019, pp. 145-175.

開されるオランダ語文学の対外出版の特徴を明らかにする。

ベルギー・オランダ語圏における文学と言語の関係を整理するため、まず、国家独立後から第二次世界大戦までの間の言語と文学の関係にみる翻訳出版の実態を概観する。

ベルギーでオランダ語が公用語としての地位を得たのは1898年である。1830年にオランダから独立して以来、ベルギーではフランス語話者に優位な社会が形成された。それに抵抗するため、オランダ語話者は、自分たちの言語の地位を確保することを目指してフラーンデレン運動を展開した。この運動は、フラーンデレン地域の言語と文学に大きな影響を与えた。まず、言語をめぐっては、隣国オランダへの言語的統合を主張する者と、フラーンデレンの方言をもとに地域独自の標準語を確立しようという独自主義の二派に大きく分かれていたが、最終的にフラーンデレン人は前者を志向し、オランダにおけるオランダ語の規範を採用することになった。これは、自分達の言語がフランス語に十分対抗できる基盤を確保するための方策であったとされる[21)]。文学の面では、「フラーンデレン人の民族性」を表現する民族文学が運動の一部として発達した。その筆頭にあげられるのが、2節でも触れたヘンドリク・コンシアンスによる、14世紀の「黄金拍車の戦い」を描いた歴史小説『フラーンデレンの獅子（*De Leeuw van Vlaanderen*）』（1838年）である。上田敏の紹介では、ベルギーの国民文学を象徴する作品とあったが、フラーンデレン人にとってはフラーンデレン運動のバイブル、そして「フラーンデレン文学」の始祖という位置付けにある。

コンシアンスは他にも多くの歴史小説を残している。オランダ文学財団のデータベースによると、19世紀の間、オランダ語の文学が最も多く翻訳された目標言語はフランス語であるが、オランダ、フラーンデレン地域を合わせた翻訳出版全213件のうち、コンシアンス作品の翻訳は146件にのぼる。前節で紹

21）Roland Willemyns, Wim Daniëls, *Het verhaal van het Vlaams: de Geschiedenis van het Nederlands in de Zuidelijke Nederlanden*, Standaard Uitgeverij, 2003, p.274.

介した上田による概論でも言及されていた通り、19世紀当時、コンシアンスはフランス語圏を中心に、国際的にも注目を集める作家であったことが窺える[22)]。

第二次世界大戦後、フラーンデレン地域が隣国オランダとの言語的統合を再び強く意識するようになるのは、1960年代以降である。大戦中のドイツ占領下でフラーンデレン民族主義を推進する「フラーンデレン政策（Flamenpolitik）」を経験したフラーンデレン地域では、その影響を排除するため、オランダのオランダ語を規範とする傾向が強まった。フラーンデレン地域のメディアはオランダを中心とする標準語化を推進する役割を担い、学校では「共通洗練オランダ語（Alegemeen Beschaafd Nederlands）」の使用が推奨された。1970年のオランダ語共同体政府成立も、オランダと言語規範の面での協調路線を加速させる要因となった。さらに、1980年にはオランダ政府とベルギーのオランダ語共同体政府が国際的な公的支援機関「オランダ語言語連合（Taalunie）」を共同で設立し、言語政策の面での協調関係を構築した。この機関はオランダ語の文法やスペル等、言語面での統一を推進するだけでなく、オランダ語文学の作家、出版、国外におけるオランダ語文学の研究や普及を支援している[23)]。

以上のような言語面でのフラーンデレン地域とオランダの接近は、当然のことながら文学にも影響を与えた。フラーンデレン人の作家は、市場がより大きなオランダの出版社での作品発表を目指す傾向を強め、翻訳出版の制度においても、協調関係が表立ったものとなる。例えば、当時のベルギーにはオランダ語文学の翻訳出版を支援する公的機関が存在しなかったため、1964年にオランダで設立された「オランダ文学作品翻訳財団（Stichting ter Bevordering van de

---

22）José Lambert “De verspreiding van Nederlandse literatuur in Frankrijk: enkele beschouwingen”, *Ons Erfdeel* 23 (1980), pp. 75-6.

23）石部尚登『ベルギーの言語政策——方言と公用語——』大阪大学出版会、2011年、pp. 259-65。なお、2003年以降はスリナムも加盟し、ベルギーとオランダ以外の国・地域のオランダ語圏や世界規模のオランダ語使用も推進している。最新の取り組みについては公式ウェブサイト < https://taalunie.org > を参照のこと。

Vertaling van Nederlands Letterkundig Werk)」が、予算の1/3をフラーンデレン地域の文学支援に充てていた[24)]。

このような政策面での言語統合が進む一方、1990年代になると、ベルギーのオランダ語圏では標準オランダ語に対する意識は逆の傾向、つまりフラーンデレン地域独自のものを志向するようになる。この動きを誘引したとされるのが、1989年に設立されたフラーンデレン地域の民間放送局VTMをはじめとするマスメディアである[25)]。従来オランダの放送局が提供するコンテンツを日常的に視聴していたフラーンデレン人が、ベルギー発信のマスメディアを通して標準オランダ語とブラバント方言を混ぜたことばに接することで、フラーンデレン地域共通の話しことばが発展していった。こんにちもオランダとフラーンデレンが同じオランダ語圏である事には変わりないが、オランダとフラーンデレン地域、それぞれに標準語化が進んでいるのが実態である。この言語状況は、オランダ語辞書にも表れている。従来、オランダ語辞書では、フラーンデレン地域のみで通用する単語や用例にはフラーンデレン地域を意味する「V」のマークがついていたが、2009年以降に刊行された辞書では、オランダのみで通用することばに対してもオランダ（Nederland）を意味する「N」のマークがつくようになった。つまり、オランダ語圏には、両国共通のオランダ語と、各国独自のオランダ語が併存していることになる。

以上のように、フラーンデレンにおける「標準オランダ語」に対する態度は、1960年代から1980年代にかけてのオランダを基準とするものから、1990年代以降のフラーンデレン内での言語統合を進める方向性へと大きく転換した。この変化は、言語の芸術である文学にも当然のことながら影響を与えている。例えば、かつてフラーンデレン人がオランダ人編集者に原稿を送ると、オランダ

24）Johan Heilbron, Nicky van Es “Fiction from the Periphery: How Dutch Writers Enter the Field of English-Language Literature”, *Cultural Sociology* 9, no. 3, 2015, p.45.

25）Elke Brems “Separated by the Same Language: Intralingual Translation between Dutch and Dutch”, *Perspectives*, 26, 4, 2018, p.518.

の規範に合わせた書き直しの作業が必要となるという、同言語圏内の「ことばの壁」が存在した。また、フラーンデレンの出版社で発表された作品がフランス語に翻訳されたのち、オランダでフランス語から翻訳されたものが出版されるというケースもあった[26)]。しかし、現在では「オランダ語言語連合」が正しいスペル、正書法などを定めており、その規準に基づきつつフラーンデレン地域内の言語統合が進んでいるため、自分たちのことばで執筆したフラーンデレン人作家の作品が、オランダでも直接受容され、さらにオランダの団体が主催する文学賞の候補対象ともなっている。

このような言語面での変化とともに、オランダ語文学の翻訳出版に対する支援体制も、1990年代以降、大きな変化が生じる。従来、フラーンデレン地域はオランダ主体の体制のもとで支援を受けるという従属的な立場にあったが、オランダは1991年に「オランダ文学作品・翻訳財団（Nederlands Literair Productie- en Vertalingen Fonds）」（現在は「オランダ文学財団（Nederlandse letterenfonds）」）、フラーンデレン地域は1999年に「フラーンデレン文学財団（Vlaams Fonds voor de Letteren）（現在は「フラーンデレンの文学（Literatuur Vlaanderen）」）とそれぞれ公的な支援機関を設立し、「オランダ文学財団」から独立した。それ以来、翻訳出版の支援やオランダ語文学の対外普及に関しては、別々の推進・支援策を実施している。特に、フラーンデレンはオランダに対外出版の面で追い付くべき立場にあったことから、フラーンデレン文学財団は設立当初、オランダ語圏の不均衡な状況を調整する役割を担うことを使命とした[27)]。フラーンデレンはオランダよりも大掛かりな予算規模で支援を実施しているものの、他言語圏での出版件数や認知度等を考慮すると、望ましい結果を出せていないのが現状である。マクマーティンの分析によると、オランダ語

26）*Ibid.*, p.517.

27）Jo Vermeulen et al. (2000) *Verslag van de hoorzitting op 4 juli 2000 in het kader van de bespreking van de ontwerp-overeenkomst Vlaams Fonds voor de Letteren,* Commissie voor Cultuur, Media en Sport, Vlaams Parlement < http://docs.vlaamsparlement.be/pfile?id=1015785 > ［最終確認日2022年9月10日］.

圏全体の翻訳出版のうち、フラーンデレン出身の作家による作品が占める割合が、1998年は30%であったのに対し、2017年には20%に落ち込んでいる[28]。

他方、本稿冒頭で述べた通り、両財団はオランダ語文学の対外出版および国際的な普及という共通の目標を持ち、政策的な相互協力も重視している。

その実践として、オランダ語文学対外出版の決定的な転換点ともなったのが、1993年に開催されたドイツ・フランクフルトのブックフェアであるとされる。オランダとフラーンデレン地域が初めて共同で招待された世界最大規模のブックフェアへの出展により、オランダ人のセース・ノーテボーム（Cees Nooteboom）とハリー・ムリシュ（Harry Mulisch）、そしてフラーンデレン人であるヒューホ・クラウスが「国際的な文壇」として注目を集め、ドイツに「オランダ語文学の波」をもたらすきっかけを作った[29]。これは数字にも表れており、1990年代以降になると英語やフランス語よりもドイツ語への翻訳出版件数が圧倒的に多くなる（図1参照）。グローバル化する世界市場では英語への翻訳に一極集中する傾向にある中、オランダ語文学は英語圏よりもドイツ語圏を流通すべき市場として重視するようになった点が、大きな変化であると言える。

現在、オランダ語文学はドイツ語に翻訳される件数が最も多く、その次に英語、フランス語が続く。これは、オランダ、ベルギーともに、原著の編集者が理解可能な言語として、この三言語を戦略的目標言語に位置付けているところが大きいと言う[30]。さらに、各言語圏でオランダ語文学がどのように受容されているかについて、ウィルターディンクは各国の新聞・雑誌記事の批評を比較して、以下のように分析している。

28）McMartin, *op.cit.*, 2019, p.161.

29）Hugo Brems (ed.) *Altijd weer vogels die nesten beginnen. Geschiedenis van de Nederlandse literatuur 1945-2005*, Uitgeverij Bert Bakker, 2006, pp.666-667.

30）Carlo Van Baelen, “Vlaams Fonds voor de Letteren Jaarverslag 2006”, Vlaams Fonds voor de Letteren < http://www.vfl.be/_uploads/Downloads/downloads/ VFL_JAARVERSLAG_2006.pdf >［最終確認日2022年10月3日］.

図1：オランダ語文学作品の翻訳出版件数推移（1821-2020）

	ドイツ語	英語	フランス語	日本語	その他の言語	計
1821-1830	-	1	1	-	-	2
1831-1840	-	-	2	-	-	2
1841-1850	7	1	3	-	6	17
1851-1860	9	10	17	-	15	51
1861-1870	8	3	15	-	3	29
1871-1880	10	4	10	-	7	31
1881-1890	11	12	8	-	8	39
1891-1900	17	16	3	-	6	42
1901-1910	48	14	4	-	24	90
1911-1920	53	20	13	-	11	97
1921-1930	55	27	28	-	48	158
1931-1940	90	28	46	-	112	276
1941-1950	110	23	86	2	112	333
1951-1960	244	63	61	3	155	526
1961-1970	245	141	116	8	285	795
1971-1980	191	285	96	10	447	1,029
1981-1990	496	324	221	31	683	1,755
1991-2000	1,369	599	472	89	1,681	4,210
2001-2010	1,480	699	786	142	2,917	6,024
2011-2020	1,250	809	556	104	3,682	6,401
計	5,693	3,079	2,544	389	10,202	21,907

［出典：オランダ文学財団のデータベース[31)]をもとに筆者作成］

31）オランダ文学財団のデータベースをもとに10年ごとの推移を集計し、表にまとめた。なお、このデータベースには、財団の助成有無を問わず、オランダ、ベルギー両国のオランダ語作品がリスト化されている。Nederlands letterenfonds "Vertalingen database" < https://letterenfonds.secure.force.com/vertalingendatabase/zoeken >［最終確認日2022年9月10日］

アメリカではごく限られた専門家を除けば、ほぼ無関心に近く、英国では傲慢さと自己批判を織り交ぜたような態度が見受けられ、フランスは好意的ではあるが表面的である。それに対し、ドイツはオープンで、関心があり、場合によっては熱意を持って受け入れる[32)]。

ドイツ各紙はオランダ語文学を「ストーリーテリングの復活」「リアリズムの凱旋」として、身近な設定の個人生活を精緻で繊細に描写している点を評価し、それがドイツ文学に大きなインパクトを与えたとしている[33)]。このように発信国側の戦略に留まらず、受信国でも積極的に受け入れられている背景には、もちろん地理的近接性やドイツ語とオランダ語が言語学的に類似していることから翻訳しやすいというメリットもあるだろう。さらにドイツでは、隣国であるオランダ語圏の社会や文化に対する関心がもともと他国よりも高く、オランダやフラーンデレンに対する一定の「イメージ」があるがゆえに翻訳しやすいということも指摘されている[34)]。

フラーンデレンにおける取り組みに焦点を当てると、政策的にドイツ語への翻訳出版を後押ししていることから、母数が少ないなかでもドイツ語は常に一定数の出版を維持している(図2)。ドイツ語に翻訳されたフラーンデレンの作品のうち、最も多いのは大衆向けフィクションであり、地方の日常生活を描くような小説の人気が高い。これは、ベルギーの隣国に住むドイツ人にとって、フラーンデレン地域は牧歌的で洗練されていないが、強い信念を持った民族であるというイメージがあり、大衆小説はそのイメージを供給する側面もあるためである[35)]。

以上、オランダ語文学の対外出版の特徴として、ドイツ語への翻訳が英語やフランス語よりも重視されていることを確認した。外国文学の受容には、起点

---

32) Wilterdink, *op.cit.*, p.56.

33) *Ibid.*, p. 50.

34) *Ibid.*, p. 55.

35) *Ibid.*

図2：「フラーンデレンの文学」による翻訳出版助成件数の推移

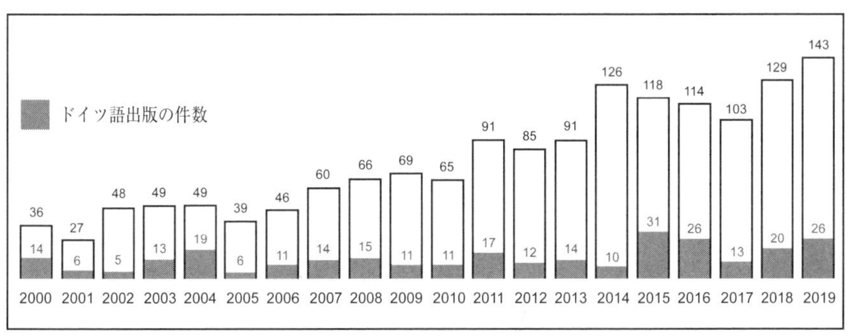

［出典：Literatuur Vlaanderen, *Aanzet meerjarenplan 2021-2025*, 2020, p.37.］

文化についてのイメージも重要であることがわかったが、では、フラーンデレンに対して一定のイメージがあるとは言えない日本において、ベルギー・オランダ語文学はこれまでどのように紹介されてきたのだろうか。次節では実際の翻訳出版の実績をもとに、検討していくこととする。

4　日本における「ベルギー・オランダ語文学」翻訳出版の動向

2018年にフラーンデレン政府の文化ミッションとして文化大臣が来日した際、日本の市場について、次のように述べている。

> フラーンデレンにとって、日本の書籍市場は難関だ。市場全体で翻訳本が占める割合は8.2%、翻訳された本のうち、80%は原語が英語のものとなっている。[36]

36）Metro (2018.11.25) “Annelies Verbeke stelt in Tokio Japanse vertaling van Slaap!” < https://nl.metrotime.be/nieuws/annelies-verbeke-stelt-tokio-japanse-vertaling-van-slaap-voor >［最終確認日 2022年9月10日］

図3：日本語で出版された言語別翻訳件数（1979-2008）

原書の言語	件数	割合(%)
英語	40,954	78.65
フランス語	3,767	7.24
ドイツ語	2,620	5.03
ロシア語	723	1.39
中国語	634	1.22
イタリア語	520	1.00
スペイン語	497	0.96
韓国語	470	0.90
スウェーデン語	318	0.61
オランダ語	234	0.45
その他	1,331	2.56
計	52,068	

［出典：UNESCO Index Translationum[37]をもとに筆者作成］

このコメントにある通り、ユネスコのデータベースによると、日本では英語文学の翻訳件数が圧倒的に多く、次にフランス語、ドイツ語等、いわゆる大言語が続く。オランダ語文学の件数が占める割合は、全体の0.45%にすぎない(図3)。

視点を変え、図1でも示したオランダ文学財団の翻訳データベースによると、言語別件数では日本語への翻訳件数は7位と上位を占めており、その数は非ヨーロッパ圏のなかで中国語と並んで最も多い。日本では1940年代以降、2020年までの間に389件が翻訳出版されている。ジャンル別の内訳では児童向け作品が占める割合が最も大きく、全体の67%を占めている。次にノンフィクションが19%、フィクションが14%の構成となっている。児童向け作品の翻訳件数が多いのは、日本語に限った傾向ではなく、他の言語でも同様であり、このジャンルに特に偏って翻訳されているというわけではない。

ここで日本語に翻訳されたフィクションにはどのような作品があるのか、具体的に見ていきたい。オランダ語圏から日本語に翻訳単行本として出版された

37）Index Translationumは1979年以来、UNESCO加盟国130カ国以上の国立図書館から寄せられた翻訳出版物の情報を集積するデータベースである。あくまで各国から寄せられた情報であるため、網羅的な情報が集まっているとは言えない。言語間の翻訳の動向をつかむ参考情報として見ておきたい。< https://www.unesco.org/xtrans/bsstatexp.aspx >［最終確認日2022年9月12日］

図4：ベルギー・オランダ語文学の日本語翻訳出版実績

タイトル	著者	出版年	
		原書	日本語版
花咲く葡萄園の司祭：フランドルのロマンス De pastoor uit den bloeyenden wijngaerdt	フェリックス・ティンメルマンス Felix Timmermans	1923	1951
かも猟 De Metsiers	ユゴー・クラウス Hugo Claus	1951	1987
9990個のチーズ Kaas	ヴィレム・エルスホット Willem Elsschot	1933	2003
パリタァ Pallieter	フェリックス・ティンメルマンス Felix Timmermans	1916	2004
残念な日々 De helaasheid der dingen	ディミトリ・フェルフルスト Dimitri Verhulst	2006	2012
火曜日 Dinsdag	エルヴィス・ペーテルス Elvis Peeters	2012	2016
モンテカルロ Monte Carlo	ペーテル・テリン Peter Terrin	2014	2016
ネムレ！ Slaap!	アンネリース・ヴェルベーケ Annelies Verbeke	2003	2018
戦争とテレピン油 Oorlog en terpentijn	ステファン・ヘルトマンス Stefan Hertmans	2013	2020
身内のよんどころない事情により Post Mortem	ペーター・テリン Peter Terrin	2012	2021

［出典：「オランダ文学財団」および「フラーンデレンの文学」の情報をもとに筆者作成］

フィクション58件のうち、フラーンデレン出身の作家による作品を一覧にしたのが図4である[38)]。

まず注目すべきは、20世紀末までの時点で翻訳された作品は、ティンメルマンスの『花咲く葡萄園の司祭：フランドルのロマンス』とクラウスの『かも猟』のわずか2点であり、2000年代以降になって少しずつベルギー・オランダ語文学の作品が翻訳されるようになったものの、その数は10点にとどまるという

38) データベースには、短編作品が数件リストに上がっていたが、雑誌やアンソロジーに収録された短編の情報は網羅的ではないため、本リストでは単行本として出版されているフィクションに絞った。

現実である。ヘイルブロンは、言語圏別の翻訳の動向を比較すると、周縁言語の作品は別の周縁言語に翻訳される傾向があるが、実際には、周縁の言語の作品が翻訳される際には、中心言語を介した選定に依存しており、国際的な移動は、ヒエラルキーが形成される場所で生じ、供給されると分析している[39]。ベルギー・オランダ語文学の翻訳件数は母数が少ないため、これが傾向であるという判断はできないが、前述の2作品はそれぞれドイツ語訳、フランス語訳、さらにエルスホットの『9990個のチーズ』は、英語訳からの重訳であることが各あとがきに記されている。そのため、これらの作品はオランダ語以外の大言語を介して日本に紹介されたことになる。2004年以降に出版された作品が、いずれも原則オランダ語で書かれた原書からの翻訳であることから、比較的最近まで、ベルギー・オランダ語文学は日本で直接紹介されてこなかったのである。この背景として、前節で述べたベルギーにおけるオランダ語を取り巻く言語事情も少なからず影響していることが考えられる。フラーンデレンで1960年代以降、一定の言語的統合が進んだために、以前よりも翻訳しやくなったという側面もあるのではないだろうか。

さらに、図4にあげた作品のうち、2000年代以降に翻訳出版された本に関しては全て「フラーンデレン文学財団」の助成を受けて出版されている。これは、前述したように、現代の文学翻訳は特にマイナーな言語の場合、発信国側からの積極的な働きかけが不可欠であるという実情を反映しているだろう。

以上、日本におけるベルギー・オランダ語文学作品の翻訳出版の実態を整理した。前節までの議論もふまえると、日本語への翻訳出版が抱える課題として、作品の選定、言語事情の障壁、そして支援組織の役割があげられる。

まず、作品の選定について考えてみたい。ドイツ語圏、英語圏、フランス語圏をはじめ、他の言語圏への翻訳実績を見ると、ベルギー・オランダ語文学の古典と呼ばれるような作品やベストセラーとなった現代小説はある程度出

39) Heilbron, *op.cit.*, 2020, p.140.

版されている。しかし、日本語への翻訳出版の場合、翻訳される作品は訳者やその関係者の恣意的な選択によるものが多い。例えば、ベルギー・オランダ語文学の作家のうち、最も翻訳出版件数が多いのはクラウス（283件）であるが、彼の作品のうち、日本語で単行本として出版されたのは1件のみ、しかもクラウスの処女作ではあるものの代表作とは言い難い。代表作『ベルギーの哀しみ（*Het verdriet van België*）』は世界で42件の翻訳出版数がある中で日本では未翻訳である。クラウスの次に最も多く翻訳されているのが前述のコンシアンス（184件）であるが、彼の作品は未だ日本で翻訳の実績がない。

コンシアンスをはじめ、19世紀にフラーンデレン文学の発展に貢献したような作品の翻訳が皆無であるのには、2つ目の課題であるベルギーのオランダ語圏をめぐる言語事情による障壁が1つの原因として考えられる。先述の通り、ベルギー・オランダ語圏の翻訳出版件数がオランダと比べて少ないのは市場規模の違いも影響しているが、フラーンデレン出身の作家の作品には、ベルギーの言語事情が文学的表現にも反映されていることが多々ある。つまり、社会言語学的背景を十分に考慮した上での翻訳が必要とされることが、1つの障壁となっているのである[40]。事例として、オランダ語圏のベストセラー小説で、映画化もされた、フェルフルストの『残念な日々』を取り上げる。フラーンデレンのとある村を舞台としているこの小説では、登場人物が村の方言を話したり、文中でフラーンデレン地域独特の表現が多用される[41]。隣国オランダやドイツの読者にとっては、それがベルギー・オランダ語文学の「味わい」として親しまれている。しかし、オランダとベルギーで使用される言語の違いや、フラーンデレン地域の方言のニュアンスを伝える必要があるため、日本語への翻

40）井内千紗「ポリグロシアを有するテクストの蘭和翻訳に関する比較文化学的一考察――ベルギー・オランダ語圏の現代小説を事例に――」『比較文化研究』No. 142、2021年、p.70.

41）ディミトリ・フェルフルスト『残念な日々』長山さき（訳）、新潮社、2012年［Dimitri Verhulst, *De helaasheid der dingen*, Contact, 2006］.

訳には困難が伴う[42]。正書法が定まる前の時代の作品ともなると、オランダ語が母語でない者が翻訳するには、さらに大きな壁となる。

このように、フラーンデレン地域で使用されるオランダ語の言語的特徴が翻訳実現の障壁となるが、さらに、日本語翻訳においては、日本とベルギーの間にある言語事情に関連する文化的差異も大きな検討課題となる。例えばヴェルベーケの『ネムレ!』も、フラーンデレン地域独特の表現が多用される作品だが、都会生活を描いていることもあり、オランダ語以外に8ヶ国語での表現が登場する[43]。日常的に多様な言語に接触し得る文化的営為を反映したテクストを日本語に翻訳するには、単にオランダ語やその他の言語の知識のみでは不十分で、その文化的背景の考慮も必要となる。このような差異が、翻訳出版の実現を阻む要因ともなりうるのである[44]。

最後に、支援組織の役割という課題がある。これまで翻訳出版された単行本のうち、8件が2000年代以降、そして過半数が2010年以降に刊行されている。改めて図1を見ると、2000年代以降に日本語での翻訳出版数が伸びたことが確認できる。その背景として、1999年に設立された「フラーンデレン文学財団」を中心とする支援体制の充実がある。また、大阪に拠点を置いていた「公益財団法人フランダースセンター」(当時の名称)が、2010年代前半に翻訳者育成に着手し、東京移転を経て2022年のセンター閉館に至るまでの間、フランダース文学翻訳プロジェクトを実施していた。このプロジェクトを通して4点の現代小説が翻訳出版され、さらに日本で2016年以来開催されている「ヨーロッパ文芸フェスティバル」に毎年参加し、ベルギー・オランダ語文学の認知度向上にも取り組んでいた。支援機関による積極的な関与が、翻訳出版や普及の行末を大きく左右する好例であろう。

---

42)『残念な日々』では、村の方言を標準オランダ語での会話と区別するため、関西地方の方言が部分的に使用されている。

43) アンネリース・ヴェルベーケ『ネムレ!』井内千紗(訳)、松籟社、2018年[Annelies Verbeke, *Slaap!*, De Geus, 2003];井内、前掲書、p.71.

44) 同書、p.70.

5　さいごに

以上、日本におけるベルギー・オランダ語文学の受容について、その位置付けやベルギーの言語事情と対外出版政策の関係を整理し、翻訳出版の実態と課題を示した。日本におけるベルギー・オランダ語文学のプレゼンスの低さの要因は、次の3点にまとめることができる。

まず、翻訳文学をめぐって、英語を中心に発展してきた日本の外国文学受容と、ドイツ語への翻訳を重視する現代オランダ語文学という方向性の違いがあげられる。日本における蘭和翻訳と言えば、今もなお蘭学が中心となっている。翻訳文学は英語学習の発展とともに活発化したため、オランダ語文学は蘭学の伝統との接点がない。したがって、大言語が翻訳文学市場を支配するなかで、他のマイナーな言語と同様、周縁的な地位にとどまり続けてきた。また現在のオランダ語文学が依然として国際的に認知度が低いのには、オランダ語圏が政策的にドイツ語への翻訳やドイツ語圏への普及を推進していることも影響している。この特徴は、英語を媒介して海外の文学の情報を得る傾向にある日本にとっては、デメリットとなりうる。

2点目として、フラーンデレンにおける標準オランダ語をめぐる社会言語的状況が、日本語に限らず翻訳出版や外国市場開拓の遅れにつながっていると考えられる。フラーンデレン地域独特の表現や方言は、オランダのオランダ語を習得した翻訳者にとっては解釈が難しく、それがフラーンデレンの文学の翻訳を敬遠させる要因ともなりうる。小規模な市場からの作品が他言語圏へ移動するには、言語を取り巻く環境も、翻訳の実現に影響するのである。

3点目として、国家の名を冠する文学（i.e. フランス文学、ドイツ文学、スペイン文学）は、その歴史や重要な作家、作品等が体系的に紹介されるが、ベルギー・オランダ語文学は日本では今日に至るまでその機会を得ていないことである。第2節でも確認した通り、日本における「ベルギー文学」は、主にフランス語を経由して紹介されてきたために、「オランダ語文学」の実態はないがしろにされてきた。19世紀末のフランス語文学紹介によって「フランドル」イメージは広まったが、現代フラーンデレンのイメージは未だ不在である。そのため、フランス語文学の影響は今後も残ることが予想される。

対外出版において、目標文化における起点文化のイメージの有無は受容のあり方を大きく左右する。ベルギーの文学はすべてフランス語で書かれた文学であるという認識を変えるには、ともかく、オランダ語文学の存在を、古典や代表作とともに日本で紹介することが重要である。翻訳件数を飛躍的に伸ばすことは現実的に難しいかもしれないが、その歴史や特徴を紹介してイメージ形成の土台とし、翻訳すべき作品の選定へとつなげていくのである。

ベルギー・オランダ語文学は、ヨーロッパの十字路とも呼ばれるベルギー、そしてフラーンデレン地域の文化的特性を知るのに有効な文化資源である。文化の多様性や異文化理解をテーマとする作品が世界的に増加する中で、複雑な言語事情を背景としながら発展してきた一地域の文学は、世界文学の観点からも日本で今後注目していくべきではないだろうか。

謝辞

本研究はJSPS科研費21K18366の助成を受けたものです。

第 8 章

1960年代日本のグラフィック・デザインにおける ルネ・マグリットの受容

利根川　由奈

1　序論

本稿では、1960年代日本のデザインにおけるルネ・マグリット受容の様態を明らかにすることを目的とする。1960年代日本の広告デザインでは、マグリット的イメージが多く見られる。本稿で述べる「マグリット的イメージ」とは、デペイズマン的なイメージ（ものが本来あるべき文脈から切り離して別の文脈に置き直す手法）のことを指す。なぜマグリット的イメージがこの時代の日本の広告デザインで重用されたのかを、実際に作成された広告デザインの対象物によって分類し、マグリット作品と比較することによって考察する。

1.1　先行研究・問題意識

マグリットと広告の関係についての研究は、ジョルジュ・ロックによる西洋美術史・広告史を踏まえた文脈[1]と、藤井智佳子による日本のグラフィックデザインにおけるマグリットの影響を検討した文脈[2]の2つが存在する。

まず1点目について、マグリットの広告作品を分析した『マグリットと広告』

1）Georges Roque, *Ceci n'est pas un Magritte : Essai sur Magritte et la publicité (Broché)*, Flammarion, 1983.（ジョルジュ・ロック『マグリットと広告――これはマグリットではない』日向あき子監修、小倉正史訳、リブロポート、1991年。）

を記したロックは、マグリットの絵画作品のイメージが多くの広告に引用されている例を取り上げながら、マグリットのイメージが広告に引用される理由を「フィギュールの力」にある、と分析している[3]。ロックの指す「フィギュールの力」とは、言語学的な意味での文彩と、イメージ的な意味での形象、の二つの意味を含意している。つまりロックによれば、広告に必要な言い切り（例えば、「これは最高の香水である」といった、他の意味にとらえようがない広告の宣伝文句）と、マグリットの描くもののイメージの明解さ（例えば、他の何物と見間違うことのないリンゴのイメージ）は大変相性がよい。そのため、マグリットの描くイメージの明解さが、広告においてマグリットのイメージが多く引用される理由であると言う。だが、ロックは日本のグラフィックデザインにおけるマグリットの影響について言及しておらず、彼の言説が日本の場合にも適用できるのかを検討する必要があるため、本稿ではその点についても検討を行う。

また、本論においてマグリットの絵画作品の特徴がいかに日本のグラフィックデザインに引用されているかを検討するが、その際に必要となる前提として、マグリットの絵画作品と広告の造形的差異について簡潔に説明しておく。ロックは、1920〜30年代におけるマグリットの広告と絵画の間に見られる造形上の差異について3点指摘している。1点目は、カリグラフィー／タイポグラフィーの使い分け、2点目は、不定冠詞un(e)／定冠詞le・laの使い分け、3点目はサインの使い分けである。まず1点目について、マグリットは広告においては無個性なタイポグラフィーを使用していたが、反対に絵画では手書きの筆記体を想起させるカリグラフィーで名詞を記している。2点目に関しては、広告では通常、宣伝すべき商品の名称は特定のものを指す定冠詞le・laが使用

2）藤井智佳子「現代におけるステレオタイプとしての空――ルネ・マグリットの青い空白い雲と日本広告業界におけるその普及――」、『芸術学学報』12号、金沢美術工芸大学芸術学研究室編、2005年、78-59頁。

3）ジョルジュ・ロック『マグリットと広告――これはマグリットではない』日向あき子監修、小倉正史訳、リブロポート、1991年、138頁。

されるのに対し、マグリットはこのセオリーに反して不定冠詞un(e)を使用していた。マグリットのこの身振りから明らかになるのは、彼は特定の事物を一般名詞において名指すことの暴力性を認識していたことである。すなわち、広告においては、事物とその事物を指示する名前との関係を明示する必要があったにもかかわらず、マグリットは宣伝すべき事物に不定冠詞をつけることによって「この商品は特別なものではなく、あくまで車・本・宝石の一つにすぎない」ことを広告内で暴露してしまっている。こうした広告と並行して制作された絵画が、事物の名称とイメージの関係を問い直す《夢の鍵》(1927年)〔CR # 172〕や《イメージの裏切り》(1927年)〔CR # 303〕だったことを踏まえると、マグリットは広告制作を通して、事物のイメージと名前の関係を問い始めたと考えることもできる。3点目に関しては、マグリットは1920年〜30年代にかけて制作した広告の多くで偽名を用いていた。その理由は明らかにされていないが、同時期に制作されたタブローにはマグリットとサインが書き込まれていたことから、マグリットにとって広告は「絵画作品」ではなく、絵画とは別個のものとして認識されていたことが明らかになる[4]。

次に2点目について、藤井は1960年代以降の日本のグラフィックデザインを挙げながら、マグリットの影響関係を検討している。藤井の研究の特徴は、マグリットのイメージの中でも空に焦点を当てている点にある。ロックの研究でも多くの紙幅が割かれているように、マグリットにとって空や雲は非常に重要かつ頻出するイメージであった。また、藤井は、マグリットの影響が感じられるサッポロビールの広告【図1】についての永井一正の批評文に言及しつつ、「空間に突如として出現するラベルという表現にこそ、その広告のインパクトの本質があることを示している」[5]と永井の見解を示したうえで、「幻想の享受」と「マグリットのディペイズマンの享受」の二点に1960年代日本におけ

---

4) 詳細については以下を参照のこと。利根川由奈『ルネ・マグリット——国家を背負わされた画家』、水声社、2016年、64-82頁。

5) 藤井、71頁。

【図1】サッポロビールの広告、
AD・細谷巖、1965年

るマグリットのイメージの流行の背景があったと分析している。藤井はここで、当時の日本ではシュルレアリスム受容の様態としては瀧口修造のオートマティスムを核とするものと澁澤龍彦のディペイズマン系の幻想絵画の延長としてのもの、の二つの潮流があったものの、広告業界におけるシュルレアリスム的表現は後者の意味でとらえられていたと述べる[6]。また、当時日本でシュルレアリスム的表現と呼ばれたものの多くは、実のところマグリットのデペイズマンを指すのではないか、との見解を示している[7]。

藤井の見解は日本の広告・グラフィックデザインにおけるマグリットの影響を考えるうえで重要な示唆に富んでいることは疑う余地がないが、造形的な分析が空や雲に限定されている点や、使用されたモチーフの表面的類似にのみ議論の焦点が当てられている点で検討の余地が残る。特に、1960年代日本のグラフィックデザインで見られるマグリット的なイメージは、宣伝したいものや媒体によって、使用されたモチーフが異なる点に注目する必要があると思われる。そのため本稿では、グラフィックデザインに用いられた空・雲以外のモチーフに注目し、着想源と思しきマグリット作品との造形的比較を行うことによって、日本のグラフィックデザインがマグリット作品の何を継承しているのか、あるいはしていないのか、を検討することを目指す。

6) 同上、8頁。
7) 同上、8-9頁。

2 1960年代日本のシュルレアリスム的イメージの受容の背景

2.1 ジョルジョ・デ・キリコとカッサンドル

はじめに、1960年代日本のシュルレアリスム的イメージの受容の背景について考察していきたい。

中井幸一は、1950年代後半以降の広告表現について、アメリカでは三つの世界に基づいて制作されていると述べる[8]。中井によると、この三つの世界とは、一つ目はテレビなどに代表される虚構、二つ目は言葉を効果的に使用する現実、三つ目は虚構と現実の間に位置するシュルレアリスム的表現だという[9]。ひとつ注視すべきは、中井の言う「シュール・レアリズム」の表現とは、ジョルジョ・デ・キリコ作品とのモチーフの類似を指すように思われる点である。たとえば中井は次のように述べる。「この写真［引用者註：ヘインズのグレート・レッグ］【図2】をジーッとみつめていると、ぼくは次第に、初期のシュール・レアリストのキリコの絵を思い出す。キリコの絵に登場している建物は、死の静謐をともなった廃墟であり、ヘインズに登場している建物は、もちろん近代建築であるが、この二者が不思議にイメージの上で共通しているのはどういうわけなのだ

【図2】ヘインズのグレート・レッグ（1950年代）

8) 中井幸一「技術の進歩が、第三世界への扉を開いた……—アメリカの広告にみるシュールなイメージ」、『コマーシャル・フォト』1969年3月号、No.61、玄光社、12頁。

9) 同上、12-14頁。

ろうか」[10)]

この広告は女性用パンティストッキングの広告であり、画面中央にはそのストッキングを着用したと思しき女性の巨大な両足が描かれている。画面向かって左側の女性の右足は軽く曲げられ、画面向かって右側の左足は直立している。画面上部には女性の着用するスカートが描かれている。画面下部には建物、またスカートの真下部分にはスーツを着た男性のように見える像が描かれていることから、建物や男性の大きさと比較すると、女性の足がいかに巨大化しているかがよく分かる構図となっている。

デ・キリコの絵画では事物の大きさが通常の状態と大きく変えられているイメージが頻出する。例えば、デ・キリコの代表作のひとつであり、マグリットも影響を受けた《愛の歌》(1914年)【図3】は、画面中央に古代ギリシアを思わせる彫刻の頭部と、茶色の皮手袋が並置されている。通常、皮手袋は人間に着用されるものであるため、彫刻の頭部と比較すれば皮手袋の大きさは小さいはずである。しかしこの絵画内ではあえて、本来大きさの異なる2つの事物の大きさが同じように描かれていることで、我々鑑賞者の事物や世界の認識に揺さぶりをかける効果を

【図3】Giorgio de Chirico《愛の歌(The Song of Love)》
1914, Oil on canvas, 73 x 59.1 cm,
Museum of Modern Arts, New York.

10) 同上、14頁。

生んでいる。そしてこの効果をシュルレアリストたちは「詩的」と表現して評価していた。また、中井が指摘している「死の静謐をともなった廃墟」は《愛の歌》でも見て取れる。彫刻の頭部と皮手袋が外壁に置かれた黄土色の建築物は、人間が住んでいる気配を感じさせず、静かな雰囲気をたたえている。このように考えると、広告《グレートレッグ》では、デ・キリコ作品のような建築物の静謐さと、通常と大きさが異なる事物を並置することで生まれる驚きの効果が、確かに見いだせると言えよう。

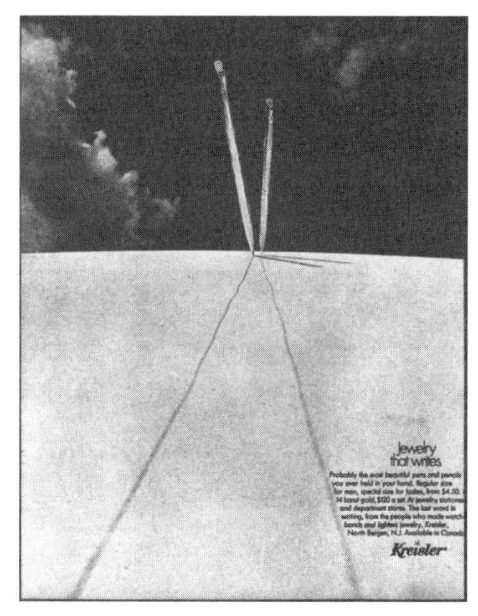

【図4】クライスラーのシャープペンシルの広告（1950年代）

加えて、クライスラーのシャープペンシルの広告【図4】についても、中井は「キリコといえば写真A［引用者註：クライスラーのシャープペンシル］などは、まさしくキリコの世界の創造物である。地球の一部をあらわすような遠い地平線、それに雲。そこに長い影を落とした2本の万年筆とシャープ・ペンシルが突きささっている。地平線に向って一直線に引かれている2本の平行線の遠近法は、いうまでもなくシュールのひとつの典型で、これは初期のカッサンドルがポスターの中でよく使った手法だ」[11]と述べている。

ここで中井が述べるデ・キリコの地平線の表現は、《通りの神秘と憂愁》（1914年）【図5】に顕著に表れている。画面中央を貫き、画面奥の地平線（＝消失点）へと繋がる斜線によって遠近法の効果が強まっている作品である。

11）同上、14頁。

【図5】Giorgio de Chirico《通りの神秘と憂愁》
1914, 87 x 71.5 cm, Private Collection, New York.

加えて中井がここで指す「初期のカッサンドルがポスターの中でよく使った手法」は、たとえばカッサンドルの代表作のひとつ《エトワール・デュ・ノール》【図6】に見られる。この作品では、画面上部に地平線が描かれ、画面が大きく上部の空と下部のアスファルトと思わしき黒い地面とに分断されている。この地面には数本の白線が引かれているが、この白線が空に浮かぶ大きな北極星（消失点）に向かって集約しているため、遠近法の効果によって画面の奥行が最大限に発揮されている。タイトルの通り、この作品で表現されているのは、北極星が象徴する北へと向かう長距離寝台列車であり、直接的に列車が描かれていないものの、北極星へと伸びる白線が列車の線路を想起させる仕掛けとなっている。

ウクライナ出身のカッサンドル（本名：アドルフ・ジャン＝マリー・ムーロン、1901-1968年）は、1920～30年代にパリで活躍したポスター画家・グラフィックデザイナーである。キャリアの初期は、幾何学的な直線や曲線を用いてアールデコを思わせる表現を多用し、名声を得た。その後、シュルレアリストとの交流を経て作風もシュルレアリスム的に変化し、1930年代後半には『ハーパース・バザー』誌の表紙などで、サルバドール・ダリ、ルネ・マグリットらの影響を感じさせる幻想的な表現を披露している。

中井はまた、シュルレアリスム絵画の特徴として、地平線とものとものとの偶然の出会い、の2つの要素を挙げている。前者については、「人々は眼前に示された地平線をみたとき、地球の原点をみたときのように畏敬し、現実の世界から一挙に想像の世界へと引き込まれるフシギな力と魅力がある」[12]と述べて、この地平線が現実と詩の世界を分かつものとして機能していると分析している。他方、後者のものとものとの偶然の出会いについては、「観念の上ではあり得べからずところに、異質のものが同存したときにかもしだす不思議な雰囲気を、シュールの芸術家たちは敏感につかまえ画面に定着させる」[13]として、シュルレアリスム美術に頻出するデペイズマン（異郷化、異化効果）の有効性を認めている。

【図6】カッサンドル
《エトワール・デュ・ノール》(1929)

このように中井は、デ・キリコ的な遠近法の使用や、地平線とものとものとの偶然の出会いといった手法をシュルレアリスム的とみなしていた。そして彼は、1950〜60年代に隆盛したこうした表現が鑑賞者に与える効果が大きいことに非常に自覚的であったと言える。

2.2 マグリットとデペイズマン

次に、マグリットのイメージが1960年代の日本で、どのように受容されていたかを検討したい。

日本のグラフィック・デザインを牽引する存在として、1960年代当時、日

12）同上、14-15頁。

13）同上、16頁。

本宣伝美術協会のコンクールの審査員も務めていた永井一正は、当時のグラフィックデザインとシュルレアリスムの関係について次のように述べている。

> つい先日亡くなったベルギーのこのルネ・マグリットほど、最近のグラフィック・デザイナーの一部の人達の心を強くとらえた画家はいないのではあるまいか。例えば去年の日宣美展をみても、ルネ・マグリット的シュール・レアリズム表現がいかに多かったかということは我々の記憶に新たなことである。準入選や落選した作品のなかにも青空やぽっかり開けられた窓の表現が随所に見られた。このモチーフは二つともルネ・マグリットの得意とするものである。
>
> 例えばサッポロビールの有名なキャンペーンである、雲山の青空にラベルがぽっかりと浮いている作品と、ルネ・マグリットの山の上に巨大な岩石が浮いている作品とは類似点があるように思う。細谷巖が直接この作品の影響を受けたかどうか私は知らないが、ラベルを青空に浮かばすという発想は、明らかにシュール・レアリズム的なものであり、しかもそこにはシュール・レアリズムが担ってきた、生々しい人間の、みにくい本性など微塵もない。[14)]

永井はこのように、美術の分野においては流行が去ったシュルレアリスム、中でもとりわけ「マグリット的シュール・レアリズム表現」が、日本のグラフィックデザインにおいては多く見られるようになった現状に言及している。永井はこうしたグラフィックデザイン業界の傾向について「広告がグラフィカルな美しさよりも商品そのものの良さを即物的に出そうとしてきた時期の反動ではないだろうか」[15)]と分析している。

ここで永井が言及している、細谷の広告【図1】との類似が見られるマグリ

---

14) 永井一正「広告が人間の潜在意識に挑戦するとき…－超現実的な広告の意味するものは何か」、『コマーシャル・フォト』1969年3月号、No.61、玄光社、28-29頁。
15) 同上、29頁。

ット作品とは、《ガラスの鍵》〔CR#899〕(1959年)【図7】であろう。《ガラスの鍵》は、険しい山脈の上に大きな岩が均衡を保っている様子が主題として描かれた作品である。藤井は、細谷によるサッポロビールのグラフィックデザインの着想源となったのは、マグリットの代表作のひとつ《ピレネーの城》ではないかとの仮説を唱えているが、巨大な岩が空中に浮遊する、あるいは不安定な場所に置かれるという主題は1950年代からしばしばマグリットの絵画作品に見られるものであること、加えて山の上に岩やビールのラベルが置かれるという造形的な相似が見られること、の二点に鑑みると、永井が指す「ルネ・マグリットの山の上に巨大な岩石が浮いている作品」とは《ガラスの鍵》であると考えられる。

【図7】René Magritte《ガラスの鍵 (La clef de verre)》1959〔CR#899〕, Oil on canvas, 130 × 162cm, The Menil Collection, Houston.

マグリットにとってこの作品の主眼は、1950年代以降自身が取り組んできた思考イメージの可視化にあったことが、彼の発言からはうかがえる。たとえば、1961年5月、ピエール・デュマルヌ (Pierre Demarne) 宛書簡にて、マグリットは次のように語っている。

> 正しい思考は、《ガラスの鍵》の絵画の中で、山の上に石を置くことを必要とする。これは空中浮遊や「動きのない」雪崩の類の例ではない。空中浮遊がないわけではないが、もしあなたが望むなら、地球が空虚の中に吊るされている精神の中に我々を連れて行ってほしい、地球の上で起こりうる全てのこと、他のものに反して山の上に置かれた石とともに。私の強さは、ひとつの石の

イメージを描くことにあり、インスピレーションは私に、その石を山の上に置かれなければならないと示唆した。[16]

加えて、「いわゆる現実的な世界」や「知覚できないが存在している世界」を表すタイトルでは、「思考を眠りから起こすのに不十分である」と述べている[17]。また、同じ書簡にて「この絵画は喜びの感覚を呼び起こす。石は幸運のチャームであり、山に咲くエーデルワイスは幸運をもたらす」[18]と言及している。このように、マグリットにとって《ガラスの鍵》は現実的モチーフを絵画の主題として用いつつも、本来のものが置かれる場所とは異なる場所にものを置くことで、鑑賞者の意識を転倒させる意図があったと考えられる。そしてマグリットのこの意図は、言い換えればマグリットのデペイズマンの真骨頂であり、その効果を最大化するために身近なモチーフが選ばれていた。

このように考えれば、細谷のグラフィックデザインは、マグリットのデペイズマンの意図や効果を最大限受け継いでいる事例だと言えよう。

3　マグリット的イメージの影響

3.1　ファッションにおける人物像―匿名性

一点目の事例として、ファッション広告における人物の顔を隠すデザインを取り上げる。

「メンズモードJAZZ」の広告は、アートディレクター・宮原哲夫によって制作された広告である。【図8】では、画面中央には椅子に座り、顔が手によって覆われているスーツを着た人物が描かれている。【図9】では【図8】同様、画面中央にスーツを着た人物が置かれているが、頭部は見えず、その代わりに飛ん

---

16) 1959年2月26日付のアンドレ・ボスマンス宛の書簡、David Sylvester, *René Magritte catalogue raisonné, vol. III*, Sotheby Parke Bernet Pubns; illustrated edition, 1992-1997.CR III, p.307.

17) 同上、CR III, p.307.

18) 同上、CR III, p.308.

【図8】「メンズモードJAZZ」の広告、
AD・宮原哲夫、1969年

【図9】「メンズモードJAZZ」の広告、
AD・宮原哲夫、1969年

でいるカラスが頭部の位置にある。メンズモードJAZZとは、1960年代に存在した男性向けファッションのセレクトショップである。このショップでは、同時代の海外の新進気鋭のファッションデザイナーの洋服を扱っていたようである。この広告イメージは、画面中央にスーツを着て手袋を装着した人物が置かれているが、その人物の顔は画面上部から降りている手によって覆い隠されているため、鑑賞者は人物の顔を見ることはできない。このように、スーツを着込んだ男性と思しき人物の顔面を覆うという表現は、《山高帽の男（L'homme au chapeau melon)）》〔CR#1002〕（1964年）【図10】をはじめマグリットがたびたび行ってきたものであるため、この広告イメージはマグリットの影響を強く受けて制作されたもののように思われる。《山高帽の男》はマグリット作品に頻出する山高帽を被った男性と思しき人物が描かれているが、その顔面は空中に浮かぶ鳩に覆われているため、鑑賞者は人物の顔を識別できない。しかし、この広告の製作者である宮原は「自分なりに把握した新しい広告表現の方向づけをやってみた」[19]「(…) JAZZの広告が、シュールとか、第三の広告とかいうとり上げ方をされることへの反論めいたことを言いたい」[20]と述べて、シュルレアリスムからの影響については明確に否定している。とはいえ、マグリット作品との造形的類似を鑑みると、この発言は自身の製作物のオリジナリティや新規性を担保したい宮原の主観的主張のようにも見えるため、彼の発言を鵜呑みにすることは控えるべきだろう。

【図10】】René Magritte《山高帽の男 (L'homme au chapeau melon)》1964〔CR#1002〕, Oil on canvas, 65 × 50cm, Private Collection, New York City.

興味深いのは、当時の日本のファッション広告で、人物の顔を隠す手法が他にも取られていたことである。たとえば、1968年3月号の雑誌『メンズクラブ』【図11】では、画面中央に黒の羽織を着た人物の後頭部と後背が配置されている。画面右の後景には、祭りで使う纏(まとい)が置かれている。『メンズクラブ』は海外の男性向けファッションを紹介する雑誌であったため、羽織や纏といった日本の伝統的服装を表紙に置くのは意外性がある。この表紙のデザインでは、マグリットの《不許禁制 (La reproduction interdite)》〔CR#436〕(1937年)【図12】が着想源にあると考えられる。

《不許禁制》は、画面中央に鏡に対峙した男性の後頭部と背中が描かれてい

---

19) 宮原哲夫「内部からわきあがってくる広告を――メンズファッションの分野に、皮膚感覚を持った広告を送るJAZZ」『コマーシャル・フォト』1969年3月号、No.61、玄光社、25頁。

20) 同上、25頁。

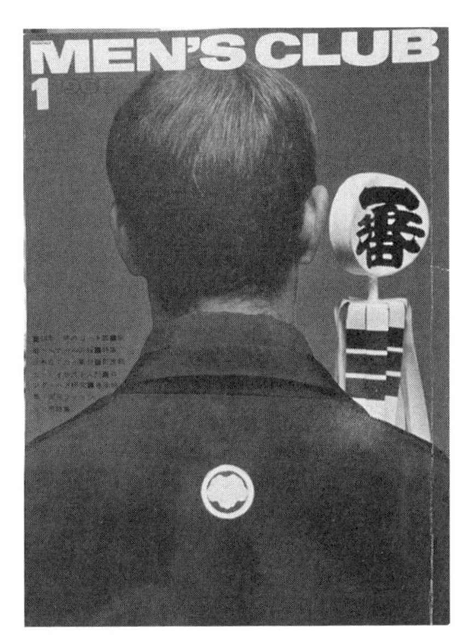

【図11】1968年3月号の雑誌
『メンズクラブ』表紙

【図12】René Magritte《不許禁制
（La reproduction interdite）》1937〔CR#436〕,
Oil on canvas, 81 x 65cm,
Museum Boymans-van Beuningen, Rotterdam.

る絵画である。特徴的なのは、作品内で男性が覗き込む鏡に写るのは男性の顔ではなく、男性の後頭部と背中である点である。鑑賞者は、これまでの経験から「鏡は鏡の正面の置かれた物体の姿を写し出すもの」と理解しているはずだが、この作品ではこうした鑑賞者の先入観や常識が覆されることによって、驚きを与える効果を生んでいる。また、鏡に写るはずの顔が写っていないことにより、鑑賞者は「男性はどんな顔をしているのだろう」と想像することを余儀なくされる。

ファッションの広告において人物の顔を隠すことは、必然的に人物の身体やファッションに鑑賞者の目を向けさせる効果があると考えられるため、人物の顔を隠すマグリットの絵画作品、言い換えれば匿名性を想起させる広告デザインが多く制作されたと推察できる。

3.2　小説における人物像－不安感

マグリットの日本の広告デザインへの影響を考えるにあたり、二点目の事例として小説の表紙のデザインを取り上げたい。

上田晃郷・白井準司による《快楽の熱気》【図13】は、1969年日本宣伝美術会展で奨励賞を獲得した作品である。画面中央には液体が上部から流れ出ているボトル状の物体が描かれ、その下部には虚ろな目で笑みをたたえる不気味な女性が描かれている。その女性の反対側には、その女性に覆いかぶさる、あるいはボトルを抱えるように右側から男性が迫っている様子が描写されている。このグラフィックデザインは、イギリスの小説家ジェームズ・アラン（James Allen, 1864-1912）による『快楽の熱気（The warm love）』というタイトルの小説の表紙として製作されたものである。この小説は「熱烈な恋にもみたされぬ移り気な女ウイの愛の彷徨を描く問題作」と記載されているように、男女の恋愛模様を描いている。

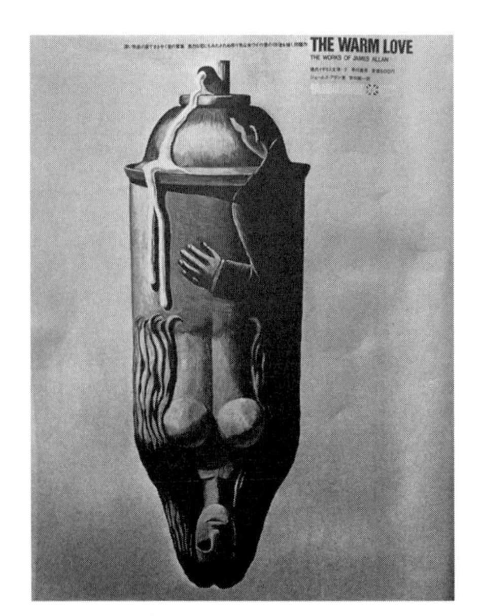

【図13】《快楽の熱気》
AD・上田晃郷・白井準司

この表紙イメージは、内容を買い手に想像させる秀逸なイメージだと言えよう。さて、この作品が出品されたコンテストを開催した日本宣伝美術会は、1950年代の日本のデザイン黎明期を支えた、当時の若手デザイナーにとって非常に大きな影響力を持つ団体であった。また、当時の日本デザインを牽引していた面々が審査員を務める日本宣伝美術会展は、若手デザイナーの登竜門と認識されていたという。特に1969年の審査員は、細谷巖、永井一正、福田繁雄といった、マグリット作品に着想を受けたと思しきデザインを残したり、マグリットと広告の関係について論考を執筆したりしている面々が名を連ねている[21)]。そのコンテストで特選に次ぐ奨励賞を獲得した作品ということは、審査員たちの目にも秀でた点があると認められたデザインと考えてよいだろう。このデザインの特徴は、小説の内容と合致するような、女性と男性の緊張状態を示す強烈なイメージにあると考えられる。その強烈な印象は、男性と女性の平穏な日常が急に奪われるかもしれない不安感や非日常性の喚起によって与えられると思われる。

この表紙デザインは、男性に襲われる女性というモチーフや人物の描き方、不安感や非日常性の喚起という鑑賞者に与える印象において、ルネ・マグリット《タイタンの日々(Les jours gigantesques)》〔CR#225〕(1928年)【図14】を思い起こさせる。この作品は、画面左側に裸体の女性が、画面右側にスーツを着た男性と思しき人物が描かれている。スーツの人物は女性に襲いかかろうとしている様子がうかがえるため、鑑賞者に不安感や緊張感をもたらす作品である。デイヴィッド・シルヴェスターは、《タイタンの日々》はギリシア神話のラピテスとケンタウロスの戦い[22)]がモチーフだとしているが、

【図14】René Magritte《タイタンの日々(Les jours gigantesques)》1928〔CR#225〕, Oil on canvas, 73 × 54cm, Private Collection.

21) 1969年の日本宣伝美術会展の審査員は、細谷巖、福田繁雄、伊藤憲治、亀倉雄策、勝井三雄、中村誠、永井一正、大橋正、田中一光、和田誠、山城隆一、の11名であった。

制作に際してのマグリットのドローイングや発言[23]を見ると、マグリットは明らかに女性が男性に陵辱される瞬間の恐怖を主題としていることがわかる。1920年代後半、マグリット作品にはグロテスクな題材や恐怖を喚起する題材が多く用いられた背景を加味すると、この作品の狙いが女性の恐怖を描くことにあったと推察できる。

本節の最後に、なぜマグリット的デペイズマンが日宣美展で台頭してきたかを考えていきたい。そのために、1960年代の広告制作者を巡る時代背景について、加島卓の論を補助線とする。

加島は、1960年代半ばから、草月アートセンターを介した芸術家やグラフィック・デザイナーたちの異業種交流により、若手デザイナーに「わからないものはわからないまま面白い」という感覚が芽生え、この感覚が「若者のグラフィック・デザイナーにおいて「価値意識の転換」と捉えられ始め[粟津1967[24]]、モダニズムを理想としてきた日宣美の判断基準を揺さぶることになる」[25]と述べた。続けて加島は、この傾向は長友啓典・加納典明による「ジャ

---

22) ラピテス族の王の婚礼にケンタウロス族が招かれた際、ケンタウロス族が花嫁を奪おうとしたことがきっかけで起きた戦争のこと。理性的なギリシア人と野蛮なペルシア人の比喩とも云われる。美術史的には人気の題材で、古代ギリシア時代から彫刻が作成され、ルネサンスにはミケランジェロによる彫刻やピエロ・ディ・コジモによる絵画も作られた。シルヴェスターは、マグリットはこの作品の着想源に古代ギリシア時代の彫刻があったと指摘する。David Sylvester, *René Magritte catalogue raisonné, vol.I*, Sotheby Parke Bernet Pubns; illustrated edition, 1992-1997, p.277.

23) マグリットからマルセル・ルコント宛の書簡（1928年、月日不明）にて、マグリットは女性が男性に接近され襲われるシーンを三つのドローイングで示しており、文中でも「あなたが見てのとおり、このシーンはレイプ――この女性にとって眼前に迫る恐怖――が起きる瞬間を表現している」と解説している。CR Ⅰ、p.277.

24) 粟津潔「これぞわれらが時代」『デザイン』（第102号）美術出版社、1967年。

25) 加島卓「若者にとって〈感覚〉とは何か―― 1960年代日本における職業としてのグラフィック・デザイナー」、『年報社会学論集』2009（22）、2009年、210-221頁。

ンセン」ポスターに1967年に日宣美賞を与えたことにも見られるという。まとめると、「ジャンセン」ポスターの理解できなさ、つまり「わからないものはわからないまま面白い」と受け取る感覚が、当時の若手グラフィック・デザイナーに見られる傾向であり、この傾向は、モダニズム的な、言い換えれば理性や理論で理解するために若干閉塞的になりつつあった当時の中堅・ベテランのグラフィック・デザイナーの感性と対立するものだった。

興味深いのは、こうしたグラフィック・デザインを巡るポリティクスの中で、マグリット的デペイズマンはモダニズム的なものと感覚的なもの、どちらとして受容されていたのか、である。マグリットを間接的に評価していたように見えるのは、当時の中堅・ベテランだった細谷巖、永井一正、福田繁雄らだったことを踏まえると、マグリットは彼らからモダニズム的な受容をされていたようにも思われる。しかし、マグリット自身はモダニズムに反する立場であったことに鑑みると、この受容の様態もまた皮肉である。

4　結論

以上の検討から明らかになるのは、マグリットの絵画作品を想起させるイメージが、1960年代日本のデザインにおいてさまざまな媒体で用いられていた事実である。またその用途も、ファッションをアピールするために人物の匿名性を強調するもの、小説の内容を購入者に想像させるために不安感を煽るもの、など、マグリット絵画に見られる複数の要素が日本のグラフィックデザインにおいては目的に応じて細分化されて引用されていたことが明らかになった。よって、先行研究や1960年代の文筆家によって「マグリット的デペイズマン」と呼ばれていたイメージの中にもさまざまなレイヤーが存在し、日本のグラフィック・デザイナーはその目的によって、「マグリット的デペイズマン」の中から適したものを選択していたことがわかった。

加えて、本論で確認したことから明らかになるのは、匿名性や不安感を喚起する「マグリット的デペイズマン」が、中井が述べていたような「幻想性」、すなわち非現実性に担保される「シュルレアリスム的イメージ」とは一線を画すものだったことである。中井の指す「幻想的な」「シュルレアリスム的イメージ」が、ジーグムンド・フロイトやサルバドール・ダリと結び付けられて受容されてきた背景を考慮すると、「マグリット的デペイズマン」に用いられるモチーフや主題は鑑賞者の身近なもの、言ってみれば俗物的なものばかりである。しかしこの差異こそが、「シュルレアリスム的イメージ」と「マグリット的デペイズマン」の分水嶺であったと結論付けられるだろう。また、永井によるマグリット評は、「生々しい人間のみにくい本性などみじんもない」と書いているところから鑑みるに、マグリットの描写のドライさを評価していると考えられる。マグリット作品が鑑賞者に与えるドライな印象は、作者であるマグリットの内面が表面化してこないために表れるとも言えるが、そのためにマグリット作品は匿名性や不安感を作者の内面と関係なく与えることができると言えるだろう。その点においてマグリットのシュルレアリスム絵画は作り手の「鑑賞者ありき」というスタンスが、広告制作者と近いところにあったと言えるのかもしれない。

第　9　章

フランソワ＝ジョゼフ・フェティスの著述における日本音楽

大迫　知佳子

1　はじめに

フランソワ＝ジョゼフ・フェティス（François-Joseph Fétis）は、独立後のベルギーの音楽界で大きな影響力を揮ったモンス出身の音楽理論家である。彼の音楽理論は、こんにちの音楽における核概念「調性（フェティス理論においてはトナリテ tonalitéという用語で表される）」[1]を明確に定義づけた最初期のものであり、その理論的特徴の一つに、日本を含むあらゆる国/民族の音楽に固有の「トナリテ」を見た点が挙げられる（Fétis 1840: 168等）。

このような特徴ゆえに、フェティス理論に関する研究では、これまで、様々な国/民族の音楽について論じられてきた[2]。しかし、日本音楽に焦点を当てた本格的な研究はほとんど見られない。フェティスと日本音楽の関係に触れた研究は、いずれも「近代西洋での日本音楽普及の黎明」という文脈でなされたものであり、フェティスの著書名を中心としたごくわずかな事柄を提示するのみとなっている。例えば、ポーターは、19世紀西洋における西洋外の音楽

1）音楽学者カール・ダールハウス（Carl Dahlhaus）は、この「調性」という用語を、カスティル・ブラーズ（Castil-Blaze）が創り出し、フェティスが定義を与えたものと見なしている（Dahlhaus 1990: 3, 7）。

2）例えば、Campos 2013: 194-227, Christensen 2019: 165-173等。

への関心について論ずる際、フェティスの『総合音楽史 *Histoire générale de la musique*』（1869～76）を、日本を含む西洋外の音楽について扱うことの重要性を示した最初の歴史書と位置づけた（Porter 1996: 232）。また、西洋における日本音楽研究の歴史に関するセスティリの論文や、西洋における日本研究について整理した藤津の記述からは、フェティスの『総合音楽史』を、近代西洋における日本音楽に関する音楽（史）書の草分けと見なしていることが読み取れる（Sestili 2002: 93, 藤津 1994b: 134）。

しかし、フェティスが日本音楽について論じたのは『総合音楽史』が初めてではなかった。同著出版の約20年前、『和声の理論と実践の総論 *Traité complet de la théorie et de la pratique de l'harmonie*』「第3版序文」（1849）[3] の中で、彼はすでに日本の「トナリテ」に言及している。『総合音楽史』においては、その「トナリテ」に関する説を再検討しながら、日本音楽の理論と楽器についてあらためて考察した。

そこで本稿では、この「トナリテ」という観点から、フェティス著『総合音楽史』における日本音楽に関する記述を、『和声の理論と実践の総論』を含む周辺の関連記述と併せて読み解く。それによって、彼が「トナリテ」を巡って日本音楽についてどのように考え、また、それを自身の理論にどのように位置づけていたのかを探り、西洋への日本音楽普及が本格化し始めたこの時期にフェティス理論が果たした役割について考察したい。

まずは、本稿の前提として次の2点を順に整理しておこう。1点目は、本稿で中心的に扱う『総合音楽史』がフェティスの業績の中でどのような意義を持ち得たのか、2点目は、本論の観点となるフェティスの「トナリテ」の理論とは如何なるものか、である。

3）筆者が調査を行ったベルギー王立図書館、フランス国立図書館等の諸図書館に第3版の所蔵がなかったため、本稿は、第2版になく、第4版には所収されている、1849年1月13日付の「第3版序文」に基づく。

2　フェティスについて

2.1　フェティスにおける『総合音楽史』

フェティスは1784年に、まだオーストリア＝ハプスブルク家領であったモンスで生まれ、この街の聖ヴォードリュ教会でオルガニストを務めていた父に音楽教育を受けて育った。1800年からパリ音楽院で作曲を学び、フランスのブヴィーニュ、ドゥエ、パリで教鞭をとるなどしたのち、1833年以降はブリュッセルを中心的な拠点として音楽の分野で多岐に渡って活躍することになる。

本稿の冒頭で、フェティスに「音楽理論家」というひとつの肩書を付したが、こんにち彼は、音楽教育者、作曲家、批評家、そして音楽学者としてもその名を知られている。つまり、フェティスは、音楽理論家としての講義・出版を続けながら、パリ音楽院の対位法とフーガの教授（1821～1833）兼附属図書館司書（1826～1831）および、ブリュッセル王立音楽院初代院長兼作曲の教授（1833～1871）として教育・作曲・書籍の出版に携わり、パリで『ルヴュ・ミュジカル *Revue musicale*』（1827～1835）を、ブリュッセルで『ガゼット・ミュジカル・ドゥ・ラ・ベルジーク *Gazette musicale de la Belgique*』（1833～1834）を、いずれも最初期の音楽雑誌として創刊・執筆・編集し、レクチャー付き古楽コンサートの草分けとしての「コンセール・イストリック Concerts historiques」をパリ（1832～1833, 1835）・ブリュッセル（1839）の両地で企画・開催した。これらの多様な活躍は、しかし、一貫して、「中世から彼が生きた時代までの、東西諸地域の音楽理論と音楽実践に関する研究」に拠るものであった。つまり、フェティスが行ったあらゆる時代・地域の音楽に関する資料の収集と、それらの資料に基づく分析・考察、そして、様々な媒体をつうじた研究成果の公表という活動が、上記のような多くの肩書に反映されているのである。

「古今東西の音楽に関する研究」を拠り所としたこれら長年の活動の集大成となったのが、フェティスの遺作『総合音楽史』である[4)]。フェティスは晩年

4）この著書の内容の正確性に関する議論については、Nichols 1978: 7-9を参照のこと。

の7年をかけ、全5巻の音楽史書としてこの本を出版した。ただし、元々の彼の構想では、本書は古代から19世紀までの東西諸地域の音楽史を視野に入れた本篇全6巻・史料集全2巻という構成であった(Fétis 1862: 239)。計画どおりの完成を見なかったにせよ、西洋内外における民俗的な音楽をも含めた音楽史を膨大な資料をもとに描き出したという点で、この『総合音楽史』は、当時大きな意義を持った(ヴァンジェルメー 1994: 508)。そしてこの意義は、「比較民族音楽学という分野の基礎を築いた」という現代における彼の業績に対する評価へと繋がってゆくことになる(Haraszti 1932: 103, ヴァンジェルメー 1994: 508)。このとき、『総合音楽史』における主要な論点のひとつとなったのが古今東西の「トナリテ」であり、ここでフェティスが比較の対象に含めたものが日本の「トナリテ」であった。

2.2 フェティスの「トナリテ」について

カール・ダールハウスは、『ニューグローヴ世界音楽大事典 *The New Grove Dictionary of Music and Musicians*』(1980) における項目 "Tonality" の中で、その源泉がフランス語の「トナリテ」にあることを示し(本稿脚注1を参照)、その定義に関する議論について歴史的な変遷も含めて説明した。そして、この "Tonality" は、日本語翻訳版の『ニューグローヴ世界音楽大事典』で、tonalité, Tonalität, tonalità にも対応するものとして「調性」と訳されている。すなわち、こんにち一般的に「調性」とは、最も広義には「諸音の音高関係」、より狭義には、「『主音 tonic』すなわち中心音をその最も重要な要素とする音高関係の体系」を意味する(ダールハウス 1994: 9)。つまり、「調性」は、音楽を形作るそれぞれの音同士の(主音を中心に据えた)関係性を指すということになる。それではこのこんにちの「調性」概念の礎となった、フェティス理論における「トナリテ」とはどのようなものであったのだろうか。

フェティスは、自身の著書の中で、「トナリテ」を次のように定義している。「トナリテは、音階の諸音間に必然的に見られる継起的および同時的な関係の総体である」(Fétis 1844: 22)[5]。この定義から、「トナリテ」は「音階」に基づくとフェティスが考えていたことが読み取れる。そして、この定義は、長短音階に基づくフェティスの和声理論を具体的に説明する文脈においてなされたものなので、ここで彼のいう「音階」は、我々にもなじみの深い西洋における「長短音階」(譜例1) を指している。

フェティスは、長短音階のそれぞれの音が固有の性質を持つと主張した。そして、この固有の性質によって、音階音がどのような音程を支え、どのような和音を支え、それらの音程や和音がどのような方向に進み、どのように終止し得るのか、が決定されると考えていた[6)]。つまり、「音階の諸音間に必然的に見られる継起的および同時的な関係」とは、フェティスが自身の理論において

譜例1　西洋における長短音階例

(作譜および作図追加は大迫による、これ以降の譜例・図についても同様)

1-1　ハ調の長音階

1-2　ハ調の短音階 (自然短音階)

---

5) *La tonalité se forme de la collection des rapports nécessaires, successifs ou simultanés, des sons de la gamme* (Fétis 1844: 22). 訳出にあたっては、ダールハウス (1994: 9) を参照した。

6) 音階音における固有の性質は、安定感がある (第1, 4, 5度音)、安定感がない (第2, 6度音)、そして、安定感と対立する (第3, 7度音)、という性質として説明されている。例えば、安定感があるという性質を持つ音階音のみが、安定感があるという性質を持つ音程のバス音となり得る、など、バスとなる音階音と、その上に構成される和音構成音程の性質に矛盾があってはならないとフェティスは考えた。

主張する各音階音に固有の性質と、その性質に支配された音・音程・諸和音の構成原理、そして、固有の性質に基づいて音や諸和声が進行し、終止していく方向性の諸原理を意味すると解釈できる。

このように、フェティスの定義する「トナリテ」は、西洋における長短音階に基づいている。ただし、2.1で見た、フェティスの「古今東西の音楽に関する研究を拠り所にする」という姿勢のとおり、フェティス理論で想定されている「トナリテ」は、長短音階に基づく「トナリテ」だけではなかった。

フェティスは、西洋における音階を歴史的に2つに区分し、結果として、「トナリテ」を、教会旋法に基づく「旧いトナリテ ancienne tonalité」と、長短音階に基づく「現代のトナリテ tonalité moderne」に分けた。フェティスにとって、この2つの「トナリテ」は全く異なるものであった。最も決定的な違いは、彼が自然不協和音（V_7の和音）と呼ぶ和音（譜例2–1）の構成音（長短音階音）が、教会旋法の各構成音にはなかった固有の性質を持つという点と、その性質にしたがって自然不協和音から主音上の三和音（とその転回形）への終止がなされ、調や転調[7)]が確立され得る（譜例2–2）という点にあった。すなわち、例えば、譜例2-1の自然不協和音における音階の第4度音（ファ）および第7度音（シ）は、同じくこの和音における第5度音（ソ）とともに、解決（本稿では終止の意、以下同様）へ向かい、進むべき調を決定するとフェティスは考えた。この性質にしたがえば、譜例2-2のように、自然不協和音における第4度音は主音（ド）上の三和音における第3度音（ミ）へと解決し、同じく自然不協和音における第7度音は主音上の三和音における主音へと解決して、進むべき調（譜例2–2ではハ長調）を確立しなければならない。このように、音楽（あるいはトナリテ）の基礎となる音階が、固有の性質に拠らない教会旋法から固有の性質に拠る長短音階へと移行し、その固有の性質を備えた自然不協和音が存在し、進行し、その進行によって調や転調が確立されることで、固有の性質に拠る調

7）つまり、例えばある調の和音進行の中に、別の調の自然不協和音が置かれれば、自然不協和音はその固有の性質にしたがって別の調で終止することになるため、転調が確立し得る。

の確立や転調のない「旧いトナリテ」から、それらのある「現代のトナリテ」への移行が遂げられた、とフェティスは考えていたのである（Fétis 1844: 174）。

譜例2　フェティス理論における「現代のトナリテ」に特徴的な和音

2-1　自然不協和音

2-2　自然不協和音の解決（Fetis 1844: 38参照）

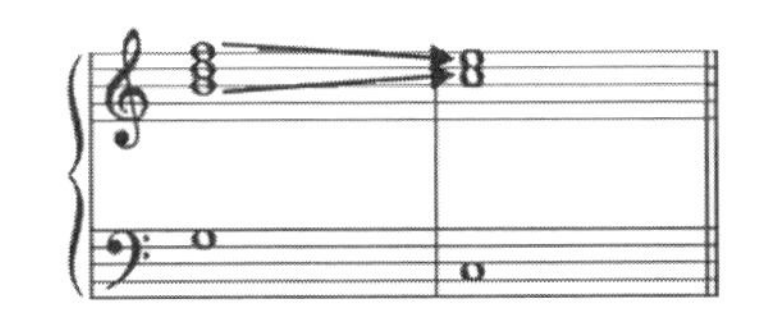

さらにフェティスは、スコットランド、アイルランド、トルコ、インド、中国、朝鮮、日本等東西に及ぶ、異なる時代における異なる民族の「トナリテ」にも言及した。このとき彼は、音階音の秩序や音程が長短音階と異なるものが様々な時代の様々な民族に存在すること、西洋における長短音階に基づく「トナリテ」の概念をその各々の「トナリテ」に適用することは不可能であること、を繰り返し主張している（Fétis 1840: 168, Fétis 1849: xx–xxij 等）。

このような主張は、フェティスが、音・音階・人間（民族）、「トナリテ」の関係を次のように理論づけていたことに由来する。つまり、フェティスは、まず自然に様々な音が存在し、その中で際立ったものを我々の耳が感知し、その感知された音の関係性が我々の知性において認識され、それを基に精神がそれらの音を整理し、その整理された諸音間の関係性が「トナリテ」となる、と考えていた（Fétis 1849: vii–x）。そして、彼の記述からは、これらの聴覚、知性、精神は、それぞれの時代・地域における民族固有の身体的組織と、その民族が属する社会的組織によって培われるものであることがうかがえる。すなわち、それぞれの時代・地域における民族固有の身体的組織と社会的組織に基づいて選ばれた「トナリテ」があり、その「トナリテ」に基づく音楽が存在する、ということである。

それでは、これらの背景を踏まえて、フェティスの著述における日本音楽について、「トナリテ」の観点から詳しく見ていくことにしよう。

3　フェティスの記述に見られる日本音楽

筆者が調べたかぎりにおいて、フェティスが日本へ渡航したという記録は残っていない。したがって、彼は、当時ベルギーに流通していた日本音楽に関する書籍[8)]や、近隣諸国における日本楽器のコレクション（Fétis 1869: 82）、そして、比較音楽学的な「トナリテ」理論を通じて構築された日本音楽に関わる人脈[9)]等の間接的な資料から、日本音楽について考察したと考えられる。この研究姿勢は、日本が1853年までいわゆる鎖国下にあったことや、19世紀の知識人たちの極東音楽研究への姿勢に関する証言（Campos 2013: 197）等を勘案すると、この時代にはある程度一般的であったといえよう。

3.1　音楽理論について

まず、音楽理論に関する記述について見てみることにする。既に述べたよう

8) セスティリは、近代西洋における日本音楽に関する研究の初期のものは、フィリップ・フランツ・バルタザール・フォン・シーボルト（Philipp Franz Balthasar von Siebold）の『日本 *Nippon*』（1832–51）におけるものであると指摘している（Sestili 2002: 83）。一方、ベルギーと日本の関係においては、1911年の、ラーケン御苑内の日本塔における常設展示設置に際して、音楽に関する記述を含む書籍『日本芸術史 *Histoire de l'art du Japon*』が、日本からベルギーに送られている（磯見; 黒沢; 櫻井 1989: 267–268）。

9) 王立民族学陳列館館長であったコンラーダス・レーマンス（Conradus Leemans）は、1860年11月7日付の手紙で、楽器を基にトナリテを考察するという話題に触れ、「日本博物館」の楽器コレクションをフェティスに披露したい旨を書き送っている（Fétis 2006: 453–454）。また、1869年7月9日には、フェティスの『総合音楽史』の見本を受け取ったレーマンスが、『総合音楽史』内の中国の吹奏楽器の記述をめぐり、民族誌博物館の日本コレクションに関する情報と、日本語学者ヨハン・ヨーゼフ・ホフマン（Johann Joseph Hoffmann）の日本音楽と日本楽器に関する書についての情報を、フェティスへと書き送っている（Fétis 2006: 585–586）。この後にもレーマンスは、日本の音楽と楽器に関する情報収集を熱心に手助けしており、彼が日本音楽に関するフェティスの資料源の一人となっていたことがうかがえる。cf.）Effert 2008: 151–167.

に、フェティスは、それぞれの時代・地域における民族に、その身体的組織と社会的組織に基づく「トナリテ」が存在すると考えた。この考えに従い、フェティスは1849年の『和声の理論と実践の総論』「第3版序文」の中で、日本の「トナリテ」について次のように説明している。

> (前略) 黄色人種、すなわち蒙古人種の血を引く無骨で真面目な人々の音楽は、ヨーロッパ人にとって重々しく、単調であり、聴き慣れず、耳障りである。これは、概して半音がないというトナリテのシステムの所産である。このトナリテのシステムにおける不完全な音階は、それぞれが全音程で置かれた5音からのみ構成され、いわゆる「全音階」において半音があるべきところが空いている。これは中国人、日本人、コーチシナ人、朝鮮人、満州族、そしてモンゴル人の音楽のシステムである (Fétis 1849: xxi–xxij)。

つまり、ここでは、半音のない五音音階 (譜例3–2) に基づく極東地域の「トナリテ」についての説明がなされており、日本音楽は、中国人や朝鮮人の音楽と同様の「トナリテ」に基づくものと位置付けられていることが分かる。

譜例3　西洋および極東の音階例

3–1　西洋の長音階例

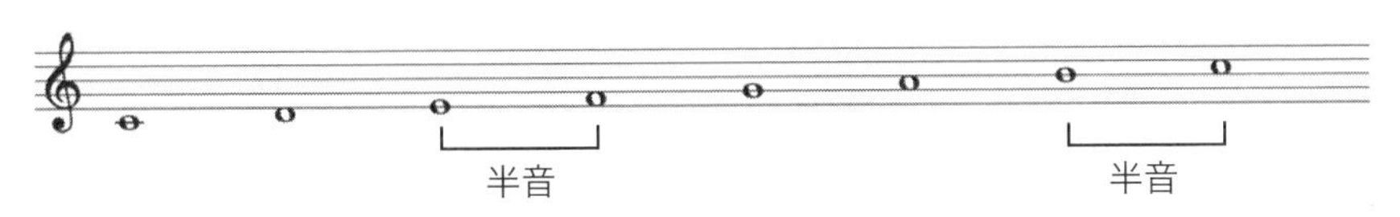

3–2　フェティスの記述にもとづく極東の音階例

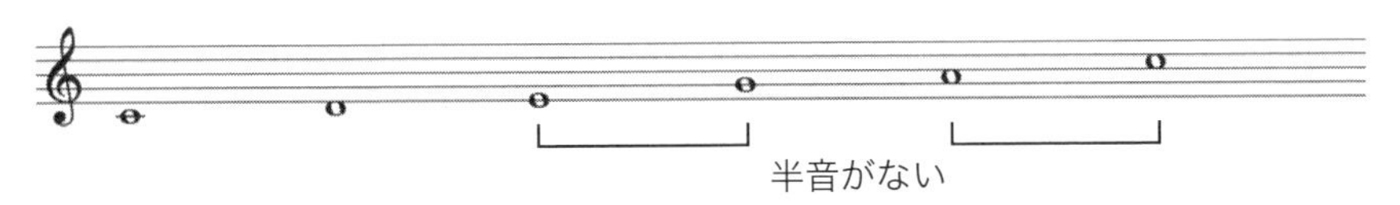

一方、『総合音楽史』において、フェティスは『和声の理論と実践の総論』で展開した日本の「トナリテ」に関する説を再検討した。この時彼は、シーボルトが採集し、ヨーゼフ・キュフナー（Joseph Küffner）が出版譜として整えた『Ph.Fr.vonシーボルトによって採集された日本の旋律 *Japanische Weisen gesammelt von Ph. Fr. von Siebold*』[10]（1836）（以下、『日本の旋律』）所収の作品を自ら分析して、次のように述べている。

> 日本音楽のシステムは、まだ知られていない。もし日本からヨーロッパへと持ち込まれた諸楽器から判断するならば、日本音楽は中国音楽と同様の、あるいはすくなくとも、似たような特徴を持つもののようである。このことからは、それらのトナリテを似たものと結論することができよう。しかし、シーボルト氏が日本に滞在した数年の間に採集した諸旋律は、この［中国と日本の音楽が］似ているという考え方にはそぐわないようにみえる。なぜならば、それらの旋律には、中国人の調的な音階におけるような［半音の］空きがないからである（Fétis 1869: 80）。

つまり、『日本の旋律』を分析した結果、『和声の理論と実践の総論』においては同じものと見なしていた日本と中国の「トナリテ」が異なる可能性があるという立場を取り、さらに詳細な考察を加えているのである。この時、フェティスは、日本音楽における「トナリテ」を、次の3種に区分して説明した。すなわち、1）ヨーロッパ人の長短音階に似た音階に基づくもの、2）スラヴの歌に似た特徴を持つもの、そして、3）様々な「トナリテ」に基づくもの、の3種である。

まず、1）ヨーロッパ人の長短音階に似た音階に基づくものとして、フェティスは、次の2つの作品を挙げている。譜例4では、最終小節において、自然

10）フェティスの蔵書にはこの書が含まれている（Bibliothèque royale de Belgique 1877: 394）。

譜例4　西洋音階に似た音階に基づく日本音楽

(Fétis 1869: 80–81, Siebold; Küffner 1836: [3–4], mm.1–7およびmm. 21–24)

(mm. 8–20略)

不協和音から主音上の三和音への進行（ただし、フェティスの理論における理想の進行とは異なる）により、ト長調を確立している。

また、フェティスによると、譜例5の作品では西洋における長短音階が両方使われており、主音以外の音で終止する。譜例5の第5〜6小節では、ニ長調の自然不協和音から主音上の三和音へと、「トナリテ」理論の規則どおりの終止に至ったと解釈できる。その後第9〜10小節および第13〜14小節で、今度はト短調の自然不協和音から主音上の三和音への終止がなされている。さらに作品の最後は、フェティスの分析どおり、ト短調の主音上の三和音で終止せず、自然不協和音で終止している（譜例5）。

譜例5　長短音階に似た音階に基づく日本音楽

（Fétis 1869: 81, Siebold; Küffner 1836: [2–3], mm.15–34）

次に、2) スラヴの歌に似た特徴を持つものとしては、次の短い作品が挙げられている（譜例6）。

譜例6　スラヴの歌に似た特徴を持つ日本音楽
(Fétis 1869: 81, Siebold; Küffner 1836: [5], mm.1-4)

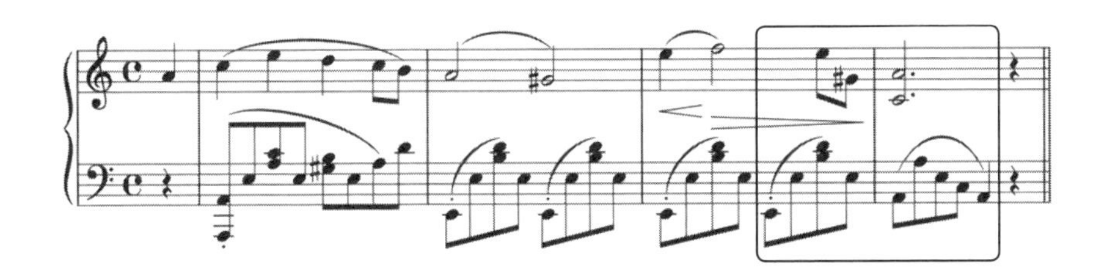

譜例6では、第3〜4小節にかけて、自然不協和音から主音上の三和音へとイ短調での終止がなされていることが分かる。フェティスは、スラヴ人の「トナリテ」を、西洋の短音階のような音階に基づき哀調を帯びた音楽を成すものと見做していたため（Fétis 1849: xli–xlii）、このような解釈がなされたと考えられる。

最後に、3) 様々な「トナリテ」に基づくものとして、フェティスは次の作品を挙げた（譜例7）。譜例7では、第35小節の自然不協和音から、第36〜42小節の主音上の三和音へと、ハ長調での終止がなされていると解釈できる。しかし、最初の14小節間では、バスの保続音（ド）が続き、「現代のトナリテ」における決定的な調の確定はない。さらに、第15〜34小節までは、半音階的な旋律と並行的な和声が、最初はバスの保続音（ソ）の上に、次いでバスの揺れ動く進行の上に続いている。特に第22小節からは、箏曲で聴かれるような響きが用いられており、第22〜26小節では、自然不協和音がまったくの規則どおりには進行していない。また、フェティスが『和声の理論と実践の総論』で見たような、完全なる極東の「トナリテ」で書かれているわけでもない。

ただし、ここまで見てきたフェティスの分析は、西洋における長短音階で日

譜例7　様々な「トナリテ」に基づく日本音楽

（Fétis 1869: 81–82, Siebold; Küffner 1836: [1], mm. 1–42）

本の旋律を書き起こし、それに和声付けをした楽譜に拠るものである。したがって、この点で、日本の「トナリテ」に関する彼の考察は、実態を正確に反映しているとは言い難いだろう。フェティスはこのこともよく理解しており、シーボルトが日本の旋律の抑揚を正確に記したかどうかは定かではないこと、したがって日本の「トナリテ」についての推測は差し控えなければならないことを書き添えている。このことから、フェティスは日本の「トナリテ」の特徴を、五音音階に基づく極東の「トナリテ」として、また、極東の「トナリテ」とは異なる「トナリテ」としてそれぞれ考察したうえで、それらが最終的な事実ではない可能性がある、ということをも勘案し論を進めており、冷静な目を持って日本の「トナリテ」について判断を下していたことが分かる。

3.2　日本楽器について

『総合音楽史』では、これらの「トナリテ」を知る手がかりの一つともなる（p. 236のFétis 1869: 80からの引用を参照）日本楽器についての説明も見られる。フェティスは同郷ベルギー人であるアドルフ・サックス（Adolphe Sax）の日本楽器のコレクションに由来する挿絵とともに、次の4種の楽器を紹介した[11)]。1種目は弦楽器であり、大きさの違う3種類の弦楽器についての説明がなされている。例えば、おそらく箏を指すと思われるコロ（*kollo*[*sic*]）という楽器は、中国の“ché”に似た13弦の楽器として挿絵付きで紹介されている（図1–1）。この楽器とその他2種類の弦楽器については、柱（じ）（図1–1の丸で囲んだ部分）などを含む楽器の形状、材質、奏法に関して、細かく記述されている。2種目は有棹の弦楽器[12)]であり、おそらく胡弓と見られる4弦の楽器（kousser）

11）フェティスは、各地の楽器も収集しており、その中にアジアの諸楽器を含めている。彼が収集した諸楽器は、現在ブリュッセル楽器博物館に移管されており、フェティスが収集したアジア諸楽器を特定することができる。その内訳は、インド、インドネシア、中国、ヴェトナムという4か国から集められた打楽器9種、吹奏楽器4種、弦楽器11種の計24種であり、日本の楽器は含まれない。

12）ここでは、図1-2のように、棹を持つ弦楽器を指す。

と三線／三味線（*samsin*[*sic*]）（図1–2）の形状や材質について詳述されているが、奏法に関する記述はない。3種目は吹奏楽器であり、互いに近接した8穴を持つ縦笛の紹介がある。このとき、この笛は既にヨーロッパでよく知られる日本楽器であること、その穴の並び方から推察するに半音より小さな音程を奏でるであろうこと、がそれぞれ説明されている。4種目は打楽器であり、シストルム[13]に似た民俗打楽器、銅鑼類、そして太鼓類の形状、材質、奏法についての解説が見られた。

このように、楽器に関するフェティスの記述においても、日本独特の楽器について論じようとする姿勢がうかがえる。一方、日本の楽器の響きについては一切触れられておらず、その詳しい奏法や音色などについては充分に解明されていないことが分かる。つまり、日本の楽器に関する彼の知識は、シーボルトの採譜をめぐる日本の「トナリテ」に関する考察を裏づけるまでには至っていないのである。

図1　『総合音楽史』における日本楽器挿絵
（Fétis 1869: 83–84より抜粋、作図追加は大迫）
ベルギー王立図書館蔵　Copyright KBR (KBR – Music – II 31.040 A Mus)

1–1　箏（kollo）

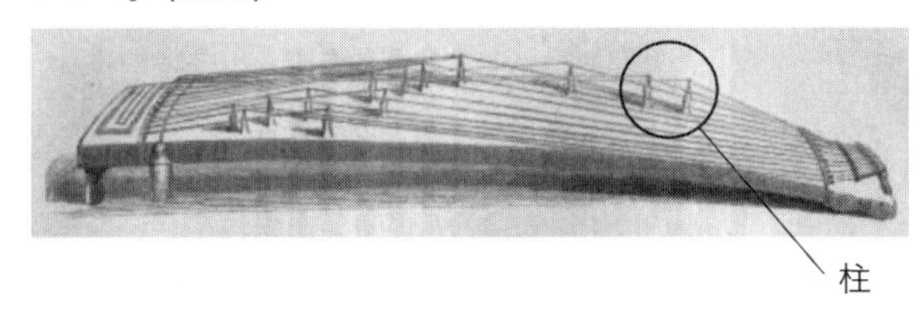

1–2　三味線（samsin）

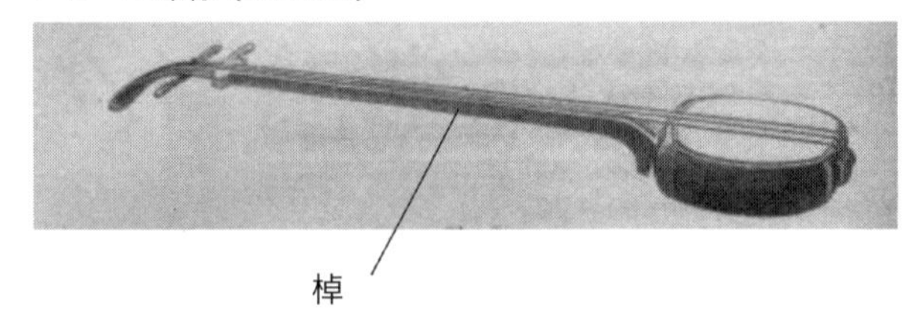

3.3　フェティスにおける日本音楽の位置づけ

『総合音楽史』の中で、フェティスは「日本人は音楽を好み、熱心に音楽に打ち込んでいるといってよいほどである」(Fétis 1869: 84) と述べている。しかし一方で、同著では、イサーク・ティチング (Isaac Titsingh) の書における日本楽器に関する記述 (Titsingh 1822: 143) を論拠としつつ、日本人は音楽に対して「あまり鋭い美的感覚を持ち合わせていないように思われる」(Fétis 1869: 84–85) とも述べている。また、3.1で言及したように、『和声の理論と実践の総論』からは、フェティスが日本音楽を、ヨーロッパ人にとって「単調であり」、「耳障り」なものと考えていたことが読み取れた。

このような主張は、フェティスが拠り所とした書籍等から導き出せるものであると言え、その意味では、日本音楽に関する同時代的な思想を、フェティスが共有していたに過ぎないという見方もできる。しかし、フェティスの記述の背景には、彼の「トナリテ」理論があった。つまり、上述した彼の日本音楽に関する主張は、単に異国音楽に関する耳慣れなさに拠るものではなく、基づく「トナリテ」が異なることに拠るものである、という解釈に裏付けられている。日本音楽に対する西洋の同時代人たちの違和感を、この「トナリテ」の違いから客観的に説明づけたという意味で、フェティスは日本音楽に関する研究を理論的な観点から前進させたと考えることができるのである。

一方、『総合音楽史』におけるフェティスの記述からは、さらに別の面もうかがえる。すなわち、上記のような「トナリテ」に関する考察をふまえながら、彼は、日本音楽を含む西洋以外の音楽が、西洋音楽には及ばないとはっきりと位置づけている。例えば、フェティスは、日本を含む西洋以外における音楽をこの書で扱った理由について次のように説明している。

---

13) がらがらの一種で、U字形の底からまっすぐな柄が突き出た、拍車に似た形をしている。U字の部分を横切って、自由に動くようになった金属の小棒が取り付けられており、振るとその棒が音をたてて鳴る仕組みになっている。とりわけ、エジプトの祭祀音楽において、魔除けの目的で使用された (片山 1993: 521)。

白色人種である諸民族外においては、芸術にまで高められた音楽は存在せず、また、他の諸人種に固有のそれぞれの歌は、その芸術の創造に貢献しなかった、と思うが、しかし一方で、これらの原始的な旋律［つまり、白色人種以外の人種に固有の歌］に見られる事柄は、人類学および心理学の諸領域で重要であることを忘れてはならないため、私は真の音楽史への序論においてそれらに関するものを扱うべきであると思ったのだ（Fétis 1869: vi）。

また、次のようにも述べている。

したがって、黄色人種の音楽は、この人種が征服によって変容し、ヨーロッパという勝者の音楽を模倣してその感覚を変えない限り、調性（système tonal）においていつまでも非合理的であり、［感情等を呼び起こすことのない単なる］音響の物理的な現象でしかないものということになるだろう（Fétis 1869: 94）。

つまり、日本の「トナリテ」について考察し、日本音楽に対する西洋人の違和感を「トナリテ」の違いから客観的に解明する一方で、各々異なる「トナリテ」に基づくとしたはずの日本や中国等における人種をひとまとめにして、黄色人種の音楽は西洋音楽よりも劣るという位置づけを強く主張したのである[14]。

4　おわりに

フェティスは、まずは極東の「トナリテ」として、次いで、極東の「トナリテ」とは異なる「トナリテ」として、西洋音楽との比較も踏まえて日本の「トナ

14）このような考え方は、フェティスが随所で引用しているジョゼフ・アルテュール・ドゥ・ゴビノー伯爵（Joseph Arthur Comte de Gobineau）の言説に少なからず影響を受けていると考えられる。

リテ」の特徴について検討した。これらの特徴を巡る記述には、日本音楽に対する西洋人の違和感を「トナリテ」の違いから客観的に説明づけるという側面と、それを黄色人種の音楽が西洋音楽よりも劣るものとする位置づけに結び付けるという側面が見られた。このような日本音楽に関するフェティスの理論的考察は、西洋における日本音楽に関する研究が本格化した1870年代（Sestili 2002: 83）[15] 以降に書かれた書籍、つまりHumbert 1870: 46、Kraus 1878: 7–8, 35などで引用され、日本の「トナリテ」について検討する日本音楽研究の発展の一助となっている。このとき彼の理論には、日本の「トナリテ」の解明という観点から研究の進捗に貢献しながら、その解明をとおして西洋音楽を正当化するという役割が内在していたと考えることができる。

フェティスの次世代にベルギーの音楽文化を担った音楽家たちも、日本の「トナリテ」に関するフェティス理論を嚆矢として、近隣諸国の日本音楽研究と影響し合いながら、それぞれに日本音楽について論を展開させていった。フェティス逝去のあと、ブリュッセル王立音楽院院長を引き継いだフランソワ＝オーギュスト・ヘファールト（François-Auguste Gevaert）は、自身の音楽理論書の中で五音音階について考察し、この音階が、中国や日本等の極東地域を含む世界各地である程度普遍的に見られるとの立場から論を進めている（Gevaert 1875: 3–4, Gevaert 1905: 22）。フェティスに作曲を学び、のちにヘント王立音楽院院長となったアドルフ・サミュエル（Adolphe Samuel）は、ヘファールトの助言のもと、初心者のためのソルフェージュ教則本を出版しているが、彼はこの書の中で、1拍を4分割するという考え方によるリズムを持つ長音階で書かれたものとして、日本の歌を、フランス、ドイツ等の歌と同列に扱

15）アレクサンドロ・クラウス（Alexandre Kraus）の『日本における音楽 *La Musique au Japon*』（1878）や、フランシス・テイラー・ピゴット（Francis Taylor Piggott）の『日本の音楽と楽器 *The Music and Musical Instruments of Japan*』（1893）等。仏語辞典においては、1878年にJaponismeという用語が登場している（Littré 1878: 207）。しかし、この用語は、日本の造形芸術に関連して定義されており、音楽との関連については言及されていない。

っている（Samuel 1886: 126）。さらに、ベルギーの音楽家ガストン・クノスプ（Gaston Knosp）は、「真正の日本音楽」（Houziaux 1987: 4）と評された「役人 *Le Yakounine*」（Knosp 1909）[16]を書き、和声に関する小論の中で、日本音楽の特徴を、長音階の第4度音と第7度音のない五音音階に拠るものとみなした。この時クノスプは、西洋外の旋律に和声をつける方法についても提案しており、フェティスが分析したキュフナーの和声付けから研究が進んだことがうかがえる。このクノスプの作品と研究は、ヘファールトの門弟ポール・ジルソン（Paul Gilson）との交友関係へと広がり、ジルソンの『和声論』における日本音楽に関する研究へとつながっていく[17]。これらの研究は、五音音階を中心として日本音楽を特徴づけているが、単に極東音楽の類似性だけではなく、五音音階の普遍性、日本と西洋の音階の類似性、そして日本の音階の独自性等へと、論が深化していることが分かる。

ベルギー人フェティスが、「トナリテ」を通して、1840年代から西洋における日本音楽研究の発展の一端を担ったこと、そしてそれをもとに、次世代のベルギー人音楽家たちが様々に日本の音階について論じたことは、日白の歴史にとって興味深いことである。フェティスがその理論のために、フランスや、当時日本と特に交流のあったオランダから資料を得ていたことも勘案すると、これはフランスともオランダとも文化的な繋がりが深いベルギーならではの功績と考えることもできるのではなかろうか。ごく近年のベルギーと日本音楽を巡る学術的な交流の中心のひとつには、いつも、このフェティスをつうじたものがあった[18]。つまり、『総合音楽史』とその周辺書籍におけるフェティスの日本音楽に関する記述から今日に至るまで、彼は日白の音楽研究の発展に大きな役割を果たし続けているといえよう。

16）Le Yakunine <https://opac.kbr.be/Library/doc/SYRACUSE/16141306/le-yakounine?_lg=fr-BE>（2022年8月16日閲覧）。江戸時代の「Yakounine」を題材にしたオペラ。

17）ここでも、日本音楽は五音音階という特徴を中心に論じられている。第3巻p. A92には《さくら》の分析も見られる。

引用文献

Bibliothèque royale de Belgique. 1877. *Catalogue de la bibliothèque de F.-J. Fétis acquise par l'État belge*. Bruxelles: C. Muquardt.

Campos, Rémy. 2013. *François-Joseph Fétis musicographe.* Genève: Droz, Haute École de Musique de Genève.

Christensen, Thomas. 2019. *Stories of Tonality in the Age of François-Joseph Fétis*. Chicago, Illinois: The University of Chicago Press.

Dahlhaus, Carl. 1990. *Studies on the Origin of Harmonic Tonality*. Robert O. Gjerdingen (trans.). Princeton, New Jersey: Princeton University Press.

——. 1980. "Tonality," Stanley Sadie (ed.). *The New Grove Dictionary of Music and Musicians*. London: Macmillan: 19: 51–55.〔ダールハウス, カール（角倉一朗; 長野俊樹訳） 1994 「調性」 柴田南雄; 遠山一行（総監）『ニューグローヴ世界音楽大事典』東京: 講談社: 11: 9–12〕

Effert, Rudolf. 2008. *Royal Cabinets and Auxiliary Branches: Origins of the National Museum of Ethnology, 1816–1883*. Leiden: CNWS Publications.

Fétis, François-Joseph. 1840. *Esquisse de l'histoire de l'harmonie considérée comme art et comme science systématique*. Paris: Bourgogne et Martinet.

——. 1844. *Traité complet de la théorie et de la pratique de l'harmonie* (2e ed.). Paris: Maurice Schlesinger.

——. 1849. *Traité complet de la théorie et de la pratique de l'harmonie contenant la doctrine de la science et de l'art* (4e ed.). Paris: Brandus.

——. 1849. "Préface de la troisième édition," in *Traité complet de la théorie et de la pratique*

18）例えば、2019年度日本音楽学会支部横断企画「周縁か中心か？——音楽史の中のベルギー」における、シンポジウム「ロマン主義とフェティス」および、フェティスのオペラコミック《双子姉妹》の日本初演演奏会（2019年12月14日：国立音楽大学110スタジオ）の開催、「庭園想楽第1回演奏会」におけるフェティスの《ピアノとヴァイオリンのためのグラン・デュオ》日本初演演奏会（2021年3月30日：日本福音ルーテル東京教会）の開催（Hugo Rodriguez "The 150th anniversary of the death of François-Joseph Fétis" <https://rism.info/musical_anniversaries/2021/03/26/Fetis-150-anniversary-death.html>）、そして、本稿が基づく第3回「ベルギー学」シンポジウム「日本とベルギーの交流史」およびオープニングイベント（2021年12月10日：ベルギー大使館）における《ピアノとヴァイオリンのためのグラン・デュオ》再演演奏会の開催等が挙げられる。

de l'harmonie contenant la doctrine de la science et de l'art (4e ed.). Paris: Brandus: v-li.

——. 1862. "Fétis (François-Joseph)," *Biographie universelle des musiciens et bibliographie générale de la musique* (2e ed.). Paris: Firmin-Didot: 3: 226-239.

——. 1869–1876. *Histoire générale de la musique depuis les temps les plus anciens jusqu'à nos jours*. Paris: Librairie de Firmin Didot: 5 tomes.

——. 2006. *Correspondance*. Robert Wangermée (ed.), Sprimont: Mardaga.

藤津滋生（編） 1994a 「年表・海外における日本研究①〔1～1867〕」『日本研究：国際日本文化研究センター紀要』10<資料編>: 87–124。

——. 1994b 「年表・海外における日本研究②〔1868～1945〕」『日本研究：国際日本文化研究センター紀要』10<資料編>: 133–193。

Gevaert, François-Auguste. 1875–81. *Histoire et théorie de la musique de l'antiquité*. Gand: C. Annoot-Braeckman: 2 tomes.

——. s.d. [1905–7]. *Traité d'harmonie théorique et pratique*. Paris, Bruxelles: Henry Lemoine: 2 tomes.

Gilson Paul. s.d. *Traité d'harmonie en trois volumes.* Bruxelles: A. Cranz: 3 tomes.

Haraszti, Emile. 1932. "Fétis fondateur de la musicologie comparée: Son étude sur un nouveau mode de classification des races humaines d'après leurs systèmes musicaux: Contribution à l'œuvre de Fétis," *Acta musicologica*. 4 (3): 97–103.

Houziaux, L. 1987. "Un musicien belge en Extrême-Orient: Gaston Knosp (1874–1942)," *Bulletin de la Société liégeoise de Musicologie*, 57: 1–7.

Humbert, Aimé. 1870. *Le Japon illustré*. Paris: L. Hachette: 2.

磯見辰典; 黒沢文貴; 櫻井良樹 1989 『日本・ベルギー関係史』 東京：白水社。

Kraus, Alexandre. 1878. *La musique au Japon*. Florence: L'Arte Della Stampa.

Littré, Émile. 1878. *Dictionnaire de la langue française: Supplément*: Paris: Hachette.

McKinnon, James W. 1980. "Sistrum," Stanley Sadie (ed.). *The New Grove Dictionary of Music and Musicians*. London: Macmillan: 17: 354.〔マッキノン, ジェームズ（片山千佳子訳）1993「シストルム」柴田南雄; 遠山一行（総監）『ニューグローヴ世界音楽大事典』東京：講談社：7: 521〕

Nichols, Robert Shelton. 1978. *François-Joseph Fétis and the Theory of tonalité*. Ann Arbor, Michigan: UMI.〔1971. Ph. D. dissertation. Ann Arbor, Michigan: University of Michigan.〕

Porter, James. 1996. "Ethnomusicology," *American Folklore*. Jan Harold Brunvand (ed.). New York: Garland: 230-238.

Samuel, Adolphe. 1886. *Livre de lecture musicale formant un recueil des airs nationaux les plus caractéristiques rangés dans un ordre progressif avec l'indication de leur structure rythmique*. Paris, Bruxelles: Lemoine.

Sestili, Daniele. 2002. "A Pioneer Work on Japanese Music: *La Musique au Japon* (1878) and its Author, Alessandro Kraus the Younger," *Asian Music*, Vol. 33, No. 2: 83–110.

Siebold, Philipp Franz von; Küffner, Joseph. 1836. *Japanische Weisen gesammelt von Ph. Fr. von Siebold: für das Piano eingerichtet von J. Küffner*. Leiden.

Titsingh, Isaac. 1822. *Illustrations of Japan*. London: R. Ackermann.

Wangermée, Robert. 1980. "François-Joseph Fétis," Stanley Sadie (ed.). *The New Grove Dictionary of Music and Musicians*. London: Macmillan: 6: 511-514.〔ヴェンジェルメー, ロベール（松前紀男訳）1994 「フランソワ－ジョゼフ・フェティス」柴田南雄; 遠山一行（総監）『ニューグローヴ世界音楽大事典』東京 : 講談社 : 14: 507-509〕

ベルギー BD とはなにか？

猪俣　紀子

「バンドデシネ（BD）」は日本語の「マンガ」にあたるフランス語である。本コラムではベルギー BDのなかで、ブリュッセルを含むフランス語圏のワロニー BD[1]とオランダ語圏のフラーンデレンBDを中心に「ベルギー BD[2]」について考えてみたい。

1　ワロニー BDの重要性

BDについて語る際、「フランス＝ベルギー系（franco-belge）」という言葉が付与されることがある。それはベルギーのフランス語圏、ワロニーとブリュッセルに、BDに重要な影響を及ぼした作家と作品が存在し、BD文化を牽引してきた事実があるからである。「他の分野であれば多少フランス以外の出身作家が多くとも強引に「フランス系」と名づけてしまうところを、マンガの場合はどうしても「フランス＝ベルギー系」と呼ばざるをえない」[3]状況がある。

---

1) 本文では「ワロニー BD」の表記の際、ワロニーとブリュッセルを併せたベルギーのフランス語圏作品を指すものとする。
2) 人口の約0.7%にあたるドイツ語共同体については今後の課題とし、ここではベルギーにおけるドイツ語作品は扱わないこととする。また本文中の「ベルギー BD」という表記はフラーンデレンとワロニーのBDを併せたものを指すこととする。
3) 笠間直穂子「フランス＝ベルギー系漫画小史　黎明期から今日まで」、『國學院雑誌』第115巻、第11号、2014年、p.163。

たとえば1929年にベルギー人エルジェによって創作されたタンタンシリーズは世界的人気を誇り、それ以外にも『Lucky Luke（ラッキー・ルーク）』、『Les Schtroumpfs（シュトルンフ）』、『Blake et Mortimer（ブレイクとモーティマー）』などフランスBDの古典とされる有名作がベルギーから生まれている。また1938年にはベルギーの出版社デュピュイ（Dupuis）より現在も続くBD雑誌『スピルー（Spirou）』が創刊され、ベルギーは子供向けBDの中心地となった。その後1978年には同じくベルギーの出版社カステルマン（Casterman）から、文学的試みを行ったBD雑誌『ア・シュイーヴル（À suivre）』が創刊され、メビウス（Mœbius）ら後の巨匠が次々とデビューしたことも挙げられる。少なくとも1950年代末まで、フランス語圏のBDにおいて原動力となったのはワロニーとブリュッセルであった。

またBDの特徴的とされる表現形式においても、これらのワロニーBD作品は存在感を示している。最も知られる「リーニュクレール（ligne claire）」は、はっきりとした輪郭線で描かれる様式であり、タンタンが代表的な作品とされる。「マルシネル派（École de Marcinelle）」（マルシネルはデュピュイの本拠地）は、リーニュクレールと似ており、大きな鼻や誇張された体つきが特徴であり、「スピルー様式」とも呼ばれる。また『ア・シュイーヴル』に作品を掲載していたワロニーの作家、フランソワ・スクイテン（François Schuiten）[4]らの「写実的様式」は、細かな描線で立体感を表現し、陰影にスクリーントーンを使用せず、これもフランスBD的な様式として挙げられる[5]。

4) 2011年に刊行された『闇の国々』（ブノワ・ペータース作、フランソワ・スクイテン画、小学館集英社プロダクション）は、2012年第16回文化庁メディア芸術祭マンガ部門において、外国作品として初めて大賞を受賞した。

5) パトリック・オノレ「バンド・デシネの遺伝子とその進化論」『日仏マンガの交流—ヒストリー・アダプテーション・クリエーション—』石毛弓他編、思文閣出版、2015年、p.139。

2　フラーンデレンのBD

一方、ワロニー BDとは対照的に、ベルギー BDについて語られる際、フラーンデレン（ベルギーのオランダ語圏）のBDについて触れられることはほとんどない。「ベルギー BD＝フランス語圏のBD」という認識があり、ベルギーという一国のナショナルなBDについて考察されることは「まれ、いや決してない」[6]とされる。

しかし、フラーンデレンにBDが存在しなかったわけではない。第二次世界大戦後、ワロニーでは、BD雑誌の創刊や以前の雑誌が復活し活況を呈したのに対し、フラーンデレンではBD雑誌の利益が乏しく、日刊紙や週刊誌の中で役割を果たした。

日刊紙は白黒印刷で紙質も悪く、細かい陰影をつけることができないため、アルバム（連載がまとめられた単行本）の形態も独特のものになる。アルバム化は白黒でなされ、ソフトカバーを使用したアルバムは値段が安く大量に売れた。1冊につき10万部発行されることもまれではなかったという。このような背景があり、70年代にフラーンデレンBDのアルバムの発行が一般化していく。

また白黒だったアルバムは、60年代終わりから「ススカとウィスカ（Suske en Wiske）」が4色刷りで出版され始めたことを受け、80年代からフラーンデレンのアルバムの大多数がカラー化していく。「ススカとウィスカ」は22言語とそのほかに複数の地域言語にも翻訳されていた人気作であった。4色刷り版が現在363タイトル刊行されており、オランダ語版だけでも1冊につき40万部売れている。

この作品のように莫大な部数を売り上げる作品もあり、フラーンデレンのBD市場が取るに足らないとは決して言えない。90年代の終わりには、「オランダ語作品の刊行は年間400タイトル程度あり、そのなかでフラーンデレンの

6） Geert De Weyer, *La Belgique dessinée*, Ballon Media, 2015, p.5

作家のものは四分の一程度であったが、売り上げは最も多かった」[7]といわれる。

現在の標準的なフラーンデレンのアルバムは、32～48ページでカラー印刷のソフトカバーの形態である。日刊紙か週刊誌に掲載されているため、1タイトルが年に3～5冊単行本化される。年に1冊のペースが平均的なフランス語圏のものと比べて安価で発行頻度が高いのも特徴である。また発行頻度と関係するが、1冊完結作品よりもシリーズで出版されるものが主流という違いもある。

日刊紙での連載は、毎日1つか2つの帯を一話完結で制作する必要があり、話の内容も毎回ゼロから始まるため、「継続性を欠き」[8]、年を取らないキャラクターが登場することになる。日刊の発行頻度のデメリットもあるが、「時事とより楽しく遊ぶことができ」[9]、アクチュアルな内容となるメリットがあった。一方、戦後から70年代にかけての週刊誌連載では、一週間で1, 2ページの連載であったため、日刊紙の連載に比べてストーリー構成に重きを置き、推敲することができた。

また登場するヒーローについても特徴がある。ワロニーBDのヒーローは、後述する検閲によって1950年代より教育的側面が重視され、「西洋のブルジョワ文化の規範であると同時にユニバーサル」[10]でなければならなかったが、これとは対照的に、フラーンデレンでは真面目ではない大衆的な人物が描かれた。これはヒーローに対してだけではなく、現代のフラーンデレン作品全体の雰囲気としても、フランス語の作品のように洗練された感じが少なく屈託のな

7）Pascal Lefèvre, *La bande dessinée belge au XXe siècle*, Le centre belge de la bande dessinée, Dexia Banque, 2000, p.188.

8）Gert Meesters, *Si proche et si bizarre, La bande dessinée flamande*, Live 3 (webtv de l'université Lille 3) 2014年2月5日開催。

9）Pascal Lefèvre, *op. cit.*, p.172.

10）*Ibid.*, p.174.

い作風に特徴がある[11]。また、日刊紙の編集長やディレクターからは直接の不当な干渉、容喙はほとんどなく、フラーンデレンの作家は「限定的な制限のなかで自由を享受した」[12]ため、女性のキャラクターの登場もワロニーより早かった。50年代から女性、女の子が重要な役割を持っていたことは、タンタンシリーズなどと比べて大きな違いとなる。

このようにワロニーとは異なる特徴をもつフランデーレンBDは、コミックジャーナリストのヘールト・デ・ウェイヤー（Geert De Weyer）によれば、「ディズニーのキャラクターよりも地域のものにより人気がある。地元の製品が輸入品に対して優位に立つ世界で唯一の地域」[13]とされる。フラーンデレンのBDはフラーンデレンの住民に向けて制作され、消費される傾向にあった。ワロニーBDの黄金期とされる1950～60年代は同じベルギー国内とはいえ、オランダ語を解さないベルギー人にとって、フラーンデレンBDに触れる機会は稀であった。

3　ワロニーBDへのフランスの介入

フラーンデレンBDとは全く対照的に、ワロニーBDは国外でもよく読まれていた。フランス語を使用していたからであるが、それゆえにフランスからの影響を受け、憂き目にあうことになる。

1930年代に出版された「フランス＝ベルギー系」子供向け出版物は、ディズニーをはじめとするアメリカのコミックスの影響を大きく受けた[14]。コミックスの影響と支配力を懸念したフランスは、1949年に思春期犯罪を防ぐことを

11）ベルギーマンガ博物館コミュニケーションディレクター、ウィレム・デ・フラーヴ（Willem De Graeve）へのインタビューと、エルウィン・ドゥヤッセ（Erwin Dejasse）のメールインタビューによる。

12）Pascal Lefèvre, *op. cit.*, p.175.

13）Geert De Weyer, *op. cit.*, p.192.

名目とした法律（1949年7月16日法）の施行を決める。「子供の魂の保護を言い訳に、国独自のBDを守る」[15]事実上の検閲を行うのである。

この検閲はアメリカの作品を排除することがひとつの目的であっただけではなく、もうひとつの野望も隠していた。デ・ウェイヤーは、ほかの本では触れられないことだと前置きし、「1940年代末から60年代半ばの間、フランスがベルギーに嫉妬し、独自のBD文化を築きたかったため、我々のBD文化を食い止めるための公的な一撃を試みた。（中略）フランス人がベルギー作品の一部を削除して台無しに、改悪したのだ、そこに議論の余地はない」[16]と述べる。彼によれば、タンタンシリーズ、「ブレイクとモーティマー（Blake et Mortimer）」[17]において（とくに妙齢の）女性が削除されたり、西部劇のカウボーイから銃を取り除いたり、フレンチカンカンダンサーがスカートをまくり上げない、といった検閲が行われた。興味深くもこれはフランスの作家に対しては適用されないものだったと結ぶ。

4　意図的に「創られる」フランスBD

フランスや欧米で名の知られるBD作品「ラッキー・ルーク（Lucky Luke）」は、ポーランド系フランス人、ルネ・ゴシニがシナリオを担当し、フラーンデ

14）1934年、ディズニーのキャラクターに基づいた『ミッキージャーナル（Le Journal de Mickey）』がフランス語で創刊される。この雑誌は8ページ程度のものだったが、アメリカの作品を載せ、30年代後半にフランスでは前例のないほどの売り上げを記録する。

15）Pascal Lefèvre, *op. cit.*, p.176.

16）Geert De Weyer, *op. cit.*, p.4.　オランダ語とフランス語で同時に出版された同書は、ベルギーをひとつの共同体と考えバンドデシネを論じるまれな書籍となっている。

17）ベルギー人作家エドガー・P・ヤコブズ（Edgar P. Jacobs）によって1946年から『タンタンジャーナル』で連載された。

レン出身のモリス（Morris）によって描かれたものである。1946年にベルギーの出版社から出版され、世界的に有名となったこの作品のために、モリスはフラーンデレンの作家とみなされなくなる。

2009年に、アングレーム国際漫画フェスティバルにおいて新しい世代の作家紹介と、偉大な作家へのオマージュを表すことを目的としたフラーンデレンBD作家の展覧会「これはフラーンデレンのBDではない（Ceci n'est pas la BD flamande）」[18]が開催された。そこでイェフ・ネイス（Jef Nys）、マルク・スレーン（Marc Sleen）、ウィリー・ヴァンデルステーン（Willy Vandersteen）、ボブ・デ・モール（Bob de Moor）は「4人の偉大な」フラーンデレンの作家として紹介されていたが、モリスが記載されていたのは、リストの後方であった。フラーンデレンの日刊紙「デ・モルヘン（De Morgen）」が企画団体に事情を尋ねたところ、モリスとフラーンデレンの関係がかなり薄いためという「不可解な返答を得た」[19]。「4人の偉大な」作家の作品と比較し、前述の「ラッキー・ルーク」は現在のフランスの市場、および世界的にみても知名度は圧倒的に高い。ここからは売れている有名作品の作者はフランスのBDとみせたいアングレーム国際漫画フェスティバルの意図が読み取れる。公的支援を受けた「国際」漫画フェスティバルであるが、名ばかりの実態というべきであろう。

現在BD研究の第一人者として知られるティエリ・フルーンステーンはベルギー出身だが、その後BDの仕事をする上でフランスに移住し、フランス国籍を取得した経歴を持つ。その彼が自身の半生を語った著書の中で、フランスで

18）この展覧会タイトルは、ベルギーのワロニー地域出身の画家マグリットの作品「これはパイプではない」を踏まえており、フラーンデレンを含むベルギーBDの曖昧な状況を象徴的に示すタイトルだろう。本展覧会は、アングレーム国際漫画フェスティバル後、ルーヴェン、ヘンク、トゥルンハント、アントウェルペン大学などフラーンデレンの地域を巡回した。

19）Geert De Weyer, *op. cit.*, p.193.

ベルギーBDを中傷することが横行した経験を以下のように記している。「ある時は*Le Magazine littéraire*（イヴ・フレミオン著）で、「エルジェは絵が下手で、堅くて、馬鹿だ」と書いてあるのを読んで、私は息が詰まった。エティエンヌ・ロビアルとフローレンス・セスタックは、Futuropolisの本屋にバツをつけたタンタンを飾り「NOT MADE IN BELGIA」と言葉を添えた」[20]。そして、アングレーム国際漫画フェスティバルの大賞選定についても、「ベルギーのマンガ家に与えられたのは、1970年代のフランカン（Franquin）とジジェ（Jijé）、2002年のスクイテン（Schuiten）、2016年のヘルマン（Hermann）の4回だけであることも注目される（モリスは1992年に特別賞を受賞している）」[21]と指摘し、ベルギー出身であることで不当な評価をされていると吐露する。ベルギーとフランスで長年BD研究に携わってきた第一線の人物から、「ベルギーのコミックに対するこのフランス人の見下し感は、決して完全に消えることはないだろう」[22]という言葉が出る状況が今なおあることを忘れてはならない。

5　ベルギーBDとは

少なくともBDに限って言えば、フランスの文化形成プロセスには、フランス語のものはフランス文化とみなす（BD franco-belge）、明らかに異国のものは排除する、フランスへの移民が制作したものは当然フランスのものとする、という方針が透けてみえる。そうすることで、フランスは自国の文化を豊かにし、フランス文化を権威づけてきたといってよい。こうしたフランスの態度に、ベルギー、とくにワロニーBDは振り回されてきた。BDは通常、営利を目的とする出版社によって発行され、商業的に成功するか否かは重要な要素である。ベルギーは、一国としてワロニーで350万人、フラーンデレンで650万

20）Thierry Groensteen, *Une vie dans les cases*, PLG, 2021, p.19
21）Ibid.
22）Ibid.

人を抱えるが、合わせてもイル・ド・フランス（首都パリを中心とした地域圏）の人口にも満たない。フランスの市場の希望に沿うことは避けられない。

もちろんこれはワロニーの市場だけではなく、フラーンデレンの市場原理も同様である。フラーンデレンのBDは、日刊紙が発表媒体であったこともあり、その読者に向けて地域特有の単語や表現を用いていたが、70年代にその特徴を著しく失った。それまでウィリー・ヴァンデルステーンなど少数の例外を除き、フラーンデレン作品が国外で成功することはなかったのは、「フラーンデレンのBD作家はどんなに才能があっても、自分の地域で同郷の人に向けて働いているから」[23)]であった。しかしその状況は変わる。増加してきたオランダ市場の重要性が理由であった[24)]。60年代、ワロニーBDが国際化するにあたりベルギー的要素は失われていったが、フラーンデレンでも脱ベルギー化が起こる。「ススカとウィスカ」はフラーンデレンよりもオランダを舞台に展開する話が多くなり、アルバムはオランダでフラーンデレンの2倍を売り上げた。他の言語に翻訳される可能性によって、翻訳不可能とみなされる言葉遊びはほぼ喪失した[25)]。

フランスが政治的かつ経済的に様々な国のBDを取り込み、自国の文化に仕立て上げていく状況を前に、ベルギー人シナリストのジャン・デュフォ（Jean Dufaux）は、今日BDの世界で成功したいものは、フランス、イギリス、さらにはもっと遠隔地と仕事をしなければならないと自覚し、彼自身多くのコラボレーションを行ってきたという。パリに出向くことは必須で、そこでは、「フランス人が最良の場所を保つことを許すフランスの盲目的愛国主義と闘わなければならない」[26)]。「彼らが最も偉大な編集者、最も影響力のあるフェスティバ

23）Geert De Weyer, op. cit., p.191.

24）「ススカとウィスカ」はサベナベルギー航空のキャラクターではなく、オランダの航空会社KLMのものとなった。

25）*Regards croisés de la bande dessinée belge*, Snoeck, 2009, p.26.

ル、最も重要な助成金、映画化へのアダプテーションを所有し（中略）すべてがフランスで起こっている」[27)] と嘆く。

6　BDの出自

1990年代以降、フラーンデレンBDは重要性を失い 、ワロニーももはやBDのメッカではない。しかしBDのメッカといわれたベルギーには、外国から多くの作家が来ていたことも事実である。エルジェは伝統的スタイルの巨匠だが、彼がジョージ・マクマナス作「親爺教育」などアメリカのコミックスの影響を受けていることはよく知られている。1970年代の文学的BD雑誌『ア・シュイーヴル』でも、掲載作家の多くは外国籍の作家であった。そもそもなにをベルギー BDとするかというのは難しい問題である。インターネットの普及もあり国単位でBDを語ることは今後ますます難しくなる。しかしそれはBDにより豊かな作品群が生まれるということであり、ベルギー BDか、フランスBDか、と頭を悩ませることなくBDを楽しむことができれば、それはおそらく理想的な状況なのだろう。

26）http://www.stripspeciaalzaak.be/Interviews/Jean-Dufaux.pdf ジャン・デュフォが2013年にDe Stripspeciaalzaak（インターネットサイト）のインタビューに答えている。Geert De Weyer, op. cit., p.197. に仏語抄訳が掲載されている。

27）同サイト。

第 3 部

交流の「場」

日本とベルギーの交流の歴史とこれから

第3回「ベルギー学」国際シンポジウム　パネルディスカッションより

(2021年12月11日(土)　上智大学／オンライン　開催)

ディスカッサント
奈良岡 聰智(京都大学)
ディミトリ・ヴァンオーヴェルベーク(東京大学)
上西 秀明(ヘント大学)
司会
岩本 和子(神戸大学)

岩本：　パネルディスカッションのセッションをはじめたいと思います。進行係をつとめます、神戸大学の岩本と申します。よろしくお願いします。

今回のパネルディスカッションは、第3回「ベルギー学」シンポジウムの総括というかたちで、交流の歴史をふまえ、「日本とベルギーの交流の歴史とこれから」ということをテーマにいたしました。朝の基調講演では、奈良岡先生にベルギー大使館の歴史を語っていただき、ヴァンオーヴェルベーク先生には周布公平についてお話いただきました。この基調講演のおふたりにも、ディスカッサントとして参加していただきます。午後はさまざまな分野での日本とベルギーの交流の歴史をめぐる研究発表がありました。音楽、美術、文学、教育、留学、さらには産業や技術(学)の分野まで、非常に多岐にわたっていて、私自身も大変勉強になりました。

本日の発表だけでも、ベルギーをフィールドとした研究に関していかに多くの多様なアプローチが可能か、ということが垣間見られたかと思いますが、少し紹介させていただきますと、本シンポジウムの実行委員のメンバーの母体は日本ベルギー学会とベルギー研究会です。どちらも15年ほど前に発足したもので、さらに多様な分野の研究発表、とりわけ若手による先端的で野心的な研究成果を発表する場になっています。

タイトルに掲げている「ベルギー学」とは？という問題は、これまでのシンポジウムでも毎回議論になってきましたが、それには明確な答えはない、むしろあえて答えを出さない姿勢であると先に言っておきたいと思います。「ベルギー」という言葉をあるひとつの場、ひとつの概念、ひとつの象徴と考え、あるいは軸、中心、結束点としたい。そして諸分野・諸領域における思考や、研究や、さらには交流のきっかけとしたい。とりあえずそのように位置づけておきたいと思います。

このパネルディスカッションでは、本日の講演や研究発表を振り返り、それらを基にして、さらには交流のこれからについても考える機会にしたいと思います。私自身も振り返ってみてふと気がついたことを、ひとつだけお話します。ベルギーでは言語的な背景が非常に重要な問題となります。主にオランダ語とフランス語ですけれども、いつも議論になるこの視点が、今回はほとんど中心的な話題としては出てこなかったということです。

参考にされた文献などは、フランス語が多かったように思います。これは、日白交流の「歴史」を振り返るというテーマにおいては、研究対象が過去、とりわけ19世紀から20世紀前半のものが多かったためかもしれません。フェティスにしろ、マグリットにしろ、また芥川が読んだ作家3人、ローデンバック、ヴェラーレン、マーテルランクですね。この3人はいずれも、19世紀末のヘント［英語での発音表記はゲント：編者注］、つまりオランダ語圏のフラーンデレン地方出身です。文学史における彼らの位置づけは重要ですが、当時は上流階級、知識人、文学者はオランダ語圏であっても主にフランス語で書き、教育もフランス語で行われていた背景があります——この3人は同じ高校出身でもありました——。

先ほどの議論で、「ベルギー文学」という意識は芥川にあったのか、という質問が司会者からありましたが、そういった点も、重要な背景として改めて考えてみたい気もします。それからドクロリーに関しても、やはりヘント出身ですから、19世紀末から20世紀初めにフラーンデレンの中心都市のひとつであるヘントでは多様な知的活動が活発だったということにも思い至りました。また、ヴァンオーヴェルベーク先生が引用された文献もやはりフランス語が多かったのではと思います。つまり、周布公平はフランス語で学んだということですね。

以上のようなことも念頭におきつつ、パネルディスカッションに臨みたいと思います。新たにもうお一方に話題提供をお願いしました。プログラムには記載がありませんが、予稿集にはお名前を載せていますので、ご覧になってください。ヘント大学——またヘントですね——で日本語を教えておられる、上西秀明先生にご参加いただきました。大学で日本語教育をされていますが、最近は成人教育にも興味をお持ちで、「日本から輸入された『生きがい』の概念とベルギー成人教育の今後」というテーマで話題提供をしていただきます。現地からで、今、朝の8時です。早朝からありがとうございます。今から参加していただくことになります。

次に奈良岡聰智先生、それからディミトリ・ヴァンオーヴェルベーク先生に、今朝の基調講演でのお話への追加でもいいですし、お互いの講演や今日の研究発表全体へのコメントや質問などご自由にお話しください。そして後半には、参加者のみなさまからもシンポジウム全体や個々の研究発表について質問やコメントをいただき、それへの返答や反応を受ける、というふうに考えています。できるだけ自由に議論できる場にしたいと思います。

それではまず、上西先生からのお話を、よろしくお願いいたします。

上西：　ご紹介ありがとうございました。私は大学で、日本にいるときはベルギーの政治のことをやっていたのですが、こちらに来てベルギーに住み始めてからは、ベルギー人の前でベルギーのことを話してもどうかと考え、日本語教育のほうにシフトいたしました。

私が教えているのは大学と、もうひとつは成人教育の場です。先に成人教育のほうから入っていったんですが、当初から持っていた疑問にかかわる、日本からきたと思われる「生きがい」という概念について考えていたことを、とりとめのない話になりそうですが、15分ほどお付き合いください。

「生きがい」という言葉に私がベルギーで初めて気づいたのは、数年前の新聞記事です。新聞といっても市販のものではなく、無料で、電車で誰でも手に取れるミニコミ誌の記事だったのですが、その中で、“IKIGAI”というアルファベットがバーンと目に入って、びっくりしました。そこに書かれていたことは、以前はよく共有されていた概念として « Hygge » というのがあって、非常に関心が高かったものだそうです。デンマーク語らしいのですが、自由な時間を、好きな仲間とゆっくりアルコールでも嗜みながらリラックスして過ごす、ということらしいのです。今はそれを否定するようなかたちで、“IKIGAI”という言葉が広がり始めているのだそうです。

そこで、“IKIGAI”という言葉で検索をかけてみました。屋号などでけっこう使われているようでした。たとえばラーメン屋とか日本食屋で“IKIGAI”という名前はまあ良いでしょう。スポーツセンター、これも良いでしょう、「柔道教室IKIGAI」とか——何か違うという気もするのですが——、あと、美容室の名前に“IKIGAI”なんていうのもあったりして——なぜこの名前を採用したのかをつきとめたいところですが——、これほど一般に広がってきています。

それ以外にも気がついたのは、コンサル系、経営マネージメントなどの仕事関係の事務所名でも多々見られるということです。この“IKIGAI”という概念の解釈は、どうも日本人が考えているものとは違うのではないか。何と言うか、人生において成功するためにはどうマネージメントしたらいいのか、どういう風に自己啓発していくべきなのか、といった感じで理解されている印象を受けました。

もともとこの“IKIGAI”という言葉は、たしか2017年に、スペイン人のエクトル・ガルシアさんが——研究者ではないのですが——出版された本が初出です。それ以前にも似た主張はあったのですが、この本をきっかけに広がったのだそうです。

エクトル・ガルシアさんは、沖縄が長寿で有名なので、実際にそこに行ってこの概念をひっぱり出したそうです。しかし、「生きがい」というのは長寿と関係があるのか、「生きがい」を持っていると長生きできるのか、長生きできた背後には「生きがい」というものがあったのかというと、このふたつは必ずしも結びつくものではないのではと思います。このあたり、そもそもの誤解と言いますか、日本人の持っているイメージとのギャップを感じさせます。

この概念を私は成人教育において考えてみました。私の場合は日本語教育に限られるのですが、ベルギーの成人教育の問題点は、ディプロマフィリックであることだとよく言われます。何でもかんでも修了証書をとらせるのが目的になり、そのために定期的に結構ハードな試験があります。私自身フランス語で成人教育を受けたとき、ものすごい試験準備をして臨み、一堂に集められて、テスト時間は3時間といったものでした。

成人ですから30歳、40歳、50歳、一番年長ですと80歳の方もいるのですが、そんな人たちが日本語をゼロから始めて、こんなハードな試験でこの人は合格、この人はダメと、そういうことに果たして意味があるのか。彼らが日本語を学ぶそもそもの目的は、仕事を終えたあとの趣味としてなのです。疲れた体を引きずって教室に来て、趣味を楽しもうという人たちに、ドーンと大きな試験をして、合格、不合格とやってしまうのはどうなのかという疑問があったんですね。

ベルギーの今の成人教育の問題点は、フォーマル・エデュケーティング・システムをベースにつくられていることです。それ以外のやりかたは想像できないのでは、という印象をもっています。自分で学校をつくろうとするときの条件として、政府によるガイドライン——私もそのワーキンググループに入ったことがあるのですが——に沿って、定期的に試験をして、最後は修了証書を出すこと、それを満たさないと学校法人としては認められないのです。

制度的に学校はそういう縛りのなかでやらざるを得ない。しかし教室の現場においては、そういう重い縛りを背負うのはすごく大変です。実際、成人教育は現在かなり厳しい状況です。あちこちで経営が苦しくなり、どんどん統合していく、どんどん大きなグループにしていく。私が所属していた学校も、遠く離れたところと提携してひとつのグループになり、そのグループの中のひとつのリージョンの中のひとつの学校と、かなり無理なことをやっています。無理があるからリージョンごとにダイレクターを置いてもいるのですが、経済的なメリットを前提に改革を進めているわけで、学校自体をどうすべきか、教える現場自体をどうすべきか、などはあまり重視されていない印象です。

今は統廃合で乗り切れたとしても、その先このままで良いのか。生徒数が減っているんですね、はっきり言いますと。統廃合して、その先も生徒が増えなかったら、また同じ問題が出てくるのではないか。学校自身のありかたを変えていく必要があるのではないか。ひとつの考え方として、評価、評価、評価、合格・不合格というやりかたではなくて、「生きがい」という概念があるのです。何のために学ぶのか、学ぶこと自体の喜び、それを求めて来る人たちに対応する教育のありかたを模索し構築していかないと、ジリ貧のまま問題だけを先送りしてしまうのではないか。

そこで、日本からもたらされた、まさに交流の成果としての「生きがい」という概念の出番です。いまのところ、人生における成功という、認識の誤解があるようです。私が見た限り、引用されている文献自体が、先ほどのエクトル・ガルシアさんのものだけのようなので。それに対して、茂木健一郎さんが英語でまさに『IKIGAI』というタイトルの本を出されてます。茂木さんは、成功というのは生きがいの必要条件ではないとおっしゃっているそうです。日本人にとっては、お金になる・ならないというのは「生きがい」とは関係ないという感覚があると思います。私はこちらで生活しているので、生活者として、その概念を今後の教育政策、成人教育の政策に取り入れてほしい。ベルギーでもだんだん寿命が延びていますし、教育へのアプローチのしやすさ、敷居の低さも進んでいくと思います。仕事以外の何かを楽しめる、人生のなかで価値を見出せる、それは日本語学習であれば、学んでいて楽しく、次のステップに――趣味としてのステップに――、大層な言いかたになりますが、人生を充実させることにコミットできる受け皿としての学校にしていく必要があるのではないか。生活者として何かできればと考えているところです。そのスタートラインに今ついたところで、今後これで何かをやっていこうと思っております。とりとめのない話で申し訳ございませんでした。以上です。ありがとうございます。

岩本：　ありがとうございました。成人教育の考え方の違い、上西先生ご自身の日本語教育への意気込みについてお話いただきました。日本とベルギーの状況を比較しつつ前に進むということですね。実際に生活しておられる立場から、議論のなかでまたご意見をお願いします。

　まずはディスカッサントの方々にお話しいただきますが、参加者のみなさんからもコメントや質問がありましたら、チャットでも結構ですし、あとで手を挙げてのご発言でも、いずれかの方法でお願いいたします。それでは、奈良岡聰智先生、5、6分程度でご自由にお話をお願いいたします。

奈良岡：　ありがとうございます。私はヨーロッパ日本研究学会という学会の会員でして、今年はゲントで開催される予定だったのですけれども、残念ながらオンラインになってしまいました。上西先生の今のようなお話を直で聞いたり感じたりするチャンスだったのにな、と残念に思います。ただ、ゲント大学の方で非常にやる気があって、今回はオンライン開催になったけれど、次回に対面開催となれば、もう一回ゲントでやることになったそうで、来年か再来年のゲントでの学会を楽しみにしているところであります。

岩本先生から言語の話で投げかけがありましたので、私が気づいたことを今日の報告に関連づけてお話したいと思います。私はベルギー大使館の歴史を調査、研究しましたが、もともとは日本史の研究者で、フランス語ができません。今日の報告も、ほとんど日本語と英語の資料に依拠しておりまして、フランス語が読めればもっといろいろな情報をとれるのになと、残念に思います。ただ、英語の資料を見ていますと、ベルギーの外交官や外交官夫人は、多言語国家の外交官であるだけに、言語に対して非常に鋭敏な感覚をもっているということが記録からうかがえまして、大変興味深く思っているところです。

私は今、別のプロジェクトで、日本の外交官にどれだけの語学力があったのかということを研究しています。明治、大正時代は音源が残っておりませんので、実際にどれくらいできたかというのはよく分からないのですけれども、ジャーナリストの記録とか、外交文書を読みますと、こいつの英語は何言っているか分からない、とか、この人は語学ができると言われているけれど全然だめだ、とか、さまざまな情報があります。これらを紡いでいくと、いろいろと見えてくるところがあります。今論文を書いているところなのですが、今日の報告でもダヌタン夫人やバッソンピエール大使などを扱いました。ダヌタン夫人はイギリス人で英語が母国語ですから、ふだんは英語で喋っていたと思いますが、非常に社交的な人で、加藤高明など日本の外交官とも接していまして、英語をうまく話せる人の情報が彼女の日記にはたくさん出てまいります。バッソンピエールはフランス語と英語の両方に堪能で、日本の政界や外交界におけるフランス語話者の情報もしっかりと残してくれました。これは大変貴重な資料だと思います。たとえば、今日、ヴァンオーヴェルベーク先生の報告のときに、私は、西園寺公望との関係はどうかとコメントいたしました。西園寺公望は1871

年から1880年にソルボンヌ大学に留学していて、その時はフランス語が堪能でした。後年、パリ講和会議に全権として出席し、クレマンソーと同級生だった交友関係なども活かして、日本のパリ講和外交に貢献します。バッソンピエールはそのときに西園寺とも会っていて、西園寺のフランス語力に関して、聞き取りは完璧だけれども話すのは少しだけ、というようなことを書いております。これはパリ講和会議のときのジャーナリストの記録とも一致しています。高齢になるとフランス語のキャッチはできるけれども、話はままならないという状況になっていたようです。これ、大変面白い資料だなと思っています。

あと、原敬首相ですね。1918年から1921年、まさにバッソンピエールが大使として赴任していたときの日本の首相です。原は苦学して、日本に来ていた宣教師からフランス語を学ぶのですが、そこそこのレヴェルだったようで、フランス語は少し話したというようなことが回顧録に書かれています。他方で、原は英語はほとんど話せなかったそうで、永田町時代のベルギー大使館で、大久保利通の息子、牧野伸顕と会っていたときに、牧野は完璧な英語で話していたが、原はフランス語だけで会話をしていた、そして、牧野が話している内容は聞き直してあとから把握していたと、バッソンピエールは書いています。英語と日本語とフランス語のコミュニケーションがどうやっておこなわれていたのか、バッソンピエールの回顧録にはいろいろな情報があります。バッソンピエールがどれくらい日本語ができたかのかはちょっとわからないのですが、どちらかしかできない日本人が多かったなかで、英仏、両方を使いこなしてコミュニケーションをしていたことが読み取れるのです。

ベルギーの外交官のオランダ語、また日本語については、まだ分からないことが多いのですが、言語と外交のかかわり、大使館で織りなされていたであろうさまざまな交流のなかで、多言語のコミュニケーションがおこなわれていたということが想像できて面白いなと思った次第です。

それからもう一点、私の今日の報告では大使館の建物の変遷を追うのに必死で、あまり交流の話ができなかったのですが、ベルギーは偉ぶらないというか、非常にカジュアルでオープンな国だという印象をもっております。明治時代からずっとそうだったのではないかという感じがします。先ほどの、バッソンピエールやダヌタン夫人の回顧録を見ても、あまり肩肘張らずに日本の要人たちとも気さくに、腹を割って話していたという印象を持っております。戦後もこういった特徴は続いていて、現在にまで受け継がれているというのが私のイメージです。ノートン大使［姓のNothombの発音は「ノトン」が近いが、日本での慣例に従った。作家アメリー・ノトンの父：編者注］という方がかつておられましたが、大使館で薪能を開催したり、大使館の建物をかなりオープンに、積極的に活用されていました。近年、どこの大使館もだんだんとオープンになってきて、こういうイヴェントを以前より積極的にやるようになってきていますが、そういった活動に、駐日大使館の中ではかなり早い段階から積極的に取り組んでいたのがベルギーなのではないかという印象がございます。

このような交流のいろいろな側面にもう少し触れられたら良かったのですけれども、私の能力不足もあって、あまりお話しできませんでした。今後、そういった方面の研究も、フランス語のできる方、ベルギーの方などにやっていただければありがたいです。

岩本：　ありがとうございました。時間の関係で、まだまだお話されたいことがあったと思います。本当にたくさんの興味深いご研究をされておられます。言語の問題は、解釈間違いや通訳間違いなどで外交問題に発展するということも実際にあると思うので、興味深いと同時に、非常に重要なことだと思います。ぜひ研究をお願いいたします。

次はヴァンオーヴェルベーク先生です。先生はオランダ語話者で、フランス語、英語、日本語もすべてを問題なく話されます。この4月には東京大学に就任されましたが、それ以前はKUルーヴェン、つまりオランダ語圏のルーヴェン大学におられ、長年、日本の大学との学生交換留学や学術交流に携わっておられまして、まさに先生ご自身が交流の歴史そのものという感じです。今日もご参加いただいて本当にありがとうございます。何かコメントなり、ご自由にお話しください。

ヴァンオーヴェルベーク：　ありがとうございます。このような機会を与えていただいたことに感謝しております。今日はいろいろな面白い話を聞けて良かったです。やはり地域研究の重要性をあらためて認識しました。東京大学に移ってきても、ある分野だけの勉強をすることが一般的におこなわれている気がします。こういう学会では、多様な分野を合わせて考えていけるのが本当に重要だと思います。

岩本先生の最初のお話でも、「ベルギー学」とは何か、答えはないかもしれないと言われましたが、私がベルギーにいたときの日本研究、ジャポノロジー、ジャパニーズ・スタディーズと共通の認識があるような気がします。国はダイナミックにつくられていくもので、歴史を紐解いて現代までのさまざまな研究をするときに、制度づくりについても、ひとつの分野だけで見ると非常に視野が狭く、見えてこないところがよくあることを、改めて認識しました。

今日の報告の中にもありましたが、歴史や法律だけではなく、音楽や文学も、そして教育も、制度のもとでいろいろな人ががんばって理論をつくり、実践し、歴史とともに書いていく。制度研究においても視野を広げていかないと、真の理解はできない気がします。その意味で、「ベルギー学」、日本研究、またさまざまな国の研究は——国の名前を出すと国家主義的な感じがするかもしれないけれども——、やはり諸分野を合わせてダイナミックに長いスパンで考えていくことが、ベルギー研究、そしてこの学会・研究会にとって非常に重要なことだと思います。

ここに参加させていただいたことで、自分の日本研究において比較的な観点、歴史的な観点からも考えることができたので、本当に感謝しています。

今、奈良岡先生のお話にもあった、多言語の問題も面白いと思います。フランス語や英語がどの程度できたのかとか、オランダ語がどの程度入ってきたか。また明治時代の人物たちの言語能力を考えるときには、外国語に、つまり外国のネットワークに発信していくだけではなくて、西園寺公望のように、フランス語を理解して、それを日本語で発信していく難しさ、また素晴らしさも考える必要がある気がします。

たとえば、箕作麟祥は法律の分野で権利、義務、債権、物権など多くの法律用語をつくりました。それらが中国や他のアジア諸国にも伝わり、それによって近代化プロセスが始まりました。これは日本語や日本だけの問題ではなくて、古来、漢学つまり中国の影響を受けた漢文を知識人が勉強し、それを通じてフランス語、オランダ語——蘭学も忘れてはならないのですが——やさまざまな言語も日本語にしてきたことが、のちの制度づくりや実践に非常に大きな影響を与えたと思います。

憲法にしても、僕の講演で扱った商法や民法にしても、法律は文章でしかない。ただ、人間が中身をつくっていかないといけない。中身をつくっていくことによって、その文章が生きてくる。現代で言うと、戦後の憲法は押しつけられた憲法と言われますが、文章としては押しつけられたかもしれないけれど、その後、実践を通して中身が加えられつつ生きてきているのです。言語は中身を入れていかないと生きてこず、ただの文字に過ぎない。つまり、当時の日本人は外国語を話せなくてもさまざまな素晴らしい能力をもっていたのかもしれません。

最後にコメントですが、大使館について非常に興味深いお話がありました。ベルギー大使館が戦前はそれほどオープンではなかったけれど、改築で建物自体がオープンになったという特徴が見られたと奈良岡先生のお話にあったかと思います。奈良岡先生への質問になりますが、こういうオープンな建築は、他国の大使館にも見られるのでしょうか。それは、小国ベルギーの特徴なのか、他の小さい国でも、できるだけオープンな建築によって自国の力や影響力を増していこうとする特徴があるのかどうか。それとも、これはベルギーだけの特徴なのでしょうか。

こういうオープンさについて、ひとつの懐かしい思い出があります。僕がはじめて日本に留学したのは1980年代後半で、特に1990年代、僕は学生でしたが、先ほどのお話にもあったノートン大使が、暑い時に、ベルギー大使館の庭のプールで泳いでいいよ、と言ってくれました。そこで友だちとベルギー大使館に行き、素晴らしい日本庭園の中のプールでワイワイしていたという、ものすごい楽しい思い出があります。それだけでなく、今度結婚しますと大使に報告したら、披露宴をうちのリビングでやったらいいと。それで、ノートン大使の招待で大使館のリビングで披露宴をやって、大使に「高砂」を謡っていただいたんです。まさに奈良岡先生がおっしゃるとおり非常にオープンで、外交とはこういうものだと強く印象づけられました。大使館は偉い人だけでなく「普通」の人にも——僕みたいな学生にも——オープンな場であるべきだというのが、素晴らしいと思いました。このような懐かしい話で恐縮ですが、コメントは以上です。

岩本：　ありがとうございました。コメントにたいする反応も受けたいと思いますが、まずは参加者のみなさんにもご発言いただき、そのなかで質問もいろいろ出てくるかと思いますので、パネリストのみなさんにもそれにお答えいただく形で改めてご発言していただこうと思います。

質問者1：　オランダからベルギーが独立したという経緯があって、なかなかオランダが独立を承認しなかったり、関係があまり良くなかったと聞いているのですが、幕末とか明治の頃にはオランダとベルギーの国交は回復していたということでしょうか？

奈良岡：　はい、いまこの質問に単独に答えたら良いでしょうか？　まず。

岩本：　そうですね、はい、お願いします。その間に他の方も質問を考えておいてください。

奈良岡：　ありがとうございます。私はそのあたり、詳しいことは分かりません。読んだ範囲でも、詳しいことが書いてある文献はあまり見あたりませんでした。1866年に日本とベルギーが国交を樹立するわけですけれども、ベルギーが派遣した外交使節団は、規模が大きなものではありませんでしたし、職業外交官というよりはビジネスマンが領事を兼ねている、というようなものでした。そもそも在日本ベルギー人というのはそんなに多くはなかったわけですね。大規模に積極的に外交を展開しようというほどではなくて、従来縁がある国に寄生してというと言葉が悪いですが、支援を受けながら、連携しながら、細々と、でも着実に外交をおこなう。そういう状態だったんだろうと思います。

そのようななかで、オランダとの関係はもちろん微妙ではありますが、ベルギー独立からだいぶ時間も経っておりますし、まったく敵対しているとか、そういう状態ではなかったんだろうと思います。横浜から江戸、東京に出るときに、オランダの力を借りるということがしばしばあったようですが、それがどの程度なのか、裏でどういう事情があったのかということまでは私は確認してないので、今後の研究を期待したいところです。不十分な答えですみません。

岩本：　ありがとうございました。まだ質問がひとつしか出ていなかったものですから、まとめてと言いながら、応答をお願いしました。参加のみなさんから質問をご遠慮なくお願いいたします。

上西：　今の質問に関してひとつよろしいですか。オランダから独立した1830年からしばらくは、とくにリンブルフあたりの領有をめぐって、当時のオランダ国王ウィレムI世は独立を認めていなかったのですが、たしか10年後の1840年代には独立を認めて、条約も結んだのではないかと思います。ですから、1840年代には外交的にベルギーはオランダから独立を認められていたかと思います。

岩本：　つなぎとして、ひとつ質問させてください。またヴァンオーヴェルベーク先生にですが、周布公平に関して。フランスではなくベルギーを選んで、そちらに行けと勧めたのも森有礼ということでした。また留学などでフランスに行った日本人は多いけれども、同じ時期にベルギーへ行った人も多かったということでした。日本側からは、先見の明といいますか、必要もあってそれを勧める人たちがいて、実際に渡航して勉強した人たち、頑張った人たちがいたということでした。ではベルギー側の事情はどうなのでしょうか？　日本に対する意識、日本に対して自国の知識を教えることに積極的だったのか。それが日本にとって役立つと意識していたのか。それとも、単にアジアの国のひとつという程度で、さほど意識していなかったのか。ベルギー側の様子も具体的に聞きたいなと思いまして。日本はやがて主にドイツに教育などのモデルを求めるわけですよね。初めはベルギーを模範とすることが多かったにしても。そういった日本の変化もどのように捉えられていたのでしょうか。

ヴァンオーヴェルベーク：　はい、ありがとうございます。これも非常に面白いテーマですね。1870年代当時、周布公平がベルギーにいたころには、まだ日本に対して、大国であるとか、そういう意識はなかったと思いますが、資料を読んでいくと、貿易面で日本がひとつの拠点になると。横浜などは通商や貿易に関して非常に重要な位置を占めていたので、これから外交面でも日本との交流を深めていくべきだという意識が、外務省にはあったみたいです。

たとえば周布公平という最初の日本の留学生を個人的に出迎えたランベルモン［Auguste Lambermont（1819-1905）：編者注］—— 現在「ランベルモン通り」という大通りの名前にもなっています——という、外務事務次官の職を何十年も務めた非常に重要な人物がいます。彼はとくに中国を意識していたんですが、アジア地域の通商貿易を拡大していくべきだという意識がかなりあったと思います。

ですから、政治的な権力、軍事的な影響力という帝国主義的なアプローチとは少し違って、こういう通商的なアプローチでは日本が意識されていた気がします。そのために、日本の留学生を迎えていた。当時フランスに滞在していた公使との連絡を通して留学生の紹介があれば積極的に答え、多くの手紙を積極的に出していた、その記録も残っているんですね。

たとえば、周布公平が2回目にベルギーに来たのが1885年なんですね。先ほども申し上げたように、世界共通の国際法的な商法をつくるという目的でアントワープで大きな会議があって、そのときに日本政府からベルギー政府に――具体的にはランベルモンに――手紙を出しました。日本の国会でこれから憲法をつくるから、ベルギーの国会での運用についてもうちょっと勉強させてくださいと。周布公平はアントワープの会議に出席するだけではなく、1､2か月ベルギーに滞在して、国会の細かい動きや会計組織などを研究します。ベルギー政府の対応というのが非常にポジティヴで、全面協力をすぐにしますという返事が記録として残っています。そういう意味では、ベルギーは結構日本に対して最初からオープンな感じでした。モチベーションが貿易だとか、これからの政治の安定がベルギーにとっても重要だという意識がありました。

岩本：　ありがとうございます。やはり経済的なことも絡んでくるんですね。

ヴァンオーヴェルベーク：　そうですね。プラグマティックですよね、ベルギーの対応というのが、イデオロギーというよりも。ベルギーの文化をひとことでまとめるとプラグマティックなのです。ベルギーはつくられたときから諸大国に囲まれて、プラグマティックに対応していかないといけない。すると、日本でも今よく言われるソフトパワーでやらないといけないということですね。文化もそうですが、経済活動でもソフトパワーを増していくというのが、ベルギーの特徴だったように思います。

岩本：　それは今でも続いているのか……。

ヴァンオーヴェルベーク：　そうですね。

岩本：　……外にたいする目。私もフランスとベルギーを両方研究していますと、フランスに比べてベルギーのほうが外に開かれている、外の人をきちんと意識していると感じます。もちろん、全体的な傾向としてなのですけれども。

奈良岡先生、質問へのお答えや、追加などもありましたらお願いします。

奈良岡：　ディミトリさんの、ノートン大使の話は大変興味深くうかがいました。外交とはこういうものだ、というのはおっしゃるとおりで、オープンに本当の意味での交流を隔てなくやりつつ、それが最終的には外交にも還元されるし、外交と関係のないところでの親善も生まれるということですね。非常に望ましい、良き外交のありかただと感じた次第です。

他国の大使館の様子や、オープンであることがどれだけベルギーの特徴なのかというのは、私もそれほどたくさんの例を知らないので分からないのですが、大使館の建物に即して言うと、やはり大国の大使館というのはどこも非常に厳重で、要塞のような印象がありますね。イギリス大使館やアメリカ大使館では、壁に近づいただけでサイレンが鳴って、私も大使館の建築の研究をしていて、何回も追いかけられて捕まりそうになったことがあります。ベルギーでも、首都では各国の大使館をちょっと巡ったのですけれど、やはりアメリカの大使館などは世界中どこでも非常に怖いです。とくに21世紀に入ってテロの時代になってから、それが甚だしくなっているようですね。

ベルギーも、セキュリティはしっかりしているとは思うのですが、同時にオープンさというのも非常に感じられ、アメリカ、イギリス、ドイツくらいしか私は経験がないですけれど、そういった国とはちょっと色合いが違う気がしています。

あと日本大使館ですけれども、戦前の日本は小国でしたし、言葉がそれほどできない人もいたので、在外日本人の世話をするというミッションが大使館の業務としてかなりあったように思います。大使館がお金を貸してくれたり、荷物を運ぶときの連絡場所になったり、とくに明治時代には日本人全体が家族として動いている雰囲気で、それが昭和の戦前までは続いていた印象があります。

戦後になると、だんだんと国民と外務省の距離が離れていき、外務省の役人は、日本人が行くと迷惑がるというか偉そうにしているように見えて、日本国民と在外日本大使館の関係は戦前と戦後でかなり変わったという印象があります。

在外日本大使館とその国との関係がどうだったのかはよく分からないところがありますが、日本はあまりオープンじゃなかった気がします。社交を不得手としている日本の外交官が多い印象があります。それは言語の問題だけじゃなくて、カジュアルな付き合い方、家族を含めて一緒にスポーツをしたり趣味を共有したりということまでを含んだ、幅広い素養をもった外交官というのが日本にはあまりいない。格式ばった付き合いはなんとか頑張ってやるけれど、それ以外の、家族ぐるみの付き合いとか、文化的な趣味を共にしたりという外交は、日本人は不得手なのです。寿司パーティーは外交の武器にするけれども、ベルギー的なオープンさとかプラグマティックさというのは、戦前も戦後もあまりないのかなというのが私の印象です。

あまり多様なケースを知っている訳ではないので、十分なお答えにはなっていませんけれど、印象論でお答えしました。

岩本：　ありがとうございました。もうおひとかたからのご発言をお願いいたします。

質問者2：　先ほどのご発表の中で、福田繁雄さんのルネ・マグリットの部分が非常に興味深いです。価値の創造という意味で、美術においては、ある人によって、あるいは雑誌やプレスでムーヴメントが起きてきて、今まで価値を見いだされていなかったものに価値を見いだすということがあります。現在のマグリットの新たなブームについて、別のデザイナーのグラフィズムの観点から価値が見直されたということを非常に面白く拝聴しました。

岩本：　利根川先生、何かご返答がありますか？

利根川：　ご意見をいただきましてありがとうございます。そうですね、マグリットに限らないと思うのですが、視覚芸術の特徴として、解釈にただひとつの絶対の答えがある訳ではないので、解釈される時代とか、場所とか、それを見る人の思想とか立場などによって、どんどん解釈が変わってくると思います。その意味では、おっしゃったように、80年代以降の日本でグラフィックデザインの観点、それまでのシュルレアリスムとしての受容とは違う方向から、再度マグリット作品に陽の目が当たったのはとても面白い現象だと思います。また、日本で起こったムーヴメントとして、日本のマグリット人気の一端を担う今の現象のひとつなんだなと、調べながら思っておりました。

岩本： 最初に述べましたように、結論を出す前提ではなく、さまざまな話題を出していただき、さまざまな観点から考えさせていただきました。基調講演者のお二人、上西先生、参加者のみなさまに感謝しつつ、パネルディスカッションのコーナーを終わらせていただきます。

今後とも続けてこのような場が設けられればと願っています。どうもありがとうございました。

日白交流関連年表

年	主な出来事	本書で言及する主な事象
1784		フランソワ＝ジョゼフ・フェティス生（3月25日）
1830	ベルギー独立	
1831	レオポルド1世即位	
1838		コンシアンス『フラーンデレンの獅子』出版
1844		フェティス『和声の理論と実践の総論』初版出版
1853		「黒船」艦隊が浦賀沖に投錨（7月8日）
1855		江戸幕府が洋学所を開設
1862	文久遣欧使節団がベルギーを通過	
1864		榎本武揚と赤松大三郎がベルギーを訪問（2月27日）
		レオポルド1世がオーギュスト・トキント・デ・ローデンベークを日本使節の特命全権公使および総領事に任命
1865	レオポルド2世即位	澤太郎左衛門がベルギーを訪問（3月19日）
		五代友厚らがベルギーを訪問（7月24日）
		澤が「コーバル」火薬製造所で学ぶ（11月28日から翌年2月5日まで）
		白清修好通商航海条約締結（11月2日）
		西周助と津田真一郎がベルギーを訪問（12月2日）
		トキント来日（12月16日）、江戸参府（12月31日）
1866	日白修好通商航海条約調印（8月1日）	松平周防守の屋敷にて初の日白公式会談（1月10日）
		菊池伊予守、星野備中守、大久保筑後守がベルギーとの条約交渉における全権に任命（2月25日）
1867	大政奉還	ベイリー『万国新聞紙』創刊（2月）
1868	明治天皇即位	
1869		フェティス『総合音楽史』出版（～1876年）
1871		フェティス没（3月26日）、オヴィド・ドクロリー生（7月23日）
1895		微幽子（上田敏）、「白耳義文學」を発表
1898		ルネ・マグリット生（11月21日）

1901		ドクロリー、特殊教育学院開設
1907		ブリュッセル郊外のイクセルにドクロリー・メソッドの学校（エルミタージュの学校）開設
1909	アルベール1世即位	
1912	大正天皇即位	
1914	第一次世界大戦勃発	
1915		ドクロリー、孤児の家を創設
1918	第一次世界大戦終結	
1921		ドクロリー、論文「学校の改革をめざして」発表
		アルベール・ド・バッソンピエール、初代駐日ベルギー大使として赴任（1939年まで）
1922		アマイド『ドクロリー・メソッド』出版
1923		関東大震災（9月1日）
1926	昭和天皇即位	ドクロリー、ブリュッセル市の特殊教育学級総視学官に任命
1927		マグリット、《夢の鍵》発表
1928		マグリット、《イメージの裏切り》《タイタンの日々》発表
1929		エルジェ、タンタンシリーズの連載開始
1932		ドクロリー没（9月12日）
1934	レオポルド3世即位	
1935	ブリュッセル万国博覧会開催	
1938		『スピルー』創刊
1939	第二次世界大戦勃発	
1940	大戦により、ベルギーがドイツ占領下となる	
1944	ドイツ占領下から解放	
1945	第二次世界大戦終結	バッソンピエールの「回想録」出版
1947	ベネルクス関税同盟調印	
1951	ボードゥアン1世即位	ティンメルマンス『花咲く葡萄園の司祭：フランドルのロマンス』日本語版出版
1952	欧州石炭鉄鋼共同体（ECSC）設立	
1958	欧州経済共同体（EEC）設立 ブリュッセル万国博覧会開催	

1959		マグリット、《ガラスの鍵》《ピレネーの城》発表
1961	言語境界線が確定する	
1963	地域言語が確定する	
1964		マグリット、《山高帽の男》発表
1966		アメリー・ノトン生（7月9日）
1967	欧州共同体（EC）設立	マグリット没（8月15日）
1968		『メンズクラブ』3月号出版
		パトリック・ノートンが総領事として家族とともに大阪に赴任（1972年まで）
1969		上田晃郷・白井準司《快楽の熱気》、日本宣伝美術会展奨励賞受賞
1970	国家改革の開始による「文化共同体」の設置 大阪万博開催	
1975		「フランダースセンター」設立
1978		『ア・シュイーヴル』創刊
1980	国家改革による「地域」の設置	「オランダ語言語連合」設立
		『ニューグローヴ世界音楽大事典』出版
1987		クラウス『かも猟』日本語版出版
1988		パトリック・ノートン、駐日ベルギー大使として赴任（1997年まで）
1989	平成に改元	磯見辰典ほか『日本・ベルギー関係史』刊行
		アメリー・ノトン、再来日（1991年まで滞在）
1992		ノトン『殺人者の健康法』出版
1993	国家改革による連邦制の導入	ノトン『愛のサボタージュ』（未邦訳）出版
	欧州連合（EU）成立	
	アルベール2世即位	
1996		アルベール2世・パオラ王妃来日（10月）
1999		ノトン『畏れ慄いて』出版
		「フラーンデレン文学財団」設立
2000		ノトン『チューブな形而上学』出版
2003		『畏れ慄いて』映画化
		エルスホット『9990個のチーズ』日本語版出版
2004		ノトン『空腹の伝記』（未邦訳）出版

		ティンメルマンス『パリタァ』日本語版出版
2006		ノトン『見知らぬどうし（イヴからでもアダムからでもなく）』（未邦訳）出版
2007		日本ベルギー学会、関西ベルギー研究会（現 ベルギー研究会）設立
2011	東日本大震災（3月11日）	
2012		アメリー・ノトン、France 5のドキュメンタリー番組のナヴィゲーターとして来日
		フェルフルスト『残念な日々』日本語版出版
		ペータース作・スクイテン画『闇の国々』、2012年度第16回文化庁メディア芸術祭マンガ部門大賞受賞
2013	フィリップ1世即位	ノトン『懐かしい―幸せなノスタルジー』（未邦訳）出版
2016	日白修好150周年をむかえる	エグモン宮で「150周年」開会式典開催（1月19日）
	ブリュッセル連続テロ事件発生	「日本」をテーマとしたフラワーカーペットがブリュッセルで開催（8月）
		フィリップ国王・マチルド王妃が訪日（10月9日-15日）
		*Japan & Belgium : An itinerary of mutual inspiration*刊行
		「日白修好150周年記念シンポジウム 文化・知の多層性と越境性へのまなざし―学際的交流と『ベルギー学』の構築をめざして―」開催（12月9日-11日）
		ペーテルス『火曜日』、テリン『モンテカルロ』日本語版出版
		バッソンピエール『ベルギー大使の見た戦前日本：バッソンピエール回想録』出版
2017		「フランダースセンター」が「アーツフランダース・ジャパン」に改称（4月1日）
2018		「『ベルギー学』シンポジウム2018 交流のいま」開催（12月7日-8日）
		ヴェルベーケ『ネムレ！』日本語版出版
2019	令和に改元	フィリップ国王・マチルド王妃が即位礼正殿の儀参列のため訪日（10月）
2020	新型コロナウィルスの流行	ヘルトマンス『戦争とテレピン油』日本語版出版

2021		「第3回『ベルギー学』シンポジウム 日本とベルギーの交流史」開催（12月10日-11日） テリン『身内のよんどころない事情により』日本語版出版
2022		「アーツフランダース・ジャパン」が約50年の歴史に幕を閉じる（3月31日） ノトン『姉妹の本』（未邦訳）出版

あとがき

2021年12月に開催された「第3回『ベルギー学』シンポジウム―日本とベルギーの交流史―」の成果を公表すべく、論文集を出版しようと編者二人が最初の打ち合わせをしたのは2022年3月のこと。キーワードは「日白交流」で、シンポジウムの登壇者を主要な執筆陣としつつ、長年にわたり両国の交流に携わってこられた方がたや、関連分野の研究者にも声をかけながら、本書の全体像を構想していった。

シンポジウムの報告をベースにしていること、また、2020年以降の「オンライン化」に慣れてきたこともあり、準備は比較的スムーズに進められたように思う。過去の論文集もすべて担当してくださった松籟社の木村浩之氏と打ち合わせをしたのが4月、執筆者に要綱を配付したのが翌5月である。この時点ですでに「第4回『ベルギー学』シンポジウム 響きあうベルギーと日本―ベルギーの音楽をめぐる学際的研究―」を2023年12月に開催することが決まっていたため、それまでの刊行を目指してスケジュールを立てた。論文の内容の更新や再検討、また、執筆者間でのチェックの時間を考慮すると十分に余裕があったわけではないが、結果としてほぼ予定どおりに進めることができたといえる。

これは、何よりも執筆者の方がたが、家庭生活や仕事に追われるなかでスケジュールを尊重してくださったおかげだが、それにくわえ、「まえがき」にも書かれているとおり、木村氏による懇切丁寧なサポートがあったことを忘れてはならない。第一弾の論文集が2013年に刊行されて以降、10年間にわたり、編者ふたりが所属するベルギー研究会の出版活動を支えてくださっているのが木村氏であり、松籟社である。

さらに言うと、研究会の活動やシンポジウムの準備・開催をつうじて、書き手どうしに日頃から交流があり、一定の信頼関係が築かれていたこともその理由であろう。ベルギー研究会は例会を年に4～5回開催しているが、報告内容の学問分野は多岐にわたるうえ、領域横断的であることが多い。それにもかかわらず、発表後の質疑応答は活発であり、手垢がついたことばではあるが、「学際的」な場がつくられている。

こうしたバックグラウンドを活かし、本書をまとめるにあたっては、執筆者間でのフィードバックを経て、論文の推敲を重ねた。場合によっては、執筆者以外あるいは研究会外の専門家に意見をもとめることもあった。この作業をつうじて、シンポジウム以降あらたに明らかになった事柄もある。ことなる分野からなる論文集は、ともすると雑多な印象を与えかねないが、様ざまな視点から意見を出し合うことで、「日白交流」に収斂した一冊の本になったのではないかと思う。

一方で、これは編者・執筆者たちがつねに感じていることであるが、ベルギーに馴染みのない読者には理解しにくい情報や議論が一部にあったかもしれない。1830年の独立以降、ベルギーの歴史はある意味では連邦化の歴史であり、日白交流と言うときの「白」、すなわちベルギーが何を指しているのかは、その時どきでことなるばあいがある。また、同国の言語事情をふまえると、ある事象を記述する場合、オランダ語、ドイツ語、フランス語のうち、いずれの言語をもとにするのかもコンテクストにおうじてことなる。したがって、固有名詞の日本語表記については、執筆者それぞれの判断に拠っているため、統一されていないケースがあることをお断りしておく。

なお、これらの点を補足するための手立てとして、巻末に年表と索引を載せた。

前者は、二国（間）のおもな出来事を通時的にみる、おそらく数少ない機会を提供しているであろうし、そこでは、日本とベルギーそれぞれの近代国家としての歩みそれ自体が、日白交流の歴史とシンクロしていることがお分かりいただけるのではないだろうか。バッソンピエール大使が経験した関東大震災から100年後にあたる年に本書が刊行されたことも意義深い。後者は、重要なタームを整理する役割も果たしているが、それだけでなく、原語を日本語で表記するさいには複数の選択肢がありうること、またそのため、日本で一般的な表記とは必ずしも同じにならないものがある点をフォローしている。

日白交流の歴史と文化に焦点をあてた本書であるが、そこで明らかにされたこと、語られたことはそのごく一部である。しかしながら、日本とベルギーの交流には長く緊密な歴史があり、そこにはこんにちにおける「グローバル」な事象を考えるための手がかりとなる学問的蓄積があることを知っていただけたのではないだろうか。本書を手に取った読者の皆さまが、少しでも両国の交流に関心をもってくだされば幸いである。

2023年9月
中條健志

索　引

・本文および注で言及した人名、書名等作品名、媒体名、専門用語などを配列した。
・作品名には作者名を括弧内に付記した。

◉編著者紹介

岩本和子（いわもと・かずこ）

神戸大学大学院国際文化学研究科教授。
専攻はフランス語圏文学・芸術文化論（ベルギーのフランス語文学、スタンダール研究）。博士（文学）。
著書に、『周縁の文学——ベルギーのフランス語文学にみるナショナリズムの変遷——』（松籟社）、『スタンダールと妹ポーリーヌ——作家への道——』（青山社）、『ベルギーの「移民」社会と文化——新たな文化的多層性に向けて——』（共編著、松籟社）などがある。

中條健志（ちゅうじょう・たけし）

東海大学語学教育センター講師。
専攻はフランス語圏（フランス、ベルギー、ルクセンブルク）の移民研究。博士（文学）。
著書に、『ベルギーの「移民」社会と文化——新たな文化的多層性に向けて——』（共著、松籟社）、『ルクセンブルクを知るための50章』（共著、明石書店）、訳書に『貧困の基本形態——社会的紐帯の社会学』（共訳、新泉社）などがある。

◉著者紹介（掲載順）

石部尚登（いしべ・なおと）

日本大学理工学部准教授。
専攻は社会言語学、批判的談話研究、地域研究（ベルギー）。博士（言語文化学）。
著書に『ベルギーの言語政策　方言と公用語』（大阪大学出版会）、『イン／ポライトネス研究の新射程：批判的社会言語学の広がり』（共著、三元社）など。訳書に、『右翼ポピュリズムのディスコース——恐怖をあおる政治を暴く　第2版』（明石書店）など。

武居一正（たけすえ・かずまさ）

福岡大学大学院法学研究科長、法学部教授。
専門は憲法学。
著書・論文に、「ベルギーの重大感染症対策法Loi pandémieの制定について——その憲法的背景の検討——」（単著、福岡大学法学論叢）、『新型コロナ危機と欧州、EU・加盟10カ国と英国の対応』（共著、文眞堂）、*Mélanges en l'honneur de Ken Hasegawa, Voyages et rencontre en droit public*（共著、Édition mare & martin）など。

山口博史（やまぐち・ひろし）

徳島大学総合科学部・准教授。
専攻は比較社会学、多文化社会論。博士（社会学）。
論文に「境界変動地域の社会学に向けて」『地域社会学会年報』34集（2022）、「子は父母の言語のどちらを選好するか」（共著）『ことばと社会』25号（2023）ほかがある。

渡邉優子（わたなべ・ゆうこ）

文教大学人間科学部専任講師。
専攻は教育思想史、教育人間学。博士（教育学）。
著書・論文に『「未来を語る高校」が生き残る——アクティブラーニング・ブームのその先へ——』（共編著、学事出版）、「ドクロリー・メソッドにおける「連合」の概念——フランス心理学における解離研究との繋がりから—」『教育学研究』87巻1号、「教育実践における「自己-表現」の概念——富士小学校の教育方法改革を手がかりに——」『研究室紀要』44号などがある。

北原和夫（きたはら・かずお）

東京工業大学・国際基督教大学名誉教授。
専攻は非平衡統計物理学。博士（理学）。
著書に『非平衡系の統計力学』（岩波基礎物理シリーズ）、『プリゴジンの考えてきたこと』（岩波科学ライブラリー）、『EU論』（共著、放送大学教育振興会）などがある。

ベルナルド・カトリッセ（Bernard Catrysse）

日本旅行に関するコンサルタント、元アーツフランダース・ジャパン館長、元フランダースセンター館長。

専攻は経済学。

フランダースセンター、およびアーツフランダース・ジャパンでは、大阪ヨーロッパ映画祭の共同創設者、ツール・ド・フランダースin大阪（サイクリングイベント）の創設者、在日フランダース政府の文化渉外担当、東京オリンピック・ベルギーチームの渉外担当、2002年FIFA日韓ワールドカップ・ベルギーサッカー協会の渉外担当などとしてさまざまな活動に携わった。

鈴木義孝（すずき・よしたか）　※訳者

関西大学非常勤講師。

専攻は日英語対照研究、言語学史、語用論。

論文に「日英語における「主観性」の問題について——英文法教育との接点を目指して——」『英語授業実践学の展開：齋藤榮二先生御退職記念論文集』（三省堂）、「日本語の「た」と英語の過去時制——「主観性」の観点からの考察——」『関西大学大学院外国語教育学研究科紀要　千里への道（第7号）』などがある。

井内千紗（いのうち・ちさ）

拓殖大学商学部准教授。

専攻は地域文化研究、文化政策、オランダ語文芸翻訳。

著書に『ベルギーの「移民」社会と文化——新たな文化的多層性に向けて——』（共編著、松籟社）、『現代ベルギー政治——連邦化後の20年——』（共著、ミネルヴァ書房）、訳書に『ネムレ！』（アンネリース・ヴェルベーケ著、松籟社）などがある。

利根川由奈（とねがわ・ゆうな）

文教大学国際学部専任講師。

専攻は美術史・文化政策史（特に20世紀ベルギー、ルネ・マグリット）。博士（人間・環境学）。

著書に『ルネ・マグリット——国家を背負わされた画家』(水声社)、「ルネ・マグリットの肖像画における匿名性と二次元性」(『比較文化研究』151号)、『魅惑のベルギー美術』(共著、神戸新聞総合出版センター) などがある。

大迫知佳子 (おおさこ・ちかこ)

広島文化学園大学学芸学部准教授、ブリュッセル自由大学哲学・社会科学部音楽学研究所協力研究員。

専攻は音楽学 (近現代ベルギーの音楽、フェティス研究)。博士 (人文科学)。

著書に *Fortune de la philosophie cartésienne au Japon* (共著、Classiques Garnier)、『ショパンによるバロック音楽の受容に関する研究』(共著、ヤマス文房)、論文に「19世紀前半における和声理論と自然科学の関わり——ジェローム=ジョゼフ・ド・モミニとフランソワ=ジョゼフ・フェティスの理論を中心に——」(『音楽学』) などがある。

猪俣紀子 (いのまた・のりこ)

茨城大学人文社会科学部准教授。

専攻はマンガ史・少女文化・フランス文化。

著書に『日本の漫画本300年:「鳥羽絵」本からコミック本まで』(共著、ミネルヴァ書房)、訳書に『ピエールとジャンヌのパパ!お話しして!』、『オリブリウスのゆかいな冒険』(ジョゼ・パロンド著、くらしき絵本館) などがある。

奈良岡聰智 (ならおか・そうち)

京都大学法学研究科教授。

専攻は政治学。博士 (法学)。

著書に、『対華二十一ヵ条要求とは何だったのか:第一次世界大戦と日中対立の原点』(名古屋大学出版会)、『清風荘と近代の学知』(編著、京都大学学術出版会)、『日本政治外交史』(共著、放送大学教育振興会) などがある。

ディミトリ・ヴァンオーヴェルベーク（Dimitri Vanoverbeke）

東京大学大学院法学政治学研究科・法学部教授。
専攻は法社会学・日本研究（近現代日本法と社会・市民参加・日白関係など）。博士。
著書に *Japan, the European Union and Global Governance* (Edward Elgar); *Global Constitutionalism from European and East Asian Perspectives* (Cambridge University Press); *Developing EU—Japan Relations in a Changing Regional Context: A Focus on Security, Law and Policies* (Routledge); *Juries in the Japanese Legal System: The Continuing Struggle for Citizen Participation and Democracy* (Routledge (Asian Law Series)); *The Changing Role of Law in Japan: Empirical Studies in Culture, Society and Policy Making* (Edward Elgar Publishers) などがある。

上西秀明（うえにし・ひであき）

ゲント大学学芸哲学部日本語講師。
専門は日本語教育。特に成人教育における日本語学習の動機づけに関心あり。

日本とベルギー
——交流の歴史と文化——

2023年12月15日　初版発行　　定価はカバーに表示しています

編著者　岩本和子、中條健志
著　者　石部尚登、武居一正、山口博史、渡邉優子、北原和夫、
ベルナルド・カトリッセ、井内千紗、利根川由奈、
大迫知佳子、猪俣紀子、奈良岡聰智、
ディミトリ・ヴァンオーヴェルベーク、上西秀明

発行者　相坂　一

発行所　松籟社（しょうらいしゃ）
〒612-0801　京都市伏見区深草正覚町1-34
電話　075-531-2878　振替　01040-3-13030
url　http://www.shoraisha.com/

印刷・製本　モリモト印刷株式会社
カバーデザイン　安藤紫野（こゆるぎデザイン）
Printed in Japan

 ISBN978-4-87984-447-7　C0070